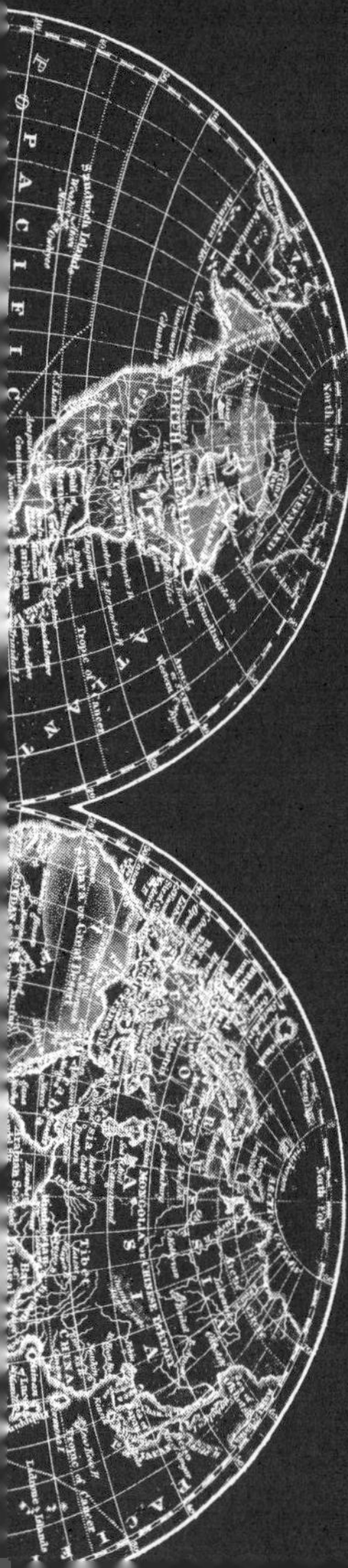

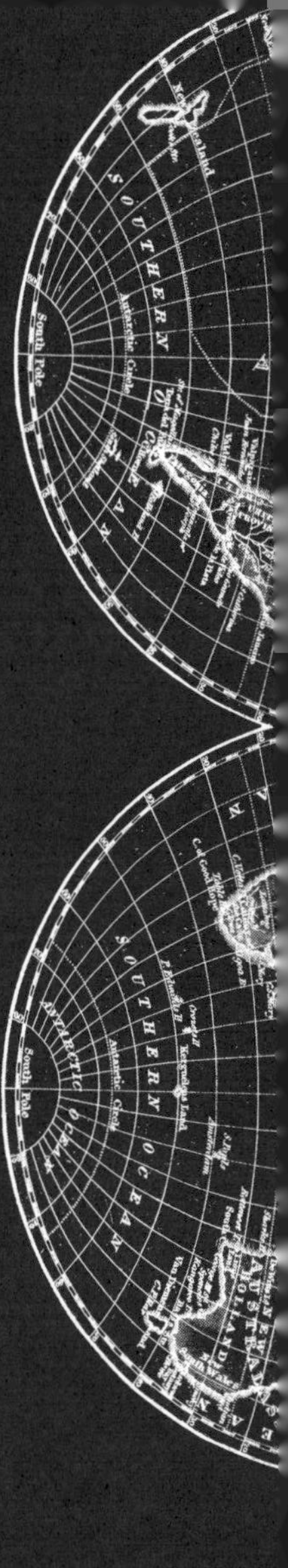

白人侵略

最後の獲物は日本

三谷郁也
Ikuya Mitani

ハート出版

目次——「白人侵略　最後の獲物は日本」

第一章　皇帝父子の死　9
第二章　切支丹追放　13
第三章　大量虐殺　36
第四章　日本蚕食　127
第五章　ビスマルク解任　149
第六章　翻弄される日本　156
第七章　引き金　212
第八章　炎上　217
第九章　戦火拡大　242
第十章　屠殺場　266
第十一章　ニコライ処刑　287
第十二章　同盟国崩壊　306
第十三章　日本包囲網　316

16世紀	15世紀	14世紀	13世紀
1600-1501	1500-1401	1400-1301	1300-1201

室町237年間(1336-1573)
安土桃山30年間(1573-1603)
鎌倉141年間(1192-1333)
建武新政3年間(1333-36)

●「元寇」(文永の役・１２７４年、弘安の役・１２８１年)—75頁
白人による黒人の奴隷貿易(１４００年代初め〜)—14頁
アメリカ大陸発見(１４９２年)—15頁
スペインとポルトガル中南米の分捕り競争(１４００年代終わり〜)—15頁
「トリデシリャス条約」(１４９４年)—18頁、「サラゴサ条約」(１５２９年)—24頁
アメリカ大陸の分捕り合戦(１５００年代初め〜)—36頁
●「伴天連追放令」(１５８７年)—27頁
●「文禄・慶長の役」(１５９２年・１５９７年)—27頁
●「切支丹禁教令」(１６１４年)—28頁
白人のインディアン迫害(１６２２年頃〜)—37頁
欧州列強のアフリカ分捕り競争(１８８０年代〜)—99頁
●「鎖国令」(１６３９年)—32頁
「アメリカ独立戦争」(１７７５年)—42頁
オーストラリア発見(１７７０年)とアボリジニー迫害(１７７８年頃〜)—66頁
「フランス革命」(１７８９年)—95頁
「ナポレオン戦争」(１８０３年)—97頁
「阿片戦争」(１８３９年)—111頁
「アメリカ・メキシコ戦争」(１８４６年)—52頁
「クリミア戦争」(１８５３年)—98頁
●「日米和親条約」(１８５４年)—128頁
●「日露和親条約」(１８５５年)—128頁
イギリス領インド帝国成立(１８５８年)—109頁
「アメリカ南北戦争」(１８６１年)—56頁

20世紀	19世紀	18世紀	17世紀
2000-1901	1900-1801	1800-1701	1700-1601

江戸265年間（1603-1868）

明治44年間（1868-1912）

大正14年間（1912-1926）

昭和63年間（1926-1989）

⊡「生麦事件」（１８６２年）―134頁
⊡「薩英戦争」（１８６３年）―136頁
⊡「馬関戦争」（１８６３年）―140頁
「プロイセン・フランス戦争」（１８７０年）―149頁
「三帝同盟（ドイツ・フランス・ロシア）」（１８７３年）―150頁
「三国同盟（ドイツ・オーストリア・イタリア）」（１８８２年）―101頁
ヴィルヘルム二世即位（１８８８年）―12頁
ビスマルク解任（１８９０年）―155頁
「露仏同盟」（１８９４年）―157頁
⊡「日清戦争」（１８９４年）―160頁と「日清講和条約」（１８９５年）―166頁
「アメリカ・スペイン戦争」（１８９８年）―63頁
⊡「日英同盟」（１９０２年）―170頁
⊡「日露戦争」（１９０４年）―171頁と「日露講和条約」「三国干渉」（１９０５年）―199頁
「英仏協商」（１９０４年）―209頁、「英露協商」（１９０７年）―210頁
「バルカン同盟」（１９１２年）―213頁
「辛亥革命（清国滅亡と中華民国誕生）」（１９１２年）―325頁
「サラエボ事件」（１９１４年）―214頁
⊡「第一次世界大戦」（１９１４～１８年）―217頁
「ロシア革命」（１９１７年）―288頁
「ドイツ革命」（１９１８年）―318頁
「ヴェルサイユ条約」、⊡「パリ講和会議」（１９１４年）人種差別撤廃条約提案―322頁
ヴィルヘルム二世死去（１９４１年）―335頁

0
5,000km
1:50,000,000
海岸線
国境

第一章　皇帝父子の死

死病が五十六歳のドイツ皇太子フリードリヒに忍び寄ったのは一八八七年春のことである。

咽喉《のど》が腫れて咳が続き、微熱が出るようになった。

それを待医があり触れた風邪と見くびった。

皇太子は処方された薬を服用していたが、半月を過ぎても咳は治まらず痰に血が混じるようになった。

皇太子の体は見る間に痩せてゆき、やがて吐血が始まった。

この知らせが皇太子妃の母親であるイギリスのヴィクトリア女王に届いた。

娘婿を心配した女王は、ドイツ宮廷医師たちを差し置いてイギリス人医師団をドイツに送った。

この出過ぎた行為が仇《あだ》となった。

派遣されたイギリス人医師団は、皇太子の病を肺結核と診断したのである。

当時この病に対する有効な治療法はない。空気のきれいな保養地で静養するのが唯一の治療法と考えられていた。

皇太子はアルプス山脈の麓で療養生活に入ったが、程なく舌根《ぜっこん》と歯茎が腫れ始め、顎の痛み、嚥《えん》下《げ》障害（食事が咽喉に詰まる）など結核とは明らかに違う症状が現れるようになった。

やがて食事が全く呑み込めなくなり、ついには呼吸困難に陥った。

ドイツ宮廷医師たちは、イギリス人医師団を押し退けて皇太子の咽喉を切開した。

発見したのは咽頭癌であった。

誤診から三か月放置していたため、中咽頭にできた腫瘍は、上・下咽頭から鼻腔、気管、食道までを侵し、下顎骨《かがくこつ》は壊死していた。

その場で咽頭、鼻孔、舌根、声帯、気管上部、食道頸部の病巣を切除し、顎骨を削る緊急手術が行われた。

呼吸機能と嚥下機能を失った皇太子のため、首の付け根から気道にチューブを差し込んで呼吸を確保し、栄養補給は鼻腔から注入する方法が採られた。

長時間に及ぶ手術で皇太子の衰弱は激しく、苦痛を和らげるためにモルヒネの投与が続いた。

この騒動の二年前、父帝ヴィルヘルム一世が、高血圧から心筋梗塞を併発して危篤状態に陥ったことがある。

一命はとり止めたが老衰が進み、いつ崩御してもおかしくないほど弱った。

そこへ「皇太子が死の淵に立たされている」という知らせである。

気さくに国民に接する皇太子は絶大な人気がある。

国内は騒然となった。

ヴィルヘルム一世の容態が急変したのが翌年の三月八日、宰相のビスマルクを病室に呼んで軍拡法案について話し合ったあとであった。

翌日、虫の息となった皇帝が今際《いまわ》の言葉を掛けたのは皇后でも皇女でもなく、知らせを聞いて駆け付けたビスマルクであった。

「息子のことだが……」父帝は涙を流して家臣に縋《すが》った。

「助かることはあるまい。帝位はすぐ孫に移る。まだ二十九歳の若造だ。至らぬ点も多かろうが後ろ盾となって支えてやってくれ」

――あの馬鹿が帝位に就けば、ヨーロッパ全土は火の海となってドイツは滅びる。

そう見ているビスマルクは、皇帝の願いに沈黙するほかなかった。

癇《かん》が強く、激昂すると相手構わず口汚く罵《ののし》る皇孫は、国内外で極めて評判が悪い。

ヒステリックにまくし立てる甲高い声は周囲の者をも不快にさせ、両親にすら疎まれていた。

ビスマルクが危惧したのはその性格だけではない。皇孫は軍事に異常なまでに関心を示す。

当時ヨーロッパの国々は領土と資源をめぐって激しく対立し、一触即発の状態にあった。

皇孫が帝位に就くことは、狂人に刃物を渡すに等しいと危ぶんだのである。

このあとヴィルヘルム一世は昏睡状態に陥り、同日逝去した。

享年九十一歳であった。

声を失くした皇太子が「フリードリヒ三世」と改称して帝位を継いだが、執務を行える状態では

ヴィルヘルム二世
(1859-1941)

ない。

病に倒れる前の皇位継承者にふさわしい風貌は完全に失われていた。

皮膚が枯れ、脂肪が失せた顔は髑髏《どくろ》のように変貌し、鼻と喉元からチューブを通した哀れな姿を見て、家臣団は顔を伏せた。

父帝同様に温厚な人柄で、国民から「我らのフリッツ」と呼ばれた子帝は、議会主導による民主的な国家運営を目標とした。

その夢が断たれた子帝は、間もなく帝位を継ぐ長男が国策を誤り、四千九百万人のドイツ国民を災禍に巻き込むことを憂いながら六月十五日に世を去った。

在位九十九日であった。

これで帝位が長男に移った。

帝名は「ヴィルヘルム二世」となる。

こののちビスマルクの危惧は現実となる。

ヨーロッパという巨大な火薬庫に火を放ち、二度にわたる世界大戦を誘発させただけではない。

おのれの野望のために日本を戦火に巻き込み、ロシア帝国を崩壊させ、共産主義思想を世界中に拡散させる惨劇の主役が登場した瞬間であった。

第二章　切支丹追放

家臣の意見に耳を傾け、国会の議決を尊重した先々帝と違い、ヴィルヘルム二世は皇帝主導による国家運営を目指そうとした。

就任最初の閣議で、ヴィルヘルム二世は「海軍力の増強」と「海外での領土拡張」を唱えた。ドイツは一八七一年に統一を果たすまで二十六の諸邦に分かれていて、海外で領土を獲得しようにも足並みを揃えるのが容易ではなかった。

それに加えて、大西洋に長い海岸線を持つスペインやポルトガル、イギリス、フランスと比べ、二十二のドイツ諸邦がヨーロッパの内陸部に位置して、海岸線を持っていない。

海岸線を持つ残り四邦の中で、その九十八パーセントを有するプロイセンですら、その七割近くがバルト海側にあり、北海への出口をデンマークとスウェーデンの領海に塞がれて、海洋進出を果たせずにいたのである。

一方、他のヨーロッパ諸国は、航海術が発達して遠洋航海が可能となった十五世紀から、黄金と黒人奴隷を求めて海外に乗り出していった。口火を切ったのがヨーロッパ大陸西端のポルトガルである。

一四一五年、アフリカ北西端のイスラム国家マリーン朝（現モロッコ）に侵攻してジブラルタル海峡南岸の貿易港セウタを奪い、ここを拠点に大西洋のマデイラ諸島、アゾレス諸島、アフリカ大陸西端（現セネガル）、ギニア湾北東岸（現ナイジェリア）、南東岸（現アンゴラ）に押し入って黒人を拐《さら》い、ヨーロッパに売り飛ばす奴隷貿易を始めた。

その後ポルトガルはアフリカ大陸西岸で鉱物資源を調査し、ギニア湾北岸（現ギニア、ガーナ）で金の鉱床を発見すると黒人奴隷を使って掘削を始め、岩盤崩落による生き埋めや圧死、酸欠による窒息死と隣り合わせの危険な作業を強いた。

掘り出した金鉱石から金を取り出す作業も危険が伴う。

当時は金が水銀に溶ける特性を生かし、粉砕された金鉱石に水銀を混ぜて金と水銀の合金を作り、その合金を加熱して水銀を蒸発させ金のみを取り出していた。

そのときに発生した水銀の蒸気を吸い込むことで引き起こされる視覚狭窄（視界が狭まる）や腎臓障害、聴力障害を黒人に負わせて、ポルトガルは莫大な利益を上げていった。


ポルトガルに次いで海洋進出に乗り出したのがスペインである。

一四九二年八月三日、イサベル女王から資金援助を受けたイタリア人探検家コロンブスが、九十人の手下と共に黄金の国日本《ジパング》を目指して大西洋を渡り、十月十二日にカリブ海のサン・サルバドル島（現バハマ領）に到達した。

大西洋の彼方にカリブの島々やアメリカ大陸があることなど知らなかったコロンブスは、日本《ジパング》を通り越してインドに到達したと勘違いし、島民をスペイン語でインド人を意味する「インディオ」と呼んだ。

上陸早々コロンブスはインディオに黄金を要求したが、僅かな金しか得られなかったため、黄金を求めて周辺海域を探検し、イスパニョーラ島（現ハイチ、ドミニカ共和国）、キューバ島、ジャマイカ島、サン・ファン島（現プエルト・リコ）を発見した。

これらの島々に数十万人のインディオが暮らしていることを知ったコロンブスは、インディオを制圧するに足る軍勢と武器を手配するため、四十人ほどの手下を残して、翌年一月に一旦スペインに帰国した。

同年十一月十三日、イサベル女王が手配してくれた千二百人の兵士、農業技術者、牧師を引き連れてコロンブスがイスパニョール島に戻った時、島で暴虐の限りを尽くしていた残留組の手下は、全員インディオに殺害されていた。

コロンブスは直ぐに報復に出た。

スペイン人宣教師ラス・カサスがイサベル女王に宛てた告発状『インディアスの破壊についての簡潔な報告』（岩波書店）に記されているインディオの虐殺が起きたのはこの時である。

コロンブスと配下のスペイン人たちは、インディオをマスケット銃で撃ち殺し、刺し殺し、焼き殺していった。

見栄えのいい女は片っ端から凌辱していき、エスパニョーラ島では国王の目の前で王妃を輪姦している。

コロンブスの死後も南米に上陸したスペイン人の暴虐は続いた。

インディオの腕を切り落とし、妊婦の腹を裂いて胎児を引きずり出して猟犬に餌として投げ与えた。

インディオを恐怖で縛ったあとは、乳幼児以外の全員を川底にある砂金の採集に駆り出した。

そのため、キューバ島では、取り残された乳飲み子や幼児七千人が飢え死にする悲劇が起きている。

アンティグア・バーブーダ
ドミニカ
セントルシア
バルバドス
セントビンセント=グレナディーン諸島
トリニダード・トバゴ
グレナダ
ホンジュラス
ニカラグア
パナマ
コスタリカ
ベネズエラ
ガイアナ
スリナム
ギアナ
コロンビア
エクアドル
ペルー
ブラジル
ボリビア
パラグアイ
チリ
ウルグアイ
アルゼンチン
南アメリカ大陸
0
1500km
1/10,079,000

そこまでしても、手に入れることができた砂金は少量に止《とど》まった。

しかし、カリブ海（現ベネズエラ沿岸、トリニダード島）に宝があった。

アコヤ貝やシロチョウ貝から採れる真珠である。

当時、真珠二粒で奴隷が一人買えた。

ピンク貝から採れるコンクパールならその数倍の値が付いた。

スペイン人たちは真珠の採取に目の色を変え、インディオを水深八メートルから十メートルの海底に潜らせた。

インディオが息つぎのために海面に顔を出すと額が割れるまで棍棒で殴打し、夜明けから日没まで真珠貝を採らせた。

インディオはサメに喰われるか、海水で体温を奪われて血便をたれ流し、肺を壊して血を吐き死んでいった（『真珠の世界史』山田篤美　中公新書　参照）。

犠牲となったインディオの数は諸説あるが、一四九二年のコロンブスの乱入から五十年後、エスパニョーラ島に三百万人いたと推測されるインディオが二百人、五十万人いたとされるバハマ諸島では十一人にまで減少し、百万人以上の島民が暮らしていたと見られるサン・ファン島とジャマイカ島には、それぞれ二百人ほどしか生き残っていなかったという。

一四九四年、ポルトガルとスペインは「トリデシリャス条約」を結び、西経四十六度三十七分（グリーンランドからブラジル東部を通る子午線）を境に東はポルトガル領、西はスペイン領と決めると、ポルトガルは一五〇〇年にトリデシリャス条約の境界となる南米大陸の西側四七・七パーセントに当たる八百五十一万平方キロメートル（現ブラジル）を自国領であるとヨーロッパ諸国に宣言した。

スペインが南米大陸に乗り込んだのは、トリデシリャス条約の締結から二十七年後の一五二一年に、エルナン・コルテスがアステカ帝国（現メキシコ合衆国）に侵攻したときである。

ここでコルテスは世界最大の銀の産出地を手に入れた。

一五三三年にはフランシスコ・ピサロが、内戦状態のインカ帝国（現コロンビア、エクアドル、ペルー、チリ）に侵攻した。

百八十人の手勢しか持ち合わせていないピサロは、部族間の対立を巧妙に煽《あお》って殺し合わせ、最後に残った部族をマスケット銃で殲滅《せんめつ》して一五三三年にインカ帝国を征服し、ついに念願の金の鉱床を手に入れた。

コルテスのアステカ帝国侵攻から百五十年の間に、スペインによってヨーロッパに持ち去られた金は、判明しているだけでも百八十一トン、銀は一万七千トンに達する。

その後もスペインは中南米の侵略を進め、ポルトガル領ブラジルを除く南米大陸の五二・三パーセント（現メキシコ、グアテマラ、ベリーズ、ホンジュラス、エルサルバドル、ニカラグア、コスタリカ、パナマ、コロンビア、エクアドル、ペルー、チリ、ボリビア、アルゼンチン、パラグアイ、ウルグアイ、ベネズエラ、ガイアナ、スリナム）を領有したあと北上して、北米大陸の南部六百三十一万四千九百四十六平方キロメートル（現アメリカ領テキサス州、オクラホマ州、カンザス州、ニューメキシコ州、コロラド州、アリゾナ州、ユタ州、ネバダ州、カリフォルニア州、フロリダ州、ルイジアナ州、アーカンソー州、ミシシッピ州、アラバマ州、テネシー州、ジョージア州、サウスカロライナ州、ノースカロライナ州）を手に入れた。

その広さは、北米大陸の総面積の二十五・五六パーセントに当たる。

スペイン人たちは、コロンブスやその手下たちがカリブの島々でやったように、掠領《りゃくりょう》した中南米の大地でインディオの女たちを四百数十年に亘って凌辱し続けた。

その結果生まれた混血児の子孫を「メスチゾ」と言い、現在の中南米の人口の六割をメスチゾが占めているから、スペイン人の性欲の強さには驚かされる。

ポルトガルとスペインは、この広大な大地で儲かることなら何でもやった。

カナリア諸島から持ち込んだ香辛料の種や砂糖キビの苗を植え付けて栽培を始め、コーヒー、カカオの大規模農場も開いた。

これらの農産物は、香辛料同様に雨の多い熱帯地方でしか育たず、ヨーロッパに出荷すれば高値で売れた。

中でもヨーロッパに持ち込まれた胡椒は、同量の銀と交換される価値があり、砂糖は「白い黄金」と呼ばれて巨万の富を生んだ。

ただ、原料となる砂糖キビは、あらゆる農産物の中で最も栽培と収穫に手間がかかる。

香辛料は収穫したあとは天日に干せば完成だが、砂糖キビは一対の石臼の間に挟んで磨り潰し、搾り出した汁を繰り返し煮詰めて不純物を取り除き、結晶を取り出さなければならない。

インディオたちは、ろくな食事も充分な睡眠時間も与えられずに炎天下で搾り汁を煮詰める猛火と立ち上がる湯気の中で重労働を強いられ、過労死や虐待死のほか過酷な労働に耐えきれずに集団自殺に追い込まれていった。

しかも砂糖キビは地中から大量の水を吸い上げるため、インディオたちが自分たちの糧食として耕していたトウモロコシ畑やサツマイモ畑に水が行き渡らなくなり、深刻な食糧不足を招いて飢え死にする者も出るようになった。

さらに、スペイン人がヨーロッパから持ち込んだ天然痘やコレラ、梅毒、牛や馬、溝鼠《どぶねずみ》に寄生するノミやダニが媒介する赤痢菌やサルモネラ菌が、免疫のないインディオの命を奪っていった。

ポルトガルとスペインの侵攻前、南米に四千万から一億人いたと推測されるインディオは、コロンブスのサン・サルバドル島上陸から十七世紀初頭までの百十年間ほどの間に一千万人にまで激減したというから、七十五パーセントから九十パーセントのインディオが命を落としたことになる。

白人たちはインディオを殺し過ぎて、たちまち労働者不足に陥った。

その穴を埋めるため、アフリカ大陸で黒人狩りをして奴隷船に詰め込み、農園に送った。

便器もなく糞尿と嘔吐物に浸かった不衛生な船内では伝染病が蔓延《まんえん》し、多くの黒人が死んでいった。

息があっても罹患した者は、他の黒人への感染を防ぐために容赦なく大西洋に投げ捨てられた。

黒人たちの半数近くがこの地獄の航海で命を落とし、中南米に辿り着いた者も農場で酷使されてほとんどが死んでいった。

この奴隷貿易をスペイン人は四百年続け、八千万人から一億人に及ぶ黒人の生き血を吸って太っていった。

余談になるが、スポーツの世界で黒人選手の身体能力は並外れて高い。

これは奴隷貿易の名残である。

四百年におよぶ奴隷生活を強いられて、弱い黒人は死に絶えている。

現在いる黒人《ネグロイド》は、奴隷生活を生き抜いた強靭な身体と精神力を持つ祖先の遺伝子を受け継いでいるため、白人《コーカソイド》や黄色人種《モンゴロイド》より身体能力が高い者が多いのである。

話を戻す。

両国は南米大陸で非道の限りを尽くす一方で、トリデシリャス条約の取り決め通り、ポルトガルは東回り、スペインは西回りで対蹠地《たいせきち》（南米大陸から見ての地球の裏側）にも手を伸ばしていった。

一四九八年、ポルトガル国王マヌエル一世からインド航路の発見を命じられた探検家ヴァスコ・ダ・ガマは、東回りで喜望峰からインド南西部のカリカット（現コジコード）に到達し、香辛料を直接ヨーロッパに運ぶ航路を発見した。

その後もポルトガルは、インド中部アラビア海沿岸のゴア、セイロン島（現スリランカ）のコロンボ、マレー半島、マカオに商館を設置して、アジアでの香辛料貿易を独占した。

その一方でアフリカ大陸での資源調査も進め、一五〇七年にモザンビーク島とアフリカ北東部（現ケニア）で新たな金の鉱床を発見した。

ところが、この一帯は火山地帯が南北に伸びているため、マグマによって熱せられた岩盤から放出される熱が坑道内の温度を上昇させる。

地中に浸み込んだ雨水や地下水が熱せられて沸騰した場合、その上限温度は百度であるが、蒸気や大気に上限温度はなくマグマから伝わる熱に比例して上昇していくため、坑道内の温度も際限なく上がる。

黒人たちはそんな坑道内での穿孔《せんこう》作業を強いられたのである。

坑道を掘り進めるには切端（坑道の先端）の岩盤に穴を穿《うが》ち、火薬を詰めて爆発させるが、火薬の発火温度を超えている岩盤に火薬を装填中に引き起こされる爆発事故や、一酸化炭素、硫化水素、二酸化硫黄などの噴出事故が相次いだに違いない。

しかも、火山が爆発すれば、巨大な噴石は数キロ先まで飛び、小さな噴石でも弾丸並みの速度で飛び散って強固な建物の壁すら貫通して破壊する。

七百度を超える火砕流が発生すれば、時速百キロ以上で斜面を流れ落ち、黒人奴隷の居住区を襲えば逃げる術はない。

その過酷さは、ギニア湾側の金の採掘場の比ではなかっただろう。

ポルトガルは巨万の富を手に入れるのと引き換えに、相当数の黒人を犠牲にしたに違いない。

一方、スペイン国王カルロス一世から、東回りより短い距離で香辛料を運ぶ航路の発見を命じられたポルトガル人探検家マゼランは、一五一九年に南米大陸南端のホーン岬から西へ回って太平洋を横断し、一五二一年に南シナ海に七千以上の島からなるミンダナオ諸島を発見すると、皇太子フィリップの名に因んで「フィリピン」と命名した。

マゼランは島々に渡って島民にスペイン国王への服従を命じたが、マクタン島の国王が隷属を拒絶したため戦闘となった。

この戦闘でマゼランは戦死してしまい、マゼランの部下たちはフィリピンから撤退するが、紀元前から唱えられてきた地球球体説を実証するため、西に向けての航海を続けて一五二二年にスペインに帰国した。

この航海で地球が丸いことが証明されると、ポルトガルとスペインは「サラゴサ条約」を結んで、東経百四十四度三十分に境界線を引いて地球を山分けした。

東経百四十四度三十分とは、日本の網走、釧路から、パプアニューギニア、オーストラリアのクイーンズランド州、ニューサウスウェールズ州、ヴィクトリア州を通る。

この境界線によれば、日本人が知らない間に網走から釧路以東の根室、知床半島、歯舞島、積丹島、国後島、択捉島がスペイン領で、それより西の日本列島はポルトガル領になっていたのである。

なおスペインの侵攻を阻んだマクタン島であるが、その後スペインから二度にわたる侵攻を受けて一五七一年に征服され、ミンダナオ諸島全島がスペイン領に組み込まれている。

両国がほぼ同時期に地球を半周して「サラゴサ条約」で策定された境界となる日本に到着したのは十六世紀半ばであった。

南米とアフリカを席捲した余勢を駆って念願の黄金の島日本《ジパング》に上陸した白人たちであったが、勝手が違った。

当時日本は戦国時代である。

日本刀の一振りで敵の首を刎《は》ねる屈強な武士団は、インディオと黒人を虫けらのように殺してきた白人たちを震え上がらせた。

白人たちを最も驚愕《きょうがく》させたのが大量の銃が出回っていたことである。

日本では、両国が到着する六年前に種子島に漂着したポルトガル人船員から入手した二挺の銃に改良を重ねて、自力で生産できるようになっていた。

しかも、その生産能力も性能もヨーロッパ製の銃を凌駕していたのである。

一五七五年に信長が三千挺の鉄砲隊で武田勝頼軍を殲滅するのを見て、白人たちは武力では勝ち目が無いことを思い知った。

白人たちはやり口を変えた。

キリスト教の布教で日本人を洗脳して蜂起させ、日本を乗っ取る計画を立てたのである。

宣教師とは侵略軍の尖兵に過ぎない。

宣教師たちは布教の許しを得るため、信長に様々な品物を献上して機嫌を取った。

その中に黒人の召使いがいた。

『信長公記《しんちょうこうき》』の中に「宣教師から献上された黒人の召使いを信長は大層喜び『彌助《やすけ》』と名付けた」と記されているが、この黒人は、宣教師がポルトガル領東アフリカ（現モザンビーク）から連れて来た奴隷である。

一五八二年に信長は「本能寺の変」で倒れるが、光秀を陰で操ったと噂される人物の一人にイエズス会幹部のオルガンティーノ神父がいる。

強大な軍事力を握る冷酷無比な信長を日本侵略の障害と見なし、光秀を煽《あお》って葬ったとも考えられる。

秀吉の治世になっても宣教師の布教は公認されたが、この頃から宣教師たちは勢力を飛躍的に拡大させていった。

九州北部で切支丹信者は二十万人に膨れ上がり、有馬晴信、大村純忠、大友宗麟ら有力大名が次々と帰依《きえ》していった。

宣教師たちは平伏《ひれふ》す信者の前で皇帝のごとく振る舞い、僧侶の殺害や寺社への放火、仏像の破壊を命じるようになった。

また宣教師たちは、切支丹大名を操って泣き叫ぶ領民を奴隷船に積み込み、海外に売り飛ばす奴隷商人であり女衒《ぜげん》でもあった。

一五八二年、切支丹大名たちが、三人の血縁者を名代とする天正少年使節団をローマ法王に謁見させせたるためにヨーロッパに遣わしたとき、そのうちの一人で大村純忠の甥の千々石《ちぢわ》ミゲルが、下腹部を露出させられた日本女性が娼婦として競売にかけられているのを目の当たりにして衝撃を受けている。

しかも五十万人もの日本人がインド、アフリカ、東南アジアにまで売りに出されたと聞いてキリスト教の本質を思い知り、帰国後に棄教している（『戦争犯罪国はアメリカだった！』ヘンリー・S・ストークス　ハート出版　参照）。

当然こういった宣教師たちの狼藉は秀吉の耳に入った。

秀吉は、イエズス会日本支部の統括責任者であったポルトガル人宣教師ガスパール・コエリョを呼びつけて糾弾し、売り飛ばした日本人を返すよう命じたが、コエリョは「日本人が売りに来たから買っただけ。非は日本側にあり」と悪びれもせずに言って退《の》け、売り飛ばした日本人の返還に応じなかった。

宣教師の化けの皮が剥がれたのは一五八七年である。

この年、バルト海貿易とニシン漁で航海の腕を上げたオランダが日本に交易を求めて来た。

そのオランダ商人が、日本との交易を独占するためにポルトガルとスペインの侵略の手口を幕閣の耳に入れたのである。

報告を受けた秀吉は即座に「バテレン追放令」を出し、交易も断《た》って日本の防備を急ぎ、一五九二年と一五九七年には十七万もの軍勢を朝鮮半島に派兵した（「文禄・慶長の役」）。

この兵力は秀吉が生涯で動かした最大のものであった。

その動機については諸説ある。

「秀吉の統治に不満を持つ武将の関心を海外に転じるため」という説があるが、戦乱の世を治めた秀吉の統治は安定していたし、絶大な力を持つ秀吉に逆らう武将などいなかった。

「嫡男鶴松の死で乱心した」など論外である。

「征服欲から、朝鮮、明国、インドの征服を目論んだ」という説もあるが、戦上手な秀吉が、莫大な戦費が掛かる上に、武器や弾薬、食糧の補給が困難になり遠征軍が孤軍となるような危険を冒すなど考えられない。

「本能寺の変」後の光秀討伐の「中国大返し」でも、秀吉が気にかけたのは兵の食糧の調達であった。

ポルトガルかスペイン、もしくは明国や朝鮮が、日本の安全を脅かす何らかの軍事行動を取ったため、やむなく出兵したとしか考えられない。

十三世紀末、二度にわたり朝鮮半島経由で博多湾に襲来した蒙古・朝鮮連合軍のことが秀吉の脳裏を過《よぎ》ったのだろう。

一五九六年には「バテレン追放令」の布告後も日本に居座っていたスペイン人宣教師六人と日本人信者二十人を捕らえて、全員の片耳を削ぎ落し、京から九州まで裸足で引き廻して、切支丹の多くいる長崎で磔刑《たっけい》にしている。

隠れ切支丹への見せしめであり、ポルトガルとスペインへの警告であった。

徳川の世になっても、切支丹への対策は変わらなかった。

家康は「キリスト教の広まりは国家を滅ぼす」として、一六一四年に「切支丹禁教令」を出し、布教や崇拝を固く禁じた。

この布告により、僧侶や神主を殺害して寺社仏閣を焼き払い、教会を建てていた明石城主の高山右近が日本から追放されて、翌一六一五年にマニラで客死している。

二代将軍秀忠の治世には、三百人以上の切支丹を火炙り、斬首、もしくは水牢に入れて獄死させている。

とはいえ、秀吉、家康、秀忠が切支丹をやみくもに死罪に処していたわけではない。

秀吉が二十六人の切支丹を磔刑に処したのは「バテレン追放令」を発令してから九年後の一五九

六年であり、それまでは切支丹を野放しにしていた。

家康にしても、切支丹を捕らえると先ず言って聞かせ、棄教すれば放免にしていた。

高山右近ですら死罪にならずに国外追放である。

二代将軍秀忠に至っては、六歳年上の正室お江に頭が上がらず、真田討伐では三万八千の大軍を率いながら、二千の兵力しか持たない真田勢に完膚なきまでに叩きのめされて、関ヶ原の合戦に間に合わず、父家康から叱責を受けるなど凡庸で気弱な人物であったようだ。

にも拘らず三百人もの切支丹を死罪にしたというのは、切支丹たちが余程《よほど》目に余る行為を犯したのだろう。

当時の日本の統治者たちは、切支丹の処分が手緩《てぬる》過ぎたのだ。

その甘い対応がとんでもない事態を引き起こす。

「島原の乱」である。

本《もと》を正せば、宗教色など一切ない農民一揆であった。

事の発端は、島原藩主松倉重政が領民に苛政《かせい》を敷いていたことにある。

島原藩は石高わずか四万石の小藩であるにも拘らず、分不相応な年貢を領民に課し、年貢を納められない庄屋や農民の妻や娘を城に連行して殺害するなど、暴虐の限りを尽くしていた。

一六三〇年、その重政が没して嫡男勝家が跡目を継ぐと、処刑の方法は残忍さを増した。

連行した女に藁蓑《わらみの》を着せて火をつけ、焼き殺すようになったのである。

紅蓮の炎に包まれて悶え苦しむ女の姿を、勝家は「蓑踊り《みのおど》」と称して楽しんだと伝えられる。

勝家に対する領民の怒りが爆発したのが一六三七年十月である。

この年、肥前一帯で飢饉が起こり、島原領内の津村では、定められた年貢を納めることが出来なかった。

すると島原藩の役人は、身重であった庄屋の妻を連行して城内の水牢に入れた。

十月というのは旧暦であり、新暦で言えば十一月下旬から十二月初旬に当たる。

この時期に六日間冷水に漬けられた庄屋の妻は、流産して獄死した。

追い詰められた津村の農民たちは、十月二十五日に徒党を組んで代官所を襲い、代官林平左衛門を殺害すると、近隣の村の百姓も一揆に加わった。

この騒動に便乗したのが、蜂起の機会を窺っていた天草諸島の切支丹たちである。

切支丹たちは十六歳の天草四郎を蜂起軍の総大将に担いで農民たちに加勢し、三万近くにまで膨れ上がった武装農民と切支丹が島原城を包囲する事態となった。

知らせを受けた幕府から「一揆鎮圧」の命を受けた細川（熊本）、黒田（福岡）、鍋島（佐賀）、有馬（久留米）など九州諸藩が十二万の軍勢を繰り出して鎮圧に向かったが、切支丹と武装農民たちは、前藩主松倉重政が一六二四年に島原城を築城したあと廃城となっていた原城に立て籠もった。

九州諸藩の武士たちは、百姓相手と侮《あなど》って強襲を掛けたが、三方を海に囲まれた原城を攻めあぐね、四千人の死傷者を出す大損害を被って退けられてしまった。

とは言え、幾ら堅固な城に立て籠もろうと、竹槍くらいしか持たない百姓たちが武士相手に太刀打ち出来るわけがない。

武士団がこれだけの損害を被ったのは、加勢した切支丹たちが何時でも決起できるよう、平素から武器や食糧などの周到な用意をしていたからだろう。

武士団と切支丹の睨み合いが続く中、オランダが幕府に協力を申し出た。

日本との交易を独占したいオランダにとっては、幕府のご機嫌を取る絶好の機会だったのである。

オランダもキリスト教国であるが、天草の切支丹とは宗派が違う。

キリスト教の宗派の数は数百とも数千とも言われ、切支丹たちはローマ・カトリックであるが、オランダはプロテスタントである。

キリスト教の最大宗派であるローマ・カトリックは、信徒から高額の教会税を徴収していたほか、神父の職を金で売買し、免罪符を発行して犯罪者に高値で売りつけて罪を帳消しにしてやるなど、腐敗しきっていた。

そんなカトリックに見切りをつけた信徒たちが立ち上げた宗派がプロテスタントである。

そのプロテスタントを国教とするオランダは、かつてカトリックを国教とするスペインの領土の一部であった。

一五五六年、そのオランダに対してスペイン国王フィリップ二世がカトリックを強制したため、オランダの民衆が反発して独立戦争が起こり、一五八一年にスペインの支配から脱したという経緯《いきさつ》があった。

オランダにとってスペインは憎むべき嘗《かつ》ての支配者であり、原城に立て籠もった切支丹は仇敵《きゅうてき》の手下に過ぎなかったのである。

島原湾に急行したオランダ艦隊は、切支丹が立て籠もる原城に容赦なく砲弾を叩き込んだ。圧倒的な火力の差に加え、海上から砲撃では切支丹や武装農民に反撃しようもなく、一方的に撃たれ続けた。

そこへ九州諸藩が一斉に攻め入り、四か月におよんだ切支丹の反乱を鎮圧することが出来た。

幕府軍は捕らえた農民と切支丹全員の首を刎ね、四十四間（およそ八〇メートル）四方の穴に死骸を埋めて地上から切支丹の痕跡を消し去った。

唯一、天草四郎の首だけを長崎出島の橋の袂《たもと》に晒《さら》し、乱を招いた島原藩主松倉勝家を大名としては異例の斬首に処して島原の乱は終結した。

一九九〇年から始まった原城の発掘調査で、土中の巨石を取り除いた下から発見された大量の人骨や、弾丸を溶かして作った粗末なクロス（十字架）、ロザリオ（十字架の付いた数珠状の祈りの用具）、メダイ（聖母マリアやキリストの姿が彫られたメダル）が、切支丹の激しい抵抗と徳川幕府のキリスト教への恐れと憎悪を物語っている。

キリスト教の恐ろしさを肌で知った家光は、島原の乱の翌年に「鎖国令」を出して外国勢力の徹底排除に踏み切り、日本の鎖国政策は一八七三年に「キリスト教禁止令」が解かれるまで二百三十四年間に亘《わた》って続いていく。

唯一オランダにのみ交易を許したが、それは島原の乱における軍功や交易による利益だけでなく、海外の情報を収集するためでもあっただろう。

ただし幕府はオランダ商人たちを長崎の出島に閉じ込め、日本人との接触を最小限に抑えた。

らである。

オランダ商人が黒人奴隷を虐《しいた》げるのを見て、ポルトガルやスペインと同じ穴の貉《ムジナ》だと気づいたか

幕閣の見立て通り、オランダは勇猛な武士団に恐れをなして日本の侵略を端《はな》から諦めていたが、他の地域では牙を剥《む》いた。

一六〇二年に太平洋とインド洋の間にある群島（現インドネシア）に押し入り、八百万人いたと推定される島民を丸ごと奴隷にして、砂糖キビ、香辛料、コーヒーを栽培させ、ヨーロッパに出荷して大儲けした。

しかも、島民たちが自分たちの糧食を栽培している田畑まで潰して輸出品目の栽培に転用したため、飢饉を引き起こし、大量の餓死者を生み出した。

その後の資源調査で、世界屈指の埋蔵量を誇る金鉱床を発見すると、島民たちの扱いは更に苛烈さを増し、金鉱石からの金の抽出には、ポルトガルがアフリカでやった方法を見倣《なら》い、島民を水銀中毒にして骨の髄までしゃぶり尽くすようになった。

一七世紀初頭、北米大陸のハドソン川河口に上陸したときには、ガラス玉をインディアンに与えてマンハッタン島を騙し取り、一六一四年に「ニューアムステルダム」を建設した。

のちのニューヨークである。

統治期間が五十年と短く、何をやっていたのか定かではないが、奴隷貿易でもやっていたのだろう。

ほぼ同時期に押し入った南米北東部（現スリナム）やカリブ海のアンティル諸島、アフリカ西岸

（現セネガル）沖のゴレ島では黒人を奴隷船に詰め込んで叩き売っている。

一六五二年には、アフリカ南端のケープタウンを掠領してインド洋への拠点を確保し、一六五八年には、ポルトガルからセイロン島（現スリランカ）を奪い取って香辛料の大規模農園を開き、島民を虐使した。

しかし、オランダが世界中で領土を拡張できた期間は驚くほど短い。のちに述べるが、オランダはニューアムステルダムもセイロン島もケープタウンもイギリスに奪い取られて、ポルトガルやスペイン同様に凋落していくのだが、宝の山のインドネシアだけは死守して手の込んだ統治を行った。

数百を超える島に三百以上の違う言語を使う民族が混住し、宗教もイスラム教、カトリック、プロテスタント、ヒンドゥー教、仏教とバラバラなのをいいことに、言語を統一させない「愚民化政策」や民族間の対立を煽る「分断統治」を行い、島民が結束して歯向かってくるのを防いだ。

オランダによるインドネシアでの収奪は、大東亜戦争で日本軍に追い落とされる一九四二年まで続き、三百四十年間に亘って国家収入の三分の一を賄《まかな》っていく。

家光の講じた措置に間違いはなかったわけである。

キリスト教の迫害といえば、ローマ帝国による弾圧が有名である。

イタリア半島の都市国家の一つに過ぎなかったローマは、西ヨーロッパからバルカン半島、アナトリア半島（現トルコ）、中東、エジプト、アフリカ北岸まで制覇して大帝国を築いたが、支配地域の民族の風習や宗教に干渉することのない緩やかな統治を行った。

その中でイエスが伝道を始めて二年足らずのキリスト教のみを敵視し、イエスをゴルゴダの丘で磔刑に処した。

キリスト教徒たちが日本でやったのと同様の狼藉を働いたのかもしれないし、キリストの教義の中に何か危険な臭いを嗅ぎ取ったのかもしれない。

イエスの死後もキリスト教に対するローマ帝国の弾圧は続き、五賢帝の一人に数えられるマルクス・アウレリウス帝や、デキウス帝、ディオクレティアヌス帝、ガレリウス帝の治世にキリスト教徒への大弾圧が行われている。

西暦六四年に、七日間に亘ってローマの街を焼き尽くした大火にしても、「暴君と言われたネロが街に火を放ち、キリスト教徒に罪を擦《なす》り付けて虐殺の口実にした」というのが通説になっているが、日本に来た宣教師たちが寺社仏閣に火を放って僧侶を殺害し、奴隷貿易に手を染めたことを鑑みれば、キリスト教徒たちが街に火を放ったのは事実だった可能性がある。

もしそうであるなら、キリスト教を弾圧した措置は適切であるし、放火の濡れ衣を着せられたのはネロの方だったことになる。

ローマ帝国のキリスト教への迫害は二百八十年間続き、西暦三一三年に、コンスタンティヌス帝がキリスト教を国教と定める「ミラノ勅令」を出して終わりを迎えるが、キリスト教を認めたというよりも、キリスト教徒が増えすぎて禁教のままでは帝国の統治が立ち行かなくなったからではないだろうか。

第三章　大量虐殺《ジェノサイド》

† 北米大陸

スペインに次いで北米大陸に乗り込んできたのがフランスである。

一五二六年、国王フランソワ一世がセントローレンス湾（現在のカナダ領）に遠征隊を派遣した。セントローレンス川河口に上陸した遠征隊は、赤ちゃんアザラシの純白の皮を剥ぎ、現地のインディアンからビーバー、熊、トナカイの毛皮を買い付けてヨーロッパで売り、香辛料や砂糖に匹敵する巨万の富を手に入れた。

その一方で、フランスは北米大陸の領有も進めた。

移動しながら狩りをする現地のインディアンには「土地を所有する」という意識がないのをいいことに、遠征隊はセントローレンス川を遡り、五大湖に到達後はミシシッピ川流域を南下して、メキシコ湾に至る三百四十万平方キロメートルの領有をヨーロッパ諸国に向け宣言した。

その広さは北米大陸の十三・五パーセントに当たる。

オランダがマンハッタン島に上陸したのとほぼ同時期の一七世紀初頭、イギリスも北米に乗り込んできた。

この国は、エリザベス女王がフランシス・ドレークやジョン・ホーキンスといった海賊を雇い、中南米で掘り出した銀を本国へ運ぶスペイン船を襲撃して、船ごと奪って力を付けてきた。

一五八八年、スペインが報復のために繰り出した無敵艦隊を破って海上覇権を握ったイギリスは、大西洋を渡り、オランダ領となったマンハッタン島から四百キロ南西にあるチェサピーク湾のポトマック川河口に移住者を上陸させた。

海洋進出の先駆者であるポルトガル、スペイン、オランダが軍隊を送り込んで領土を拡張していったのに対し、イギリス政府は金のかからない方法を採った。

刑務所でも持て余した犯罪者たちの流刑地として、北米大陸を利用したのである。

あとは、イギリス政府が指図せずとも流刑者たちが勝手に領土を拡げてくれた。

上陸した流刑者たちは、現地で暮らすインディアンのポーハタン族を銃で脅して食糧と土地を奪い取り、彼らに栽培させたタバコをヨーロッパに輸出して生計を立てるようになった。

入植開始から五年目の一六二二年、酷使されてきたポーハタン族が、流刑者の居住区を襲って三百四十七人を虐殺する事件を起こした。

このとき流刑者たちは、ポーハタン族に和議を申し出て和平を祝う酒宴を催し、毒を盛った酒を振る舞って二百人以上を殺害した。

この事件を契機に、流刑者とインディアンは憎悪をむき出しにした全面戦争に突入した。

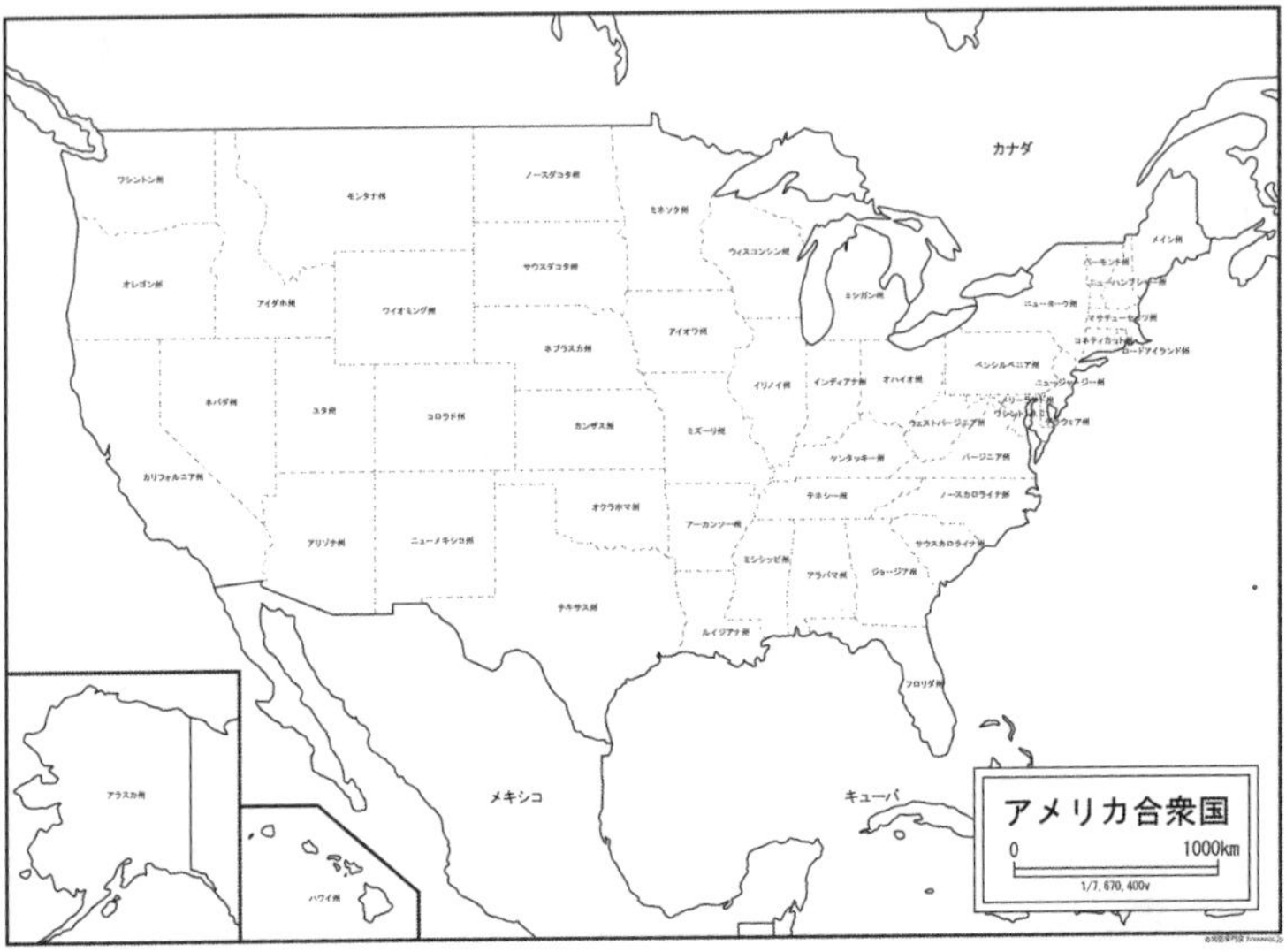

一六二〇年の冬には、チェサピーク湾から七百キロ北のマサチューセッツ湾に、百二人の入植者がメイフラワー号で到着した。

その半数が寒さや飢えで死亡する中、住居と食糧を彼らに与えて命を救ってくれたのが、ピクォート族であった。

ピクォート族のお陰で冬を乗り越えた入植者たちは、春になるとピクォート族からトウモロコシやジャガイモ、タバコの栽培方法を教えてもらい、農作業に従事するようになった。

年々入植者は増え続け、インディアンに対抗できる数に達すると、入植者たちはピクォート族の土地や収穫物を奪うようになった。

ピクォート族は耐え忍んだが、暴虐の限りを尽くした入植者を殺害する事件を起こすと、逆怨みした入植者の間で「インディアンを殺せ」の声が上がり、報復が始まった。

ヨーロッパから銃を持ち込んだ入植者たちは、

ピクォート族のキャンプを襲撃してテントに火を放ち、飛び出してきた女・子供や老人を含む五百人以上を惨殺して「マサチューセッツ入植地」を形成した。

その後、チェサピーク湾とマサチューセッツ湾から上陸した入植者たちは、周辺に暮らすインディアンを掃討しながら領地を拡げていき「メリーランド州」「ロードアイランド州」「コネチカット州」「ノースカロライナ州」「サウスカロライナ州」「ニュージャージー州」「ニューハンプシャー州」「ペンシルベニア州」「デラウェア州」「ジョージア州」を設立し、一六六四年にはオランダ植民地「ニューアムステルダム」を奪い取って「ニューヨーク」と名付け、東海岸沿岸の入植地を一続きにした。

その面積は八十七万八千六百七十六平方キロメートルとなり、日本の国土の二・三二倍にあたるが、現在のアメリカ合衆国の国土の九パーセントにすぎない。

その後も入植者たちは領土拡張を推し進めて五大湖沿岸にまで北上していったため、フランス人入植者との間で「土地の所有権」や「漁業権」を巡っての争いが起こるようになった。

しかもフランスが独占していた毛皮貿易にまでイギリス移民が割り込むようになったため、紛争は次第に拡大していったが、彼我《ひが》の戦力に大きな開きがあった。

北米開拓に大量の入植者を送り込んでいたイギリスに対し、毛皮交易に主眼を置いていたフランスは比較にならないほど入植者が少なかったのである。

そのため、フランスは、イギリス人入植者を憎悪するインディアンを味方につけて戦った（「フレンチ・インディアン戦争」）。

毛皮目当てで北米にきたフランス人たちは、インディアンを彼らの故郷から追い出そうとはしなかったため、イギリス人入植者ほどインディアンとの対立関係は生まれていなかったのである。

一七五六年には、双方の本国が北米大陸に軍隊を送り込む事態となったが、海軍力に勝るイギリスがイギリス海峡とジブラルタル海峡を封鎖したため、北米フランス軍には十分な人員や武器、弾薬が届かず終始押され続けた。

七年に及ぶ戦いでフランスを降伏させたイギリスは、一七六三年に調印された「パリ条約」でミシシッピ川以東のフランス領二十五万五千五百平方キロメートルを割譲させた。

北米で大幅に領土を拡張したイギリスであったが、長期に及ぶ戦争で莫大な戦費を費やしていた。しかも、この頃イギリスは、インドを巡ってもフランスと戦争をしていたため、財政難に陥っていた。

その財源を補うため、イギリス政府は、北米入植者の使う砂糖、酒、茶葉、新聞・広告などの印刷物にまで課税して賄おうとした。

そのうえ、入植者たちがフランスとの戦争で体を張って戦ったにも拘《かかわ》らず、フランスに割譲させた土地への立ち入りを禁じたため、入植者たちは本国政府に抗議の声を上げるようになった。

その剣幕に押されたイギリス政府は、砂糖、酒、印刷物への増税案を取り下げたが、茶葉のみを増税した。

しかもイギリスからアメリカに輸出する茶葉には関税をかけず、安値で入植者に提供しようとしたのである。

茶葉は入植者にとって単なる嗜好品ではない。

浄水設備など無い当時、殺菌作用のある茶葉への課税は、入植者にとって死活問題であった。本国政府の措置を、入植地の茶産業を潰して入植者の生命線を握ろうとする策謀と捉える者が多くいた。

一七七三年十二月十六日、マサチューセッツ入植地のボストン港に入港してきたイギリス商船を入植者たちが襲い、積載された茶葉を海に投げ捨てて抗議を示すと、イギリス政府は報復措置としてボストン港を閉鎖し、輸出入を断って兵糧攻めにした（「ボストン茶会事件」）。

しかも入植者たちの自治権（議会の開催、集会の自由など）まで奪ったため、緊張が高まった。

一七七五年、マサチューセッツ州コンコードで、入植者たちが民兵組織を結成して、武器の準備を始めるなど不穏な動きを見せると、イギリス軍は入植者たちの武器庫から武器を押収して機先を制したが、帰隊する途中で民兵から狙撃されて銃撃戦が始まった。

この戦闘が引き金となって戦いが入植地全体に拡がると、入植者たちは国王ジョージ三世の銅像を引き倒して弾丸に作り変えた。

ジョージ・ワシントン
（1732-1799）

同年六月、十三入植地の代表による「大陸会議」が開かれ、入植者軍の総司令官に任命されたバージニア入植地代表のジョージ・ワシントンが、翌一七七六年七月四日に「すべての人間は生まれながらにして平等であり、その中には創造主によって一定の奪い難い権利を与えられ、その中には生命、自由、および幸福の追求が含まれていることを我々は自明の真理であると信じる」という一文を建国の理念として一方的にアメリカ合衆国の独立を宣言し、イギリス本国との本格的な戦闘に突入した。

「独立戦争」である。

しかし入植者たちが一枚岩だったわけではない。

本国との和解を望む国王派七万人がイギリス側に付いた。

しかも入植者たちに虐殺され続けてきたインディアン部族の多くもイギリス側に付いたため、開戦冒頭はイギリス軍優勢で戦いが進んだ。

これがワシントンの癇に障《さわ》った。

激昂したワシントンは、イギリス軍に与《くみ》したイロコイ族のキャンプを軍に襲わせた。

ワシントンの怒気が伝わったアメリカ兵たちは、女・子供まで皆殺しにしたあと、性器を抉《えぐ》り取って部屋に飾り、皮膚を剥がして軍服に飾るなど、先の「建国の理念」が聞いて呆れる猟奇事件を引き起こしている。

窮地に陥ったアメリカを救ったのが、北米・インドを巡る争奪戦に敗れてイギリスへの報復の機会を窺っていたフランスである。

一七七八年二月六日、フランスが突如イギリスに宣戦布告してアメリカに加勢したことで、アメリカ軍はイギリス軍との戦いを五分に持ち込み、長期戦に突入した。

こうなってくると、大西洋を越えて兵員・物資を運ばねばならないイギリス軍に対し、すべて現地調達できる米仏軍が俄然有利となり、イギリス政府は戦費が尽きた一七八三年九月三日にアメリカの独立を認め、フランスに割譲させたミシシッピ川以東の土地二十五万五千五百平方キロメートルを譲渡することで戦争を終結させた。

この土地が「ウィスコンシン州」「イリノイ州」「インディアナ州」「オハイオ州」「ケンタッキー州」「テネシー州」「ミシシッピ州」「アラバマ州」となる。

その後のアメリカの領土拡張策を後押ししたのが、一七八九年七月十四日に起こったフランスの政変である。

このころフランスも、北米とインドを巡るイギリスとの長期にわたる戦争で財政が破綻しかけていた。

当時のフランスでは、人口の二パーセントに過ぎない富裕層の第一身分（聖職者）と第二身分（貴族）に納税義務はなく、残り九十八パーセントを占める第三身分（平民）が重税に喘《あえ》いでいた。

一七八九年、不満を募らせた第三身分の代表が「第一身分と第二身分の特権撤廃」を要求すると、国王ルイ十六世は、武力を用いて第三身分の動きを潰しにかかった。

国王の措置に対し、第三身分の民衆が武装蜂起して、武器庫のあるバスティーユ牢獄を襲撃した。「フランス革命」である。

国民の剣幕に押されたルイ十六世は「第一・第二身分の特権廃止」の施行を余儀なくされ、国王一家は、贅を尽くしたパリ郊外のヴェルサイユ宮殿から市内のテュイルリー宮殿に移されて、国民の監視下に置かれることとなった。

これで国民の怒りは一旦鎮まったが、土地を買う蓄えなどない貧困層の農民の困窮は続いた。

しかも王妃マリー・アントワネットが、国民の困窮を顧みずに散財を続けたことで、国民の抗議デモが再発するようになった。

そんな政情不安の中、マリー・アントワネットが火に油を注ぐ行動を取った。

国民のデモを武力で潰そうと、甥のオーストリア皇帝フランツ二世に、フランスへのオーストリア軍の派兵を依頼したのである。

結局この企ては国民の知るところとなり、一七九三年一月にルイ十六世が、十月にはマリー・アントワネットが断頭台《ギロチン》に送られて、王政が倒れた。

驚いたのが、帝政を敷いている周辺国である。

フランス革命が自国に飛び火するのを恐れたイギリス、プロイセン、スペイン、オーストリア、ハンガリー、オランダが一七九三年に「対仏大同盟」を組んで、共和制に移行しようとするフランスを潰しにかかった。

しかもフランス政界では、貴族や富裕層に支持基盤を持つジロンド派が、処刑されたルイ十六世の弟（のちのルイ十八世）を擁立して、共和制への移行を阻止する動きを見せたため、共和制国家樹立を目指すジャコバン派との対立が激化してきた。

同年六月二日、ジャコバン派の代表ロベスピエールが、ジロンド派を抑えて政権を握ると、ジロンド派やジャコバン派内にいる自身の政敵の粛清を始め、一年足らずの間に、三万人の首を断頭台で落とすという共和制とは程遠い恐怖政治を始めた。

翌一七九四年七月二十七日、国会の議場内で恐怖政治に嫌気がさした議員から「ロベスピエールの逮捕」を要求する緊急動議が出され、採決がなされた。

結果、賛成多数で動議は可決された。

その場でロベスピエールは逮捕され、翌日に革命広場（現コンコルド広場）で処刑された。

これで政情は安定に向かうかに思われたが、ジャコバン派とジロンド派との争いは一層激化し、収束の目処が立たなくなった。

この混乱の中から頭角を現したのが「ジロンド派の討伐」と「オーストリア軍の撃破」で一躍名を上げた陸軍士官ナポレオン・ボナパルトである。

国民の絶大な支持を得たナポレオンは、一七九九年に軍事クーデターを起こして「統領政府」を樹立した。

この辺りから、共和制を守るための防衛戦争は、ナポレオンの侵略戦争へと変貌していった。

しかし周辺国との十年に及ぶ戦いで、フランスは戦争を続行するための財源が底をつきかけた。

そこでナポレオンは戦費を調達するため、一八〇三年に北米ミシシッピ川以西のフランス領二百十四万四千平方キロメートルの売却をアメリカ政府に打診したのである。

ナポレオンの足元を見たアメリカ政府は、この広大な土地を買い叩いた。

その価格が千五百万ドル、二〇一〇年代の貨幣価値に換算すると二億五千万ドルに相当する。

為替レートを少々円高だが現在（二〇二一年）の相場に近く、計算しやすい一ドル百円とすると二百五十億円となるので、一平方キロメートルがたった一万千六百六十円である。

これが、のちの「ミネソタ州」「アイオワ州」「ミズーリ州」「アーカンソー州」「ルイジアナ州」

「ノースダコタ州」「サウスダコタ州」「ネブラスカ州」「カンザス州」「オクラホマ州」「モンタナ州」「ワイオミング州」「コロラド州」となる。

この後アメリカは、ナポレオンの引き起こした戦争をとことん利用した。

ヨーロッパでは、イギリスが中心となって、サルデーニャ王国（イタリア・フランス国境に存在した国家）、オーストリア、スウェーデン、ロシアと共に、フランスとの貿易を断って海上を封鎖する兵糧攻めをやっていたが、アメリカはイギリス領カナダを奪うため、フランスとの貿易を続けてイギリスを挑発した。

この挑発にイギリスがまんまと乗り、フランスへ入港しようとしたアメリカ商船を拿捕すると、それを口実にアメリカはイギリスに宣戦布告して「第二次米英戦争」が勃発し、北部戦線（現アメリカ・カナダ国境辺り）、東部戦線（大西洋岸）、南部戦線（メキシコ湾岸）の三か所で戦線が生起した。

北部戦線でアメリカ軍は五大湖のエリー湖・ミシガン湖岸まで兵を進めたが、イギリスの頑強な抵抗に遭って北上を阻まれた。

東部戦線でも、アメリカ軍はイギリス軍に東海岸に上陸を許し、首都ワシントンが砲撃に晒されたが、メリーランド州ボルティモアで辛うじてイギリス軍の進撃を食い止めた。

南部戦線でイギリス軍に一矢報いたのが、民兵を指揮した奴隷商人アンドリュー・ジャクソンである。

一八一四年三月にイギリス軍と手を結んだクリーク族が、アラバマ州でアメリカ人二百五十人を惨殺する事件を起こすと、ジャクソンはクリーク族のキャンプを襲い、女・子供を含む千人中八百人を殺害した（「ホースシュー・ベンドの戦い」）。

この時ジャクソンは、真っ先に女を殺害するよう部隊に指示を出した。子供を産むのを阻止するためである。文字通りの根絶やしであった。

同年十二月十三日には、メキシコ湾北岸のルイジアナ州ニューオーリンズに上陸したイギリス軍を迎え撃った。

このとき彼我の兵力は、イギリス軍八千に対してジャクソンの手勢は四千と不利な状況にあった。ただ両軍が対峙する辺りは、流域面積が北米最大のミシシッピ川がメキシコ湾に注いでいる。その川幅は河口付近で八百メートルから千五百メートルあり、河口は鳥の足のように幾筋もの分流に枝分かれして「鳥趾《ちょうし》海岸」と名付けられている複雑なデルタ地帯を形成している。

ジャクソンは兵力差を補うため、この天然の堀を利用した防御陣地を構築し、半月ほどの戦闘でイギリス軍に戦死三百八十五人、負傷千百八十六人、捕虜四百八十四人の損害を与えて退けた（「ニューオーリンズの戦い」）。

対するアメリカ軍の損害は戦死が十三人、負傷五十八人だけという圧勝であった。

ところが、この戦闘が始まる直前に、米英両政府の間で講和が成立していた。

イギリスはナポレオンとの戦争で手一杯の状態となり、アメリカとの戦争につぎ込む「戦費」と「兵員」を調達する目処が立たなくなって、講和を結ぶ必要に迫られたのである。

対するアメリカも南部戦線でのジャクソンの活躍があったものの、東部戦線と北部戦線ではイギリス軍に押されていたため、イギリスの呼びかけに応じて、十二月二十四日に米英両国政府が国境線を開戦前に戻すことで合意して講和が成立した（「ガン条約」）。

結局アメリカがイギリスに仕掛けた戦争は、カナダを奪い取ることが出来ずじまいで終わった。

こののち、アメリカの領土拡張策は、北米大陸南東のスペイン領フロリダ半島に向いた。

このころフロリダ半島には、アメリカに故郷のジョージア州から締め出されたセミノール族が流入して、奪われた故郷を取り返そうとアメリカ軍との軍事衝突が頻発していた。

そのセミノール族掃討の指揮を執ったのが、第二次米英戦争で武勲を立てたアンドリュー・ジャクソンである。

一八一七年十二月、ジャクソンはアメリカ正規軍を率いてフロリダ半島のセミノール族を殲滅すると、そのままフロリダ半島に居座って実効支配した。

このとき、ナポレオンとの戦争で傷が癒えていないスペインに、アメリカと事を構える余力などなかった。

そのためフロリダをあっさりとアメリカに明け渡している。

その面積は十七万三百平方キロメートルで、アメリカの購入額は五百万ドルである。

この五百万ドルも、二〇一〇年代の貨幣価値に換算すると八千百二十万ドル、為替レートも同様に一ドル百円で換算すれば、日本円で八十一億二千万円、一平方キロメートルは四万七千六百八十円となる。

「クリーク族の殲滅」「ニューオーリンズの戦い」「フロリダ半島乗っ取り」と武勲を立て、国民からの支持を得て一八二九年に第七代アメリカ大統領に就任したジャクソンは、翌一八三〇年に「先住民強制移住法」を成立させて、ミシシッピ川以東の肥沃な土地に住んでいたフォックス族、チョクトー族、チカソー族、セミノール族のインディアン七、八万人をカリフォルニア州、ネバダ州、ユタ州、アリゾナ州に跨《また》がるモハーベ砂漠に追いやった。

その広さは三万五千平方キロメートル、淡路島六個分の広さで、年間平均降水量は五十ミリ、まったく雨が降らない年もあり、全米一乾いた大地と言われる。

その南西端には、世界最高気温五十七度、最低気温マイナス四十六度を記録した「Death《デス》 Valley《バレー》」がある。

文字通りの「死の谷」である。

自分たちを虫けらのように扱う白人に対して、インディアンの蜂起が相次いだ。

一八三二年、故郷イリノイ州を追われたソーク族とフォックス族のインディアン千五百人が故郷を奪還にくると、ジャクソンは三千人の部隊を投入して半数のインディアンを殺害し、反乱を鎮圧した（「ブラック・ホーク戦争」）。

インディアンを力でねじ伏せたあとは、インディアンの文化も伝統も破壊し、キリスト教に改宗させて讃美歌を歌わせ、白人に二度と盾突くことのない羊のような民族に去勢していった。

一八三五年、北米東部のウエストバージニア州で金の鉱床が発見されると、この地に定住していたチェロキー族を真冬に千六百キロ西のオクラホマ州に強制移住させた。

移動の途中でチェロキー族の食料が尽きると、付き添って食料を売っていた白人業者が不当に値段を釣り上げたため、チェロキー族は食事をとることが出来ず、飢え死にする者が出るようになった。

さらに白人監督官が、免疫力の無いチェロキー族に、赤痢や天然痘を患った白人が使用した毛布や衣服を配って罹患させたため、オクラホマに着くまでに四千人が命を落としている。

ドラマ『白い巨塔』で流れた『アメージング・グレイス』はチェロキー族が冬の旅路で涙を流して口ずさんだ讃美歌である。

この強制移住は「涙の旅路」と言われている。

その後、アメリカの領土拡張策は南に向かった。

このころの中南米は、既にポルトガルとスペインの領土ではない。

スペインがナポレオンとの戦争で圧倒されているのに乗じて、インディオたちが一斉に蜂起し、一八〇四年にハイチが独立を果たしたのを皮切りに、パラグアイ、アルゼンチン、チリ、コロンビア、メキシコ、ベネズエラ、ペルー、エクアドル、ボリビア、ウルグアイ、ドミニカ、ボリビアが独立して、ブラジルもポルトガルの支配から脱却した。

アメリカが乗っ取りを図ったのが、南に国境を接するメキシコの領土である。

四百年にわたって抑圧されてきたメキシコのインディオたちは「人種平等」を国是として奴隷制度を禁じ、メキシコ北部の僻地（現テキサス）の開拓を始めたが、アメリカに北米から締め出されたインディアンが流入してくるようになって、治安が極めて悪化していた。

アメリカ政府はそこへつけ入り、インディアンを掃討する見返りに、テキサスへの移民の受け入れをメキシコ政府に打診した。

インディアンの跳梁跋扈に手を焼いていたメキシコ政府が快諾すると、アメリカ政府はインディアンの討伐はそっちのけで、メキシコ政府の予想をはるかに超える移民を入植させるようになった。

しかも「奴隷制度を認めない」というメキシコ政府の方針を無視して黒人奴隷を使い、農場経営を始めて税金すら納めなかった。

やがて移民の数がメキシコ人の数を上回るようになった一八三五年、アメリカ移民たちは「メキシコから独立する」と言い出した。

そして翌年に、メキシコ政府からの猛抗議を無視して住民投票を行い、賛成多数でテキサスの独立を一方的に決めた。

同年二月二十三日、メキシコ政府は、テキサスを取り戻すため二千の兵を出動させて、アラモの教会に立て籠もったアメリカ兵と入植者百八十七人を殲滅した。

アメリカ政府は「リメンバー・アラモ砦」と国民を煽り、四月二十一日に八百の兵を投入してメキシコ軍を急襲し、戦死六百三十人、捕虜七百人以上の損害を負わせて、アラモを再奪還した。

このとき、メキシコ兵たちは戦場で昼寝をしていたのである。

スペインには「siesta《シエスタ》」という昼寝をする習慣があるが、スペインの支配下にあったメキシコ人にもその習慣が根付いていた。

アメリカ軍はそこを衝《つ》いたのである。

メキシコ軍を壊滅させたアメリカ軍はメキシコ大統領サンタ・アナを捕らえ、「応じなければ殺す」と脅してテキサスの独立を認めさせた。

それから九年後の一八四五年に、テキサス政府はアメリカ合衆国への加盟を申し入れ、受理されてアメリカの一州となった。

その翌年、脅し取ったテキサスとメキシコとの国境線の策定を巡っての戦いが勃発した。「米墨戦争」である。

二年後にメキシコを降伏させたアメリカは、メキシコの国土のおよそ北半分となる二百六万三千六百六十平方キロメートルを割譲させた。

他人《ひと》様の土地を乗っ取り、相手が取り返しに来ると叩き殺す。

挙句の果てに境界線を主張して、相手の言い分が自分の意に沿わないと再び叩き殺し、最初に乗っ取った土地のほぼ三倍の土地を奪い取る。

ここまでやる凶悪犯には中々お目にかかれるものではない。

ただし、よほど後ろめたかったのか、メキシコ政府に五百万ドルを支払って購入するという体裁だけは整えた。

これに乗っ取ったテキサスを加えると、その面積は二百七十五万九千九百平方キロメートル、メキシコの国土の五十八・四パーセントで日本の国土の五・四六倍になる。

この領土も、二〇一〇年代の貨幣価値に換算すると四億三千万ドル、日本円で一平方キロメートル当たり一万五千六百円となる。

これが「テキサス州」「カリフォルニア州」「アリゾナ州」「コロラド州」「ニューメキシコ州」「ワイオミング州」「ネバダ州」「ユタ州」となる。

一八四六年には、イギリス領カナダとの国境線策定についての度重なる交渉が行われ、北緯四十九度線を国境とすることで双方が合意して、アメリカは六十四万四千平方キロを自国領として組みこみ「ワシントン州」「オレゴン州」「アイダホ州」を設立した（「オレゴン条約」）。

一八六七年には、ロシアからアラスカ領一七万千八百平方キロメートルを七百二十万ドルで購入した。その購入額も二〇一〇年代の日本円に換算すると、一平方キロメートルあたり日本円で七千五百円足らず、当時の相場のおよそ半額という破格の安さである。


アンドリュー・ジャクソンの大統領在任中に次いで、インディアンの大量虐殺が行われたのが、一八六一年にエイブラハム・リンカーンが第十六代大統領に就任してからである。

一八六二年、サウスダコタ州とミネソタ州で金鉱床が発見されると、アメリカ政府は、この地に住むダコタ族に食糧を生涯保証することを条件に土地の明け渡しを求め、荒地に設けたインディアン居留地に移住させた。

ところが、現地の白人管理官が、ダコタ族に配給されるべき食糧を横流しして私腹を肥やした上に、ダコタ族の貴重な食肉であり、衣服やテント、寝具にもなるバイソンを九割以上屠殺して、数千頭にまで激減させた。

ここまでされても、ダコタ族の男たちは話し合いで解決しようと、白人管理官のもとを訪れた。

ところが、白人管理官は「腹が減ったらバイソンの餌でも食え」と嘲《あざけ》ったのである。激怒したダコタ族の男たちは、管理官の口と鼻にバイソンの餌となる草を詰めて窒息死させ、一斉に蜂起した。

知らせを受けたリンカーンは、直ちに軍隊を投入して反乱を鎮圧すると、反乱の首謀者とされる三十八人を法廷に引きずり出した。

その裁判は僅《わず》か五分で結審し、その場で全員に死刑を宣告するという茶番であった。処刑執行は公開となり、観衆がどの角度からも見えるように高台に特別仕様の絞首台を作り、一斉に床を落として三十八人全員を同時に吊るしている。

暴動に加わらなかったインディアンは、辺境の収容所に放り込んで年金の支給を打ち切り、その金を、殺された管理官やインディアンとの戦いで戦死した陸軍兵士の遺族に支給した。

一八六四年には、コロラド州に住むナバホ族に、五百キロ南東のオクラホマ州への移住を命じる大統領令を出し、彼らが拒むとキャンプに火を放って無理やり立ち退かせている。

コロラド州にあるナバホ族の居住地からオクラホマ州の強制収容所の間には、四千メートルを超えるサングレ・デ・クリスト山脈が走っている。

この無理な山越えを強いられて、ナバホ族の老人や病人二百人が山中で命を落とした。

無事にオクラホマ州の強制収容所に着いた者も、テントすら与えられずに放り出されたため、穴を掘って暮らすしかなかった。

しかも年間二十日ほどしか雨が降らない乾燥地帯であるため、農作物の栽培も出来ず、さらに八千人中二千人が命を落とした。

移住命令を拒絶したシャイアン族とアラパホー族に対しては、男たちが出払ったキャンプを軍に襲撃させて四百人から五百人いた女と子供を殺害し、白旗を持って洞窟から出てきた七、八歳の少女までハンマーで頭を砕いて皆殺しにしている（「サンドクリークの虐殺」）。

リンカーンがやったこの手の虐殺行為は、大統領になってから始まったものではない。

若い頃からインディアンの殲滅には積極的に加わり、一八三二年にアンドリュー・ジャクソンが指揮した「ブラック・ホーク戦争」にも志願兵として加わっている。

世界から称賛されている「奴隷解放宣言」にしても、人道主義に基づいて発せられたものではない。

当時のアメリカの産業は、工業を中心として発展してきた北部と、黒人奴隷を使って綿花栽培を行い、イギリスへ輸出している南部に分かれていた。

北部では、自分たちの仕事を守るためにイギリスから輸入されてくる工業製品に高い関税をかけることを望んだが、農産物をイギリスに輸出している南部の農場主が関税の引き下げを求めたことで、両者の間に亀裂が入った。

しかも工業が急速に発展してきた北部では安価な労働力が必要になり、南部農場主が私財を投じて手に入れた黒人奴隷を解き放って北部に流入させ、タダ同然の安い賃金で働かせようと考えた。

そのために打った手が、人道主義を隠れ蓑にした「奴隷解放」の提唱であり、その声を受けて結成されたのが共和党、その中心人物がリンカーンである。

当時の黒人奴隷の値段を知る術はないが、現在（二〇二〇年）の日本円で一人百万円は下らないだろう。

その南部農場主にとっての財産である奴隷を、人道主義を盾にびた一文払わずに奪い取ろうとしたのである。

そんなことをされたら、反発したくもなるだろう。

農場主たちは、挙《こぞ》って民主党支持に回った。

ところが一八六〇年の大統領選挙で、民主党は候補者を一本化できずに二人が立候補して票が割れ、敗れてしまった。

漁夫の利を得て大統領になった共和党のリンカーンは、南部十一州に黒人奴隷の解放を命じた。

リンカーンの命令に反発した南部十一州が、アメリカ合衆国から離脱して「アメリカ連合国」の建国を宣言すると、軍も「アメリカ合衆国支持派の北軍」と「アメリカ連合国支持派の南軍」に割れて睨み合う事態となった。

一八六一年四月二十一日、サウスカロライナ州で、南軍司令官がサムター要塞に籠もる北軍に要塞の明け渡しを求めたが、北軍司令官が拒否したことから、南軍が攻撃を開始して「南北戦争」が始まった。

当初、工業力に勝る北軍有利と思われたが苦戦が続いた。

しかも綿花やタバコを南部から安く輸入しているイギリスが「アメリカ連合国」を承認する動きを見せた。

そこでリンカーンが打った起死回生の一手が、一八六二年九月二十二日に発した「奴隷解放宣言」である。

「残酷な奴隷制度を敷くアメリカ連合国を承認するのか」と人道上の問題にすり替えて、イギリスの動きを封じ込めようとしたのである。

また、奴隷解放宣言には、黒人奴隷を志願兵として北軍に取り込む狙いもあった。

リンカーンの読みは当たり、イギリスはアメリカ連合国を支援できなくなった。

しかも大量の黒人奴隷が志願兵として北軍に殺到して、戦局は一気に動いた。

兵力が大増員された北軍が一気呵成に攻め込み、南軍を圧倒し始めたのである。

一八六四年十一月、北軍のウイリアム・シャーマン将軍が、アトランタから四百キロ南東にある大西洋岸の港町サバンナまで五十キロから百キロの幅で鉄道施設、工場、牧場、畑、商店、民家を焼き尽くしながら進軍した。

この残酷無比な大量殺戮に南軍兵士は怖気づいて敗退を繰り返し、翌一八六五年五月九日に降伏して南北戦争は終結した。

その戦死者の数は、第二次世界大戦でのアメリカ軍の戦死者二十九万二千人の倍以上となる六十二万人に上る。

シャーマンがやった焦土作戦は「Sherman's March to the Sea（シャーマンの海への進軍）」と呼ばれ、のちにアメリカ軍に継承されて、大東亜戦争で都民十一万人を焼き殺したカーチス・ルメイの「東京大空襲」へと繋がっていく。

黒人たちのその後であるが、奴隷解放宣言がタダで黒人奴隷を手に入れるための方便に過ぎないことは直ぐに実証された。

確かに黒人たちは、南部農場主から虐使される奴隷の身分からは解放された。しかし、貧困に喘ぐ身では土地を買う金などなく、白人富裕層の下で奴隷時代と同じ条件で酷使されるほかなかった。

選挙権は与えられたが、アメリカ政府は識字試験を実施して、読み書きできない黒人や納税額の少ない黒人から選挙権を剥奪し、交わした約束を済《な》し崩《ほご》しに反故にしていった。

レストランや学校で白人と黒人を分ける隔離政策も実施し、一八九六年には、アメリカ最高裁判所ですら、白人と黒人の居住区を分離する「人種隔離政策」を合憲と認め、有色人種の人権を真っ向から否定した。

白い三角頭巾を被った白人による「ＫＫＫ《クー・クラックス・クラン》」などの白人至上主義団体も結成され、黒人居住区での放火、襲撃、殺害が横行するようになった。

広島、長崎への原爆投下にゴーサインを出したトルーマンもKKKの一員である。

黒人たちがどんな目に遭ったか想像がつくだろう。

黒人がアメリカで真の市民権を得るには、その後百年の時を要するのである。

インディアンの扱いも同様である。

リンカーンは、南北戦争の終結直前に奴隷制度支持者から銃撃されて死亡するが、人を人とも思わない彼の流儀は受け継がれ、アメリカ政府は「Clearance《クリアランス》（清掃作業）」というスローガンの下《もと》、インディアンの掃討を着々と進めた。

文字通り、インディアンを廃棄物としか見ていなかったわけである。

一八七四年、サウスダコタ州ブラックヒルズでの鉱物資源の調査で金鉱床が発見されると、アメリカ政府は、ブラックヒルズに住むダコタ族に六百万ドルの退去料を払う条件で、土地の明け渡しを求めた。

この申し入れをダコタ族が拒否すると、アメリカ政府は一八七六年六月に騎兵隊を投入してダコタ族の掃討を図ったが、ダコタ族から返り討ちに遭って二百六十八人の死者を出し敗退した。

同年十一月、アメリカ政府は、南北戦争で焦土作戦を決行したウイリアム・シャーマン将軍を指揮官に据え、新たに編成した騎兵隊で復讐戦に臨んでダコタ族の戦士三百人を惨殺し、ブラックヒルズを奪取した。

シャーマン将軍率いる騎兵隊員は、その功によりハリソン大統領から名誉勲章を授与されている。

銃器製造会社も、インディアンを殲滅するため、連射を可能にしたレバーアクションライフルやリボルバー（回転式拳銃）を開発していった。

軍隊や騎兵隊は、これらの銃器を使ってインディアンの掃討を続け、一八九〇年には、サウスダコタ州ウーンデッド・ニーで、スー族インディアン三百人の中のたった一人がナイフを持っていただけで、全員を撃ち殺している。

情報操作も抜かりがない。

「悪いインディアンを正義の騎兵隊がやっつける」という嘘で塗り固めた映画を量産して世界中に

垂れ流し、自分たちの悪事を隠した。

こうして三百年の時をかけ、北米に二百万人いたと推測されるインディアンの九十五パーセントを、蠅やゴキブリを叩き殺すように殲滅して、漸《ようや》くアメリカは「Clearance」を終えた。

† ハワイ

太平洋岸に到達後、アメリカの開拓者精神は支那大陸に向けられた。

そのためには、太平洋上に物資補給の中継地点となる島が必要であった。

それにうってつけの島が、太平洋のど真ん中に位置するハワイ諸島である。

ハワイ諸島は未開の島ではなく、島民による投票で国王を決めるれっきとした民主主義国家であり、航行する船舶に水と食糧を補給し、嵐の時には避難所として受け入れるなど、外国人の受け入れに関して寛容な政策を取っていた。

アメリカは、ハワイ王国の寛容さに付け入って宣教師を入島させ、島民をキリスト教に帰依させながら徐々に勢力拡大を図った。

宣教師たちは、島民から寄進された土地で農園を開き、島民を雇って黒人奴隷同様に酷使するようになった。

その後もアメリカ人移民の数は増え続け、ハワイの政治・経済にまで口を挟むようになってきた。

この状況に危機感を抱いたハワイ国王カラカウアは、一八八七年にアメリカ移民の権限を大幅に制限しようとしたが、移民たちが結成した民兵組織「ホノルルライフル団」がカラカウア国王に銃を突き付けて脅し、島民から参政権を取り上げてアメリカ移民に譲り渡すという「修正憲法」を呑ませた。

一八九一年、そのカラカウア国王が死去し、女王に選出された妹のリリウオカラニは、アメリカ移民から実権を取り戻すため、二年後の一八九三年一月十四日に「アメリカ人の選挙権剥奪」を発表した。

その二日後に移民たちが軍事クーデターを起こした。

ホノルル港に停泊していた戦艦「ボストン」に乗船していた海兵隊員を動員して、イオラニ宮殿を包囲し、女王を退位させて「ハワイ臨時政府の樹立」を発表したのである。

臨時政府の初代大統領に就任した人物が、宣教師の息子のサンフォード・ドールで、彼の一族は果樹園経営で世界に名を馳せ現在にいたる。

その企業が「Dole《ドール》」である。

このクーデターには逸話があって、アメリカ人移民たちがクーデターを起こした時、日本政府は巡洋艦「浪速」と「金剛」の二隻をハワイに急派した。

というのが、ハワイでは、宣教師の果樹園経営で酷使された島民の過労死が相次ぎ、労働力不足を解決するために大量の日本人移民を受け入れていた。

ほとんどの日本人は、低賃金でこき使われることに嫌気がさして帰国したが、ごく一部の日本人は残っていたのである。

日本政府は、アメリカのハワイ乗っ取りに抗議の意思を示すため、邦人救出の名目で、巡洋艦二隻を送った。

「浪速」と「金剛」がハワイに到着したときには、既にクーデターは終了していたが、両艦は戦艦ボストンを挟んで投錨し、無言の抗議を示した。

脳天気なサンフォード・ドールは、日本政府の真意を見抜けずに「浪速」と「金剛」に新政府樹立の祝砲を求めたが、「浪速」の艦長がドールの申し入れを拒絶すると、他国の艦艇も「浪速」に倣《なら》って祝砲を上げなかった。

この日、ホノルル港は、ハワイ王国の滅亡を弔うかのように、水を打ったような静寂に包まれたと伝えられる。

アメリカに赤っ恥をかかせた「浪速」の艦長が東郷平八郎である。

アメリカが日本を敵視することになった最初の諍《いさか》いであった。

† カリブ海、フィリピン

中南米同様にカリブ海に浮かぶキューバでも十九世紀中ごろからスペインの圧政に四百年以上苦しんできたインディオたちが蜂起する事態になっていた。

やがてスペイン軍がインディオに押され始めた一八九八年、突如アメリカ政府が「抑圧されているキューバの民を助ける」と言い出してこの紛争に介入し、戦艦メイン号をハバナ湾に派遣した。

そのメイン号が、湾内で停泊中に原因不明の大爆発を起こして沈没し、乗員二百四十人が犠牲になった。

アメリカは、メイン号の爆発を「スペインの仕業である」と言い掛かりをつけた。

戦争などする気のないスペイン政府は「爆発の原因を調査する猶予がほしい」と申し入れたが、アメリカ政府はその弁明を聞き入れず、四月十九日に一方的に宣戦布告した。

今度は「リメンバー・メイン号」である。

しかし「スペインがメイン号を爆破した」と言うアメリカの主張に疑問を投げかける意見は多い。

この爆発による犠牲者はすべて有色人種で、白人の乗組員は爆発前に全員下船していた。

しかも宣戦布告から十二日後の五月一日に、アメリカ艦隊はカリブ海ではなく、スペイン領フィリピンのマニラ湾に姿を現した。

当時、十二日間で太平洋を渡れる船はない。

アメリカ艦隊はマニラ湾に停泊中のスペイン艦隊を撃沈すると、艦砲射撃で陸上のスペイン軍を叩いた。

同時にフィリピン軍が背後から襲いかかった。

アメリカは、メイン号が爆破される前から、フィリピン軍指導者アギナルド将軍に接触して、「加勢したら独立させてやる」と抱き込んでいたのである。

腹背から攻撃を受けたスペイン軍が四か月で降伏すると、アメリカは、スペインからグアム、キューバ、プエルト・リコも奪った。

そして約束を反故にして、フィリピン軍に襲いかかった。

アメリカ兵はフィリピン兵を「nigger《ニガー》（黒ん坊）」と呼んで蔑《さげす》み、投降してきても、捕虜として捕らえずに全員を撃ち殺した。

捕虜に与える一回の食事より、一発の銃弾のほうが安くつくからである。

怒りに燃えるフィリピン軍は、ジャングルに籠もってゲリラ戦を仕掛け、先の見えない長期戦に入った。

戦いが始まって三年目の一九〇〇年、サマール島でアメリカ兵三十八人がフィリピン兵の襲撃を受けて惨殺されると、アメリカ軍は、フィリピン兵の家族が多く暮らすルソン島の村を襲撃して老人や女・子供を惨殺し、家族の身を案じたフィリピン兵をジャングルから引きずり出して、二十万人の命を奪い、恨みを晴らした。

以降、フィリピン人がアメリカに盾突くことはなくなった。

フィリピン人を恐怖のどん底に叩き込み、二度と歯向かえなくしたアメリカ軍司令官がアーサー・マッカーサー、日本がアメリカの軍門に下ったあと、偉そうにコーンパイプを咥《くわ》えて厚木飛行場に降り立ったあのダグラス・マッカーサーの親父《おやじ》である。

息子も親父そっくりの酷いことを日本にしてくれた。

大東亜戦争の「フィリピン攻略戦」で、アメリカ極東軍司令官だったダグラスは、日本第十四軍の猛攻に怖気づいてコレヒドール島の要塞に立て籠もり、挙句の果てに十四万六千人の部下を見捨てて、自分だけ逃げ出した。

結局、コレヒドール要塞はその二十八日後に陥落し、第十四軍は、アメリカ兵捕虜を対岸のバターン半島にあるオドネル収容所まで連行するのだが、戦後、連合国軍最高司令官に出世したダグラスは「日本軍のオドネル収容所への連行でアメリカ兵一万七千人が衰弱死した」と言い出して、第十四軍の司令官だった本間雅晴中将をマニラ戦犯裁判に引きずり出した。

だが、第十四軍がアメリカ兵捕虜を移動させた距離は百四十キロ、そのうち百キロは列車とトラックで移動している。

歩いた距離は四十キロだけ、それも三日もかけてである。

一日たった十三キロ、女・子供のハイキングレベルだ。

毎年八月に日本テレビでやっている「愛は地球を救う」の二十四時間マラソンに出場した当時七十歳のアナウンサー徳光和夫さんは六十三キロも走った。

六十六歳だったタレント萩本欽一さんは七十キロ、同じくタレントで三十一歳だった西村知美さんは見事百キロ走り切った。

アメリカ兵が三氏より虚弱だったとはとても思えない。

しかも第十四軍は、移動ルート各所に給水所や診療所を設けて、捕虜の体調管理に万全を期すなど至れり尽くせりの配慮をしている。

食糧も同様である。

生真面目な日本兵たちのことだ。

きっと自分たちの食糧を削ってでも捕虜に分け与えたに違いない。

それでも「衰弱死する兵が出た」と言い張るんなら、それは要塞の食糧備蓄を怠った司令官の責任だろう。

しかし、ダグラスは大恥をかかされた腹いせのみならず、保身のために部下が衰弱死した責任まで本間中将に被《かぶ》せて銃殺刑にした。

それも第十四軍がコレヒドール要塞に攻撃を開始した四年後の同日同時刻となる一九四六年四月三日〇時五十三分に処刑するという意地の悪さである。

その異常なまでの執念深さは、極東国際軍事裁判（東京裁判）でも遺憾なく発揮された。

日本の指導者二十八人を起訴したのが、昭和天皇の誕生日である一九四六年四月二十九日、法廷として使った建物が、被告十五人の母校である陸軍士官学校の講堂、東条英機氏ら七人を処刑したのが、一九四八年十二月二十三日、当時皇太子だった明仁親王、現在の上皇の誕生日だ。

† オセアニア

独立戦争に敗れて北米大陸を失ったイギリスであるが、一七七〇年に海軍士官ジェームズ・クックが発見したオーストラリアを新たな流刑地にして囚人を流した。

日曜日になると、囚人たちは馬に乗って逃げ回る先住民のアボリジニーを撃ち殺し、その数を競う「人間狩り」というレジャーに興じ、居住区に侵入して彼らが飲料としている水源に毒を流して殺害していった。

タスマニア島では、アボリジニーを崖に並ばせて飛び降りることを強要し、拒む者は突き落として、一八七六年に絶滅させた。

やがてアボリジニーを殺し疲れた囚人たちは、水も湧かない孤島にアボリジニーを移送し、飢渇させて皆殺しにしていった。

その後も、新たに送り込まれた囚人たちが同様の虐殺行為を繰り返し、八十万から百万人いたと推測されるアボリジニーを、一九七〇年代に五万人にまで激減させて、有色人種を人間と認めない白豪主義国家「オーストラリア」を建国した。

† ユーラシア大陸

時代を七百年遡る。

十三世紀、ユーラシア大陸を最初に席捲したのが、チンギス・ハン率いるモンゴル騎馬軍団である。

遊牧民族のモンゴル兵は、子供の頃から馬を乗りこなす術を身につけており、その練度は世界中のどの騎馬軍団よりもずば抜けていた。

そのモンゴル兵一人一人が数頭の馬を持ち、騎乗している馬が疲れると、他の馬に乗り換えることで進軍速度を緩めず移動した。

一日の移動距離は六十キロ以上と、他国の軍隊の二倍から三倍に及ぶ。

チンギス・ハン
(1162-1227)

戦闘では、指揮官が戦場を見渡せる丘から銅鑼《どら》を叩いて部隊を指揮し、敵が攻めてくると「逃鼓《とうこ》」、敵が自陣の中まで深追いしてくると「攻め鼓」を叩いて、両側面、背後から包囲する戦法で敵を殲滅し、生け捕りにした者を連行して、次の戦闘で自軍兵士の盾として最前線に立たせて戦い、瞬く間に版図を広げていった。

一二〇六年、モンゴル高原を平定したチンギス・ハンは、周辺諸国の西夏（現在の支那の甘粛省、寧夏回族自治区）、西ウイグル王国（新疆ウイグル自治区）、西遼（現在のカザフスタン南東部、キルギス、タジキスタン辺り）を征服して大帝国を築き上げ、殺人鬼と恐れられた。

その虎の尾を踏んだ男がいた。

ホラズム国王ムハンマドで、現在のウズベキスタン、トルクメニスタン、アフガニスタン、イラン全域辺りを版図に持つ西アジアの雄である。

しかも騙し討ちであった。

一二一八年、ムハンマドはチンギス・ハンに交易を求める書簡を送り、その申し入れに応じたチンギス・ハンが四百人から成る商隊を遣わすと、商隊を襲撃して全員を殺害し、物品を奪ったのである。

しかもムハンマドは、商隊の虐殺について詰問するためにチンギス・ハンが遣わした使者までも

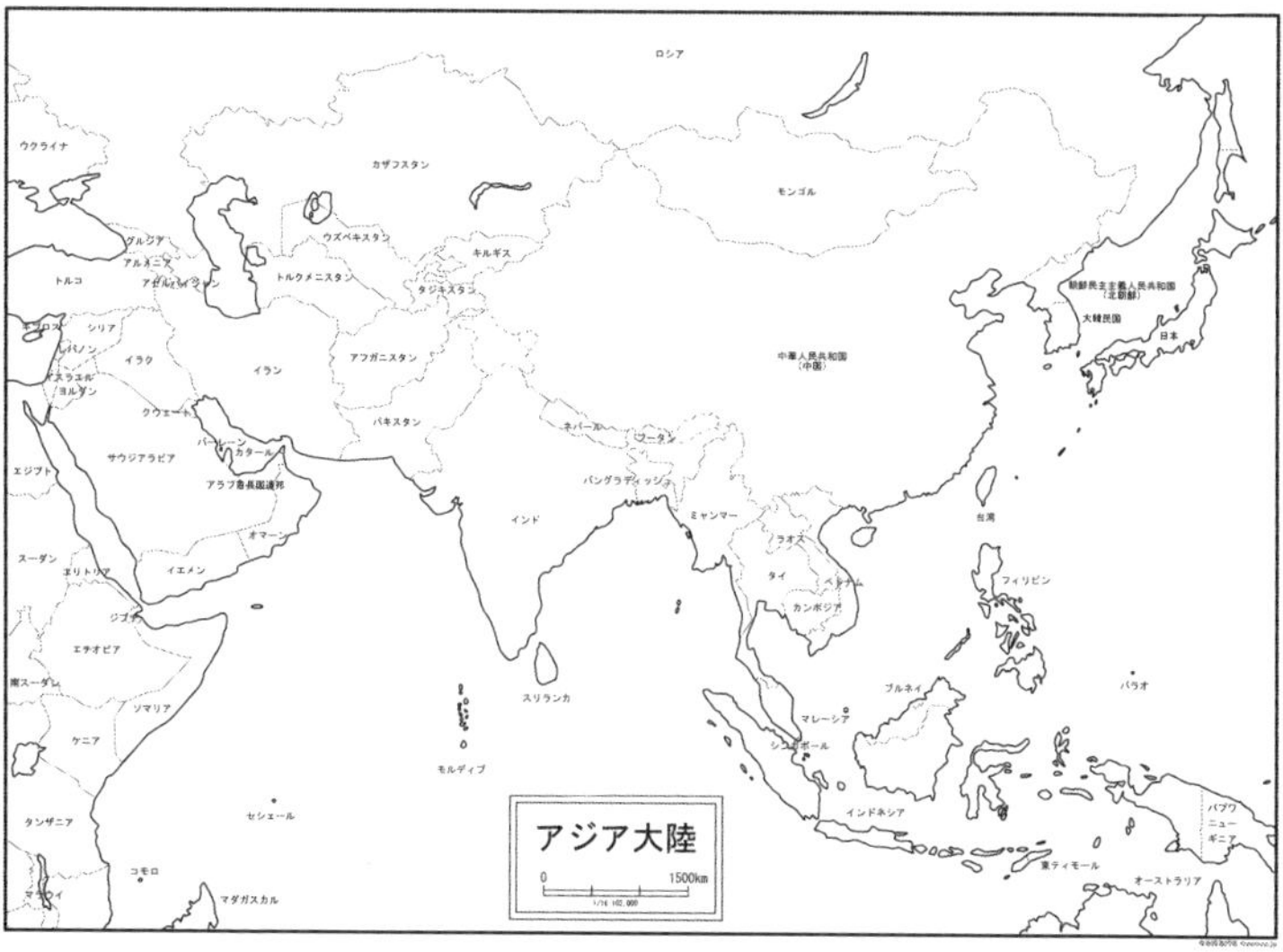

殺害してしまった。

ムハンマドの軍勢五十万に対し、モンゴル軍の総兵力は十五万と三分の一以下、しかもモンゴル軍は、本拠地であるモンゴル高原から千二百キロ以上も遠征してきており、武器や食糧の調達もままならないと侮ったのだろう。

が、馬を駆使しての機動力に加え、連射速度に優れた短弓や投石機から放たれる炸裂弾の破壊力、他国の軍隊には類を見ない残忍性に勝るモンゴル軍は、ホラズム軍を圧倒してタブリーズ、オトラル、サマルカンドといった主要都市を陥落させ、メルヴの街では、市民の四肢を四頭の馬に括り付け、別方向に疾走させて体を引きちぎる、舌を引き抜く、溶かした鉛を耳に流し込むなど、身の毛もよだつ処刑方法で七十万人を虐殺した。

ニーシャプール（イランの北東の都市）でも同様の虐殺が起きた。

チンギス・ハンの娘婿トクチャルが戦死すると、

妻であったチンギス・ハンの娘は一万の軍勢を率いてニーシャプールを制圧し、ホラズム軍の将軍が降伏を申し入れても許さずに、市民も含めた全員を四日かけて殺害し、街を焼き払った。

モンゴル軍の圧倒的な強さと残虐性を思い知ったムハンマドは逃亡し、潜伏したカスピ海の小島で呆気なく死去してしまっている。

ムハンマドの息子ジャラールッディーンは、一旦アフガニスタンに逃れて遊牧民に協力を呼びかけ、五万の軍勢を引き連れてバーミヤンに戻り、モンゴル軍と激突した。

この戦闘で、チンギス・ハンの孫のモエトゥケンが、投石機から放たれた石の直撃を受けて戦死すると、チンギス・ハンはバーミヤンの街を徹底的に破壊し、女、赤子、老人から、牛、馬、羊、犬、猫に至るまで生きとし生けるものを殺し尽くして、街の至る所に髑髏の山を積み上げていったと伝えられている。

復讐を果たしたチンギス・ハンは、ホラズム討伐に加わらなかった西夏征伐に向かうが、首都興慶を陥落させる直前の一二二七年に急逝する。

その後継者であるが、チンギス・ハンには、長男ジュチ、次男チャガタイ、三男オゴタイ、四男トルイの四人の息子がおり、四人ともチンギス・ハンの遺伝子を受け継いだ将器《しょうき》揃いであったが、生前にチンギス・ハンが後継者に選んでいたのが三男オゴタイである。

四兄弟の中でも抜きん出て器量があったのだろう。

なお、バーミヤンの戦いで戦死したチンギス・ハンの孫のモエトゥケンは、次男チャガタイの長男である。

跡目を継いだオゴタイは、皇帝就任から二年後の一二二九年に末弟トルイと共に金王朝（現在の支那の黒竜江省、吉林省、遼寧省、河北省、山西省辺り）に攻め入り、人民の七割を殺戮して一二三四年に金王朝を滅亡させた。

また、オゴタイからヨーロッパへの侵攻を命じられた長兄ジュチの次男バトゥは、一二三六年にモスクワ諸国を隷属させたあと、南西におよそ七百キロ進軍して一二四〇年にキエフ公国（現在のウクライナ）を滅ぼし、ポーランド南西に乱入してポーランド兵十万人以上を殺害した（「ワールシュタットの戦い」）。

この「ワールシュタット」とは昔のドイツ語で「死体の山」を意味するらしい。

その後もバトゥは四百五十キロ南南東に兵を進め、ハンガリー王国の首都ペスト（現ブダペスト）を陥落させて神聖ローマ帝国の首都ウィーンに迫るが、一二四一年にオゴタイ急死の訃報を受けて、遠征を中止した。

このあと、第三代皇帝の座をめぐっての後継者争いが起こり、一枚岩だったモンゴル帝国に亀裂が入った。

五年間皇帝が決まらず、一二四六年にオゴタイの長男グユクが第三代皇帝に就くが、モスクワに遠征していたバトゥが異議を唱えてモンゴル帝国から離反し、ノブゴロド公国（現ロシア北西端、バレンツ海沿岸部に存在した北欧の大国）とヴォルガ川流域のモスクワ諸侯を隷属させて「キプチャク・ハン国」を建国し、一二五六年にバトゥが死去したあとも、後裔が中央アジア（現カザフスタン、ウズベキスタン）からコーカサス地方まで勢力を伸ばしていった。

十四世紀半ばに、キプチャク・ハン国を支那で発生した黒死病《ペスト》が襲い、兵士の間にも蔓延するようになると、キプチャク軍は黒死病菌すらも兵器として利用した。

黒海北岸の港町カッファに侵攻したとき、黒死病で死亡した自軍兵士の骸《むくろ》を投石機で城壁の中に投げ込み、感染拡大《パンデミック》を引き起こして落城させている。

キプチャク・ハン国の領土拡張策は、カッファ攻略が最後となるのだが、撒き散らした黒死病菌はカッファからイタリア半島へ貿易船で運ばれたあと、フランス、イギリス、北欧にまで拡がり、当時のヨーロッパの人口の三割となる三千万人の命を奪っている（ＮＨＫ歴史秘話ヒストリア「ペスト最悪のパンデミック」参照）。

一方、モンゴル帝国を継承した三代皇帝のグユクであるが、皇帝就任から二年後の一二四八年に死去したため、第四代皇帝を巡ってまたしても後継者争いが起こり、三年間の混乱の末に四男トルイの長男モンケが第四代ハンに選出された。

この人事に次男チャガタイ家と三男オゴタイ家が反発してクーデターを企てるが、謀反を察知したモンケは両家の主だった者をすべて粛清した。

モンケの仕打ちに対して、チャガタイ家とオゴタイ家がモンゴル帝国から割って出て、モンゴル帝国の南西に「チャガタイ・ハン国（現ウズベキスタン東部、カザフスタン北東部、タジキスタン、キルギス、トルクメニスタン東部辺り）」、北西に「オゴタイ・ハン国（カザフスタン南東部、支那北西部）」を興した。

本家モンゴル帝国を継いだモンケは、三弟（モンケから見て二番目の弟）フビライに東征、四弟

（モンケから見て三番目の弟）フラグに西征を命じた。

フラグは中央アジアからペルシャ、イラン高原の国々を撃破したあとメソポタミアに兵を進め、一二五八年にアッバース朝（版図は現モロッコ、アルジェリア、リビア北岸、エジプト、サウジアラビア、イエメン、オマーン、イスラエル、ヨルダン、シリア、イラク、イラン南岸、アフガニスタン、パキスタン、タジキスタン、キルギス、トルクメニスタン、ウズベキスタン）の首都バグダッドになだれ込んだ。

フラグの軍勢はカリフ（イスラム国家の王）を馬で踏み殺したあと、二週間にわたって略奪と放火を繰り広げ、ティグリス川の堤防を決壊させて数十万人の市民を溺死させた。

そのためバグダッドの街は腐乱した死体の凄まじい臭気に覆われ、閉口したフラグの軍勢は風上に移動せざるを得なくなったという。

アッバース朝を滅ぼしたフラグは、アナトリア半島（現トルコ）を征服したあと、エジプトのマムルーク朝攻略を目指して南下し、シリアのアレッポ、ダマスカスを陥落させてエルサレムに迫った。

この時点で、モンゴル帝国の領土は三千三百万平方キロメートルに達した。

その広さは世界史上第二位であり、現在、世界最大の国土を持つロシアの二倍近くとなった。

一方、東征に向かったフビライは、一二五四年にチベットと大理国(支那南部の雲南省ラオス、ミャンマー国境近く)、一二五九年には高麗を服属させたが、南宋《なんそう》（支那の南東）を攻めあぐねていた。

しびれを切らしたモンケは、一二五九年に自ら南宋攻略に赴くが、その遠征の途中で急死してしまい、モンゴル帝国は領土拡張どころではなくなった。

モンゴル国内にいたモンケの末弟アリクブカが跡目を狙って挙兵し、フビライとの間で後継者争いが勃発したのである。

フラグにも五代皇帝になりたいという野心があったが、パレスチナを南下している最中であり、すでに兄のフビライと弟のアリクブカが後継者争いを始めたことを知ると皇帝になることを諦め、タブリーズを首都に「イル・ハン国（現イラン、イラク、シリア、トルコ東部、パキスタン、アフガニスタン辺り）」を建国した。

そのため、後継者争いはフビライとアリクブカに絞られ、足掛け四年におよぶ戦いの末、一二六三年にフビライがアリクブカを降して帝位に就いた。

なお、アリクブカはフビライの実弟であることから処刑は免れ、降伏した二年後に病死している。

第五代皇帝となったフビライは、一二六四年に都を大都（現在の北京）に遷《うつ》し、国名を「元」に改めて南宋攻略に取り掛かったが、南宋軍の強力な火力に手こずった。

その火薬の原料である硫黄を南宋に供給していたのが、火山地帯を抱える日本であった。

フビライは、南宋を攻略するために日本を南宋から切り離す必要があった。

一二六八年、フビライは執権（一二六六年、三歳で将軍職に就いた惟康親王《これやすしんのう》の後見役、事実上の鎌倉幕府の統領）北条時宗への国書を太宰府に送った。

鎌倉に届いた国書は「友好を結び、親交を深めよう」という内容であったが、断った場合には武力をちらつかせる威圧に満ちたものであった。

礼儀を失したフビライの呼びかけに、時宗は返書しなかった。

その後もフビライはたびたび国書を送り、一二七四年には「返書を送らなければ、兵を差し向ける」と時宗を恫喝してきた。

その国書にフビライの覚悟を見て取った時宗は、フビライが侵攻してくると予想される博多湾に九州の御家人（将軍直属の武士）を集結させ、モンゴル軍の侵攻に対する防備を命じた。

半年後の十月六日、モンゴルと高麗の連合軍三万が、九百隻の艦隊で対馬沖に姿を現した（「文永の役」）。

十月六日、対馬の小茂田浜に上陸したモンゴル軍は、対馬の代官であった宗助国《そうすけくに》率いる八十騎の武士を討ち取って対馬を占領したあと、壱岐に侵攻して島を守る武士を皆殺しにした。

壱岐には大刀洗川《たちあらい》という川があるが、この名前はモンゴル兵が日本の武士を斬殺して血塗られた剣を洗ったことに由来する。

フビライ・ハン
(1215-1294)

壱岐を占領したモンゴル軍は島の女を攫《さら》って船に乗せ、手のひらをくり抜いて縄で数珠つなぎに通し、盾にして十月二十日に博多湾に押し寄せた。

そのため武士たちはモンゴル軍船に弓を射ることができずにモンゴル兵の上陸を許した。

海岸での白兵戦《はくへいせん》に移行しても、一騎打ちの戦いしか知らない日本の武士たちは、統率のとれたモンゴル軍に包囲されて討ち取られていった。

武士たちを苦しめたのが、投石機から放たれる「てつはう」という炸裂弾である。

直径十数センチの丸い鋳物の中には、鉄片や鋳物片を混ぜた火薬が詰め込まれており、着弾すると辺り十メートル以上の範囲に破片が飛び散り、たった一発で多くの武士を殺傷した。

形勢を逆転させたのが弓の性能の違いである。

モンゴル兵が駆使する弓の長さは、武士が使う弓の七割ほどしかない。

扱いやすく連射速度に優れるが、射程が短い。

しかも騎乗のまま縦横に駆け回って弓を射る「流鏑馬《やぶさめ》」の技術が、騎馬民族のモンゴル軍を上回った。

博多の街に押し入ったモンゴル軍が街に火を放ったとき、百騎を超える騎馬武者の放った矢がモンゴル軍の司令官に当たって落馬した。

この一矢によって、武士たちは指揮官を失って混乱するモンゴル軍とほぼ互角の戦いに持ち込むことができた。

その後、数日間におよぶ激闘を武士たちは一歩も退《ひ》かずに戦い抜き、矢とてつはうが尽きたモンゴル軍は撤退して「文永の役」は終わった。

しかしフビライは日本侵攻を諦めなかった。

文永の役から七年後の一二七九年、南宋を滅ぼしたフビライが、またしても時宗に使者を送り、隷属するよう求めて来たのである。

時宗は返書する代わりに使者の首を刎ね、九州の御家人に博多の防衛を命じた。御家人たちは、博多湾全体に二十キロにわたって高さ二メートルまで石を積み上げた防塁を築いて、モンゴル軍の襲来に備えた。

一二八一年六月十六日、前回を上回る四万人を擁するモンゴル軍が、三千隻を超える軍船で再び博多湾に押し寄せた（「弘安の役」）。

しかし、武士の築いた防塁を警戒したモンゴル軍は、守りが手薄で干潮のときには博多と地続きとなる志賀島《しかのしま》を占領して攻撃拠点とした。

武士たちはモンゴル軍に占領されている志賀島に総攻撃をかけ、四日間に及ぶ激闘の末に島を奪還すると、モンゴル軍は船に退却して、その後は船上と岸でにらみ合いとなった。

膠着状態が続いた六月下旬、フビライは新たに十万人の兵を投入することを決め、三千隻を超える船を博多湾に送った。

が、折しも台風のシーズンである。

新手のモンゴル軍船が武士たちの前に姿を現した六月三十日の夜に降り出した雨は、翌日には暴風雨となった。

「神風」である。

荒波に揉まれたモンゴル軍船は、岩礁に打ちつけられて砕け散るか転覆し、先を争って島の入江に退避しようとした軍船同士もぶつかり合って沈んでしまい、沈没を免れた船は二百隻ほどに激減して、日本側の兵力がモンゴル軍を上回った。

嵐が去った四日後の七月五日、命知らずの鎌倉武士たちは小船に乗り、我先にと蒙古軍船に斬り込んだ。

味方の大半を嵐で失い、長期間波に揺られて疲れ切ったモンゴル兵は、命知らずの鎌倉武士の斬り込みに戦意を失い、八月二十九日に退却して「弘安の役」は終わった。

極小国日本に二度も敗れたことが、フビライの自尊心を相当傷つけたのだろう。

弘安の役の二年後、フビライは三度目の日本侵攻を企てた。

が、このとき自身の足元が揺らぎ始めた。

日本との戦準備を命じられた南宋や大越国《だいえつこく》（現ベトナム）の民衆が、納税や兵役を拒否して反乱を起こすようになったのである。

フビライは、大越国の反乱を鎮圧するために海路で軍勢を送ったが、またしても嵐に遭って大半の船が沈没してしまった。

命からがら上陸した部隊も、ジャングルに潜むベトナム兵のゲリラ戦に翻弄されて、制圧を断念せざるを得なかった。

しかも分裂したチャガタイ・ハン国、オゴタイ・ハン国、キプチャク・ハン国が同盟を組んで元に戦を仕掛けてきたため、フビライは外征どころではなくなってきた。

その後、ユーラシア大陸を席捲したモンゴル帝国は凋落の時を迎える。

元では一二九四年にフビライ・ハンが死去した後、帝位を巡って一族の権力闘争が絶えなくなり、最後の皇帝となる順帝が即位するまでの間に九人の皇帝が入れ替わり、民心は離れて、政情不安は増していった。

そのような社会不安の中、一三五一年に白蓮教徒《びゃくれんきょうと》という宗教結社が蜂起して「紅巾《こうきん》の乱」という全国的な反乱に繋がった。

その中から生まれた漢民族の朱元璋《しゅげんしょう》の勢力が紅巾の乱を鎮圧したあと、元朝の都である大都を落城させて元を滅ぼし、一三六八年に南京を都として「明」を建国した。

元朝最後の皇帝順帝はモンゴル高原に戻り、元は「北元」と称される小国に衰退した。

モンゴル帝国から分裂した各モンゴル国も滅亡の道を辿っていった。

チャガタイ・ハン国、オゴタイ・ハン国、イル・ハン国は三つ巴で戦いを続け、チャガタイ・ハン国は一三一〇年にオゴタイ・ハン国を併合し、一三五三年には後継者争いで一族間に亀裂が入ったイル・ハン国をも併合した。

そのチャガタイ・ハン国も一族が対立して東西に分裂してしまい、一三七〇年に同国に仕えていた武将ティムールに滅ぼされてしまった。

ティムールは、現在のジョージア、アルメニア、アゼルバイジャン、イラン、トルクメニスタン、ウズベキスタン、カザフスタンにまたがる大国を築き上げたが、ティムールの死後は一族による後継者争いが起こって弱体化し、一五〇七年にイスラム王朝に滅ぼされる。

唯一、ティムールの末裔バーブルのみがインドに入って「ムガール帝国」を打ち立てただけである。

北東ヨーロッパに版図を拡げたキプチャク・ハン国も、一三五九年に始祖バトゥの血統が絶えて往年の力を失うと後継者を巡る権力争いが起こり、西シベリアの「シビル・ハン国」、ヴォルガ川流域の「カザン・ハン国」、カスピ海北岸の「アストラ・ハン国」、黒海北岸の「クリミア・ハン国」と分離独立していき、その中のクリミア・ハン国は一四七五年にオスマントルコの支配下に入った。

キプチャク・ハン国の支配下にあったモスクワ諸侯の間でも、離反が目立つようになってきた。中でもキプチャク・ハン国の忠実な下部《しもべ》として仕えていたモスクワ公国の九代目君主イヴァン三世が、貢納を拒否して対決姿勢を露わにした。

キプチャク・ハン国はモスクワ公国に討伐軍を差し向けたが、イヴァン三世は討伐軍を破って一四八〇年に念願の独立を果たし、モスクワから現在のロシア、ウクライナ国境に向けて領土を拡げていった。

一五三三年に第十一代君主に就いたイヴァン四世は、一五五二年にカザン・ハン国、一五五六年にはアストラ・ハン国を滅ぼしてヴォルガ川一帯に領土を拡張し、モスクワ公国を大国に築き上げた。

現在のロシアの礎を築いたと言える人物であるが、猜疑心が強く、領地での謀反や自分の施政を批判する者を警戒して密告を奨励し、黒尽くめの装束で黒い馬に乗った「オプリーチニキ」という秘密警察を創設して、謀反《むほん》の噂が流れただけで惨殺する恐怖政治を生涯続けた。

一五七〇年には、罰を軽減してもらいたい入牢者が「ノブゴロド公国に謀反の動きがある」という出まかせを密告すると、真偽も確かめずにノブゴロド公国誅伐の兵を挙げ、街に火をつけ、羆《ひぐま》を放ち、手足を縛った市民を冬の湖に投げ込んで数千人を惨殺した。

宮廷内でも気まぐれに側近の耳を削ぐなど周囲の者を恐怖で縛ったため「IvanGrozny（恐ろしいイヴァン）」の異名をとった。

その狂気は晩年には自身の家族にすら向けられた。

六人の男子を儲けたイヴァン四世であったが、長男、三男、四男を不慮の事故や病で亡くしていたため、次男のイヴァンを皇太子にしていた。

その妻である皇太子妃エレナが宮廷内での式典に場違いな服装で現れたことに立腹したイヴァン四世は、懐妊していたエレナを打ち据えて流産させてしまった。

しかも皇太子イヴァンにその仕打ちを詰《なじ》られると、激高したイヴァン四世は、持っていた杖でイヴァンまで撲殺してしまったのである。

そのため、一五八四年にイヴァン四世が逝去すると五男のフョードル一世が皇帝となったが、早くも次の皇帝の座を巡って六男ドミトリー、フョードル一世の義兄とその息子、宮廷貴族、果てはフョードル一世の皇嗣《こうし》を騙《かた》る偽者三人も入り乱れての殺し合いが始まった。

そのため一五九八年にフョードル一世が逝去したあとは十二年間で皇帝が四回入れ替わり、一六一〇年から二年七か月の間は皇帝の座が空位のまま混乱が続いた。

すったもんだの末、モスクワ諸侯の合議で、一六一三年にフョードル一世の妃マリアの親戚にあたるミハイル・ロマノフが皇帝に選出されて、ロマノフ王朝が誕生した。

ミハイルは、イヴァン四世が始めたシベリア開拓を継承した。

極寒のシベリアの大地は広大であるが人が住むのに適しておらず、少数民族が点在して暮らしているだけでロシアの領土拡張を阻む大国はない。

ミハイルは、ウラル山脈からオホーツク海西岸まで、シベリアの総面積のおよそ七割を労せずして自国領に組み入れることが出来た。

しかし、ミハイルの孫の三代皇帝フョードル三世の時代までは、領土拡張どころか北欧の大国スウェーデンとポーランドに国境を脅かされ続けた。

しかも一六八二年にフョードル三世が二十一歳の若さで急逝すると、またしても後継者争いが起こった。

フョードル三世は一六八〇年に結婚して妃は懐妊したが死産となり、妃もその時に死亡していたため、フョードル三世の兄弟が帝位を継ぐことになった。

この時点で、存命していたフョードル三世の兄弟は、二十五歳のソフィア・アレクセーエヴナと十六歳のイヴァン五世、十歳のピョートル一世の三人である。

ただし死去したフョードル三世とソフィア・アレクセーエヴナ、イヴァン五世の三人は最初の王妃マリアの子供であるが、ピョートル一世は二番目の王妃ナタ―リアの子供である。

通常ならば、年長で第一王妃の子供であるイヴァン五世が帝位を継ぐのが筋であった。

しかしイヴァン五世は凡庸で皇帝の資質に欠けていたため、ロシア正教会と軍部が利発なピョートル一世の支持に回り、一旦はピョートル一世が四代皇帝に決まりかけた。

ところが、ピョートル一世の異母姉ソフィアが、ピョートル一世の母で摂政となるはずであったナタ―リアを宮廷から追放して実権を握り、同母弟のイヴァン五世を皇帝に据えた。

ソフィアは摂政としてイヴァン五世を補佐し、ピョートル一世をイヴァン五世の共同統治者に格下げしてしまった。

しかも宮廷の実権を握ったソフィアは、異母弟のピョートル一世を謀殺しようと画策した。

のちに農業国家ロシアを近代化し、世界の大国に押し上げたピョートル一世といえどもまだ十歳と幼く、二十五歳のソフィアに太刀打ちできる力はなかった。

身に危険が迫ったピョートル一世は修道院に逃げ込んで一命をとりとめている。

ただし、ピョートル一世はいつまでもソフィアの影に怯えていたわけではない。

成人時には身長が二メートルあったというから成長は早く、聡明さと胆力を兼ね備えたピョートル一世はたちまちソフィアを圧する存在へと変貌した。

その間、ソフィアは摂政となった翌年の一六八三年に清国領の満洲（現在の支那の遼寧省、吉林省、黒竜江省、内モンゴル自治区の東部）に侵攻してアムール川流域で散発的な戦闘を五年間に亘《わた》って続けたが、一六八九年に大惨敗を喫すると、アムール川・アルグン川・シルカ川に沿ったラインを国境とする「ネルチンスク条約」を結んで兵を引いた。

このラインは現在のロシア・支那・モンゴルの国境線とほぼ一致する。

ここで、少々、本題から離れる。

地図上では、黄河中下流域の平原には「中華人民共和国」

ピョートル一世
(1672-1725)

という国が表記されているが、この呼び名は、支那の人口の九割以上を占め、支那の歴代王朝のうち、前漢、後漢、宋、明と、四つの王朝を打ち立てた漢民族が、自らの住む黄河流域を「中華」、すなわち世界の中心であり、支那から離れた地を「辺境」と呼んで、そこで暮らす異民族を、「東《とう》夷《い》（東の未開人のことで日本と朝鮮を指す）」「西戎《せいじゅう》（戎は支那の西方に住んでいた遊牧民で、たびたび支那に侵入して略奪を行っていた夜盗、強盗のこと。西アジア、中東のイスラム教徒やヨーロッパの白人を指す）」「南蛮《なんばん》（南の野蛮人のことで、東南アジア、インドを指す）」「北狄《ほくてき》（北方の未開人、モンゴルとロシア）」と呼んで蔑む『華夷秩序』に基づいた僭称《せんしょう》（自分の身分を超えた称号を勝手に名乗ること）である。

よって、日本人である筆者が、漢民族を崇め奉る義理はないので、地図上に「中華人民共和国」と表記されているこの国を、黄河流域で最初に誕生した統一王朝である「秦」に由来する「China」すなわち「支那」と表記し、この地に住む人民も女真族、鮮卑《せんぴ》族、契丹《きったん》族、朝鮮族など、ごった煮なので、便宜上「支那人」と表記する。

なお、ロシア皇帝イヴァン五世の摂政ソフィアがアムール川流域で戦った清国は、満州に住む女真族が一六一六年に漢民族の明国が滅ぼしたあと、支那に打ち建てた征服王朝である。

話を戻す。

清国軍との戦いに敗退してソフィアの威信が失墜すると、ソフィアを見限った軍部がピョートル一世を担いでクーデターを起こし、ソフィアを逮捕して死去するまで修道院に幽閉した。

しかしピョートル一世が異母兄イヴァン五世の命を狙うことはなく、共同統治者として補佐役に徹している。

一六九六年にイヴァン五世が病没し、皇帝の座に就いたピョートル一世は、二百五十人の大使節団を率いて西欧を視察し、近代産業を学んだあと軍の近代化に着手した。

ロシアの海岸線は、北極圏に近いバレンツ海、カラ海、ラプテフ海、東シベリア海、オホーツク海にあり、一年のうち五か月は凍結するため、ピョートル一世は不凍港を渇望した。

手に入れたかったのは砂糖や香辛料ではない。

ロシアの国土の四十パーセントを占めるシベリアの冬の平均最高気温はマイナス十八度、平均最低気温はマイナス二十八度、内陸部ではマイナス五十度以下になることもザラで、記録されている最低気温は一九二六年一月二十六日にシベリア東部のサハ共和国（ロシア連邦を構成する共和国）のオイミャコン村で記録したマイナス七十一度という極寒の世界である。

その大地は永久凍土と化し、浅いところで十メートル、深い所で千メートルに達する。

その極寒の大地を開拓するには莫大な資金が必要となり、相当数の犠牲者が出ることが予想されるため、無給《タダ》で働かせる大量の奴隷が必要であった。

ロシアの凄まじい膨張策が始まるのはここからである。

ピョートル一世は、一六八九年に地中海方面でウクライナの侵食を開始し、バルト海方面では一七〇〇年にスウェーデン領であったフィンランド湾東岸を奪い、川幅が六百メートルあるネヴァ川河口に首都を建設するという難工事を敢行し、頻発する事故や凍死、疫病、飢えで十万人を超える犠牲者を出して、一七〇三年に首都サンクトペテルブルクを完成させた。

その後もスウェーデンへの侵攻を執拗に続け、一七二一年にはバルト海東岸（現エストニア、ラトビア、リトアニア）を奪って念願の港を確保し、捕らえた領民をシベリア開拓やロシア兵の盾として戦場へ送るようになった。

西アジアでも、インド洋を目指してアフガニスタンに侵攻し、シベリア方面では、一七〇六年にカムチャッカ半島に到達して、オホーツク海と日本海側に海岸線を手に入れた。

これら強引な侵略政策やシベリア開拓で、ロシアの人口は二割減少したといわれる。

ロシアの近代化を一代で推し進めたピョートル一世であったが、世継ぎを殺している。

ピョートル一世は、最初の妃エヴドキャ・ロプーヒナとの間に三人の男子を儲けたが、次男と三男は生後すぐに死んでしまい、生存していたのは二十八歳の長男のアレクセイだけであった。

二番目の妃エカチェリーナとの間には六男六女を儲けたが、男子は全員が幼くして死亡していた。

世継ぎとなるのはアレクセイ一人しかいなかったのである。

そのアレクセイは、西欧の文化と技術を積極的に取り入れて近代化を推し進める父に反発して、親子関係は修復不可能といえるまで悪化していた。

ピョートル一世は、アレクセイへの皇位譲渡を諦めて出家させようとするが、アレクセイは国外に逃亡してしまう。

しかも、ロシアの宿敵スウェーデンの国王カール十二世にクーデターへの協力を求め、兵を送ってもらう約束を交わしたのである。

ところが、その軍勢が到着するまでに、アレクセイはピョートル一世が放った追っ手に捕らえられ、サンクトペテルブルクに連れ戻されてしまう。

ピョートル一世は逃亡中のアレクセイの行動を徹底的に洗い出し、スウェーデンに通じていたことを知るとアレクセイに死刑を言い渡した。

その場でアレクセイは投獄されて処刑の日を待つのみとなったが、三日後に獄舎で殺害されてしまう。

そのため、一七二五年にピョートル一世が崩御すると、宮廷内が割れた。

獄中で殺されたアレクセイの長男ピョートル二世を推す一派と、ピョートル一世の後妻エカチェリーナを推す一派が、皇帝の座を巡って対立したのである。

ロマノフ朝君主（白丸数字）**とロシア帝国皇帝**（黒丸数字）

Ⓐフョードル一世（在位1584～1598年）リューリク朝君主

①ミハイル・ロマノフ（1613～1645年）Ⓐの義理の従弟

②アレクセイ（1645～1676年）①の子

③フョードル三世（1676～1682年）②の子

④イヴァン五世（1682～1689年）③の弟

⑤❶ピョートル一世（1682～1725年）④の弟

⑥❷エカチェリーナ一世（1725～1727年）⑤の皇后

⑦❸ピョートル二世（1727～1730年）⑤の孫

⑧❹アンナ（1730～1740年）④の子

⑨❺イヴァン六世（1740～1741年）⑧の姪の子

⑩❻エリザヴェータ（1741～1762年）⑤と⑥の娘

⑪❼ピョートル三世（1762年1～7月）⑩の甥

⑫❽エカチェリーナ二世（1762～1796年）⑪の皇后

⑬❾パーヴェル一世（1796～1801年）⑪と⑫の子

⑭❿アレクサンドル一世（1801～1825年）⑬の長男

⑮⓫ニコライ一世（1825～1855年）⑬の三男

⑯⓬アレクサンドル二世（1855～1881年）⑮の子

⑰⓭アレクサンドル三世（1881～1894年）⑯の子

⑱⓮ニコライ二世（1894～1917年）⑰の子

エカチェリーナ側に付いた近衛部隊が、ピョートル二世支持派を宮廷から追い落とし、エカチェリーナが帝名を「エカチェリーナ一世」としてロマノフ王朝の第六代皇帝の座に就いた。

エカチェリーナ一世の出自であるが、スウェーデン領リヴォニア（バルト海東岸、現在のエストニア、ラトビア辺り）の農民の娘にすぎなかった。

ロシアのスウェーデン侵攻に端を発した「大北方戦争」で、ロシア軍がリヴォニアを占領したときに攫《さら》われて奴隷となり、ロシア軍の将軍の妾を経てピョートル一世に見染められ、一七〇七年に結婚した。

女奴隷から大国ロシアの女帝に成り上がったエカチェリーナ一世であったが、実権を握った宮廷貴族の傀儡に過ぎず、目立った実績は残せていない。

エカチェリーナ一世がやったことといえば、修道院に入れられていたピョートル一世の先妻エヴドキヤ・ロプーヒナをシベリアの牢獄に放り込んだことぐらいである。

そのエカチェリーナ一世が一七二七年に逝去すると、エカチェリーナ一世の三女エリザヴェータと、エカチェリーナ一世との皇位継承争いに敗れたピョートル二世、さらに四代皇帝イヴァン五世の四女アンナ・イヴァノヴナによる三つ巴の権力闘争が始まる。

七代皇帝に就いたのがピョートル二世である。

しかし、十二歳で就任したピョートル二世に、大国ロシアの舵取りが出来るわけもなく、皇帝就任から二年九か月後の一七三〇年一月に天然痘に罹患して、何も為さずに崩御してしまった。

八代皇帝には、四代皇帝イヴァン五世の四女アンナ・イヴァノヴナが選出されたが、彼女に世継ぎはいなかった。

十七歳の時にクールラント公国の貴族と結婚したが、二か月後に夫が急死して子供は出来ずじまいである。

皇帝就任から十年後の一七四〇年に腎臓癌を患い、死期を悟ったアンナは、父イヴァン五世の直系を皇帝に据えようと同母姉の孫で生まれたばかりのイヴァン六世を後継者に選び、その母親、すなわちアンナ・イヴァノヴナにとっては姪のアンナ・レオポルドヴナを摂政に任命して、二か月後の十月二十八日に死去した。

それから一月《ひとつき》足らずの十一月二十五日、エカチェリーナ一世の三女エリザヴェータが、軍と結託してクーデターを起こした。

生後二か月のイヴァン六世を首都サンクトペテルブルク近くの監獄に移して厳重な監視下に置き、母で摂政のアンナ・レオポルドヴナを極寒の収容所に収監して、第十代皇帝に就任した。

帝位に就いたエリザヴェータが真っ先に手掛けたのが世継ぎ選びであった。

彼女にも子供はいなかった。

十八歳のときにデンマーク貴族のカール・アウグストと婚約したが、翌年にカールは天然痘で亡くなっていた。

以降、エリザヴェータは生涯独身を貫いた。複数の愛人はいたが後継者は授かってはいない。

エリザヴェータが後継者に選んだのが、ユトランド半島南東側の付け根に位置するシュレースヴィヒ・ホルシュタイン公国の君主に嫁いだ同母姉アンナの子供、要するにエリザヴェータの甥で十三歳のピョートル三世である。

そのピョートル三世の妃候補としてエリザヴェータが迎えたのが、彼女が死別した婚約者カール・アウグストの姪で十二歳のゾフィー、のちのエカチェリーナ二世である。

ゾフィーはサンクトペテルブルクに招かれた一七四四年に名前を「エカチェリーナ」と改名してロシア正教に改宗した。

翌一七四五年にピョートル三世と結婚したが、結婚早々から幼児性のあるピョートル三世を見限り、ロシアに赴任していたポーランド貴族スタニスワフ・ポニャトフスキーと姦淫するようになった。

また、ピョートル三世もエカチェリーナに対抗するように愛人を作ったため、夫婦仲は冷え切っていた。

しかしエリザヴェータは二人の仲を仲裁しようとはしなかった。

エリザヴェータも心中では、ピョートル三世を切り捨てていたからである。

世継ぎさえ得られれば、あとはエカチェリーナにすべてを託すつもりであった。

そんな二人の間に皇子が誕生する。

のちの十三代皇帝パーヴェル一世であるが、父親が誰か分かったものではない。

愛人スタニスワフ・ポニャトフスキーが父親である可能性が高いが、エカチェリーナは他にも近衛部隊（皇帝や皇族を警護する部隊）の将校や宮廷貴族など、生涯の間に十数人の愛人を持ち、連夜違う男を寝室に呼び寄せたため「玉座の娼婦」と囁かれていた女である。

このとき別の愛人の子供を身籠もったのかもしれない。

いずれにせよロマノフ王朝の血統はここで絶えているはずである。

話を戻そう。

念願の世継ぎを得たエリザヴェータは、イヴァン六世支持派の巻き返しを警戒し、幽閉している廃帝イヴァン六世を担ぎ出す者が現れた場合、即刻イヴァン六世の命を絶つようエカチェリーナに言い含めている。

そのエリザヴェータの施政であるが、国内政策では国民の大半を農奴にして土地所有者に農奴の生殺与奪権を与え、農奴制を強化した。

対外政策では、女帝の座に就いて間もない一七四一年にスウェーデンに侵攻して、スウェーデンに併合されていたフィンランドを奪い、ロシア語を強要して支配力を強めた。

一七五六年には、オーストリアとプロイセンの間で勃発した「七年戦争」にオーストリアと同盟を組んで参戦した。

七年戦争の原因であるが、一七四〇年十月二十日に隣国オーストリアで皇帝カール六世が死去したことに遡る。

カール六世は男子に恵まれず、娘を二人儲けただけであった。

帝位を継いだのが二十三歳の長女マリア・テレジアである。

すると、マリア・テレジアを小娘と侮った隣国プロイセン（ドイツが統一される前の分封《ぶんぽう》国家の一つ）の皇帝フリードリヒ二世が、同年十二月に鉄鉱石や石炭など鉱物資源が豊富なオーストリアのシュレージェン地方を奪いにかかったため、オーストリアとプロイセンの間で戦争が勃発した。

八年におよぶ戦いの末、火力に勝るプロイセンの前にオーストリアは降伏し、マリア・テレジアは「シュレージェン地方を放棄する」という条件を呑まされて、プロイセンと和平を結んだ（「アーヘン条約」）。

しかしマリア・テレジアは、シュレージェン地方を奪還するため秘密裡に軍の強化を図り、プロイセンと敵対する国と同盟を結ぼうとした。

この話に乗ってきたのが、プロイセンの台頭を警戒するロシアのエリザヴェータとフランスのルイ十五世であった。

かくして一七五七年に、墺露仏同盟とプロイセンの戦争が勃発した。

西からフランス、南からオーストリア、東からロシアと三方から攻め込んだ墺露仏同盟軍はプロイセン軍を圧倒し、ロシア軍はプロイセンの首都ベルリンを陥落させるまであと一歩のところまで追い込んだ。

が、勝利目前となった一七六二年一月五日にエリザヴェータが急死して、プロイセン贔屓のピョートル三世が帝位を継いだ。

そのピョートル三世が、就任早々に戦争からの離脱を表明してプロイセンから兵を撤収してしまったのである。

とばっちりを食ったのが、ロシアの同盟国オーストリアとフランスである。

ロシアの戦線離脱で瀕死の状態だったプロイセンが息を吹き返し、オーストリアとフランスは撃退されて、プロイセンの勝利で戦争が終結してしまった。

　しかもピョートル三世は、占領していたプロイセンの領土を返還した上に、ロシア正教会の財産を没収して、ロシアの国教をロシア正教会からプロイセンの国教であるプロテスタントに改宗しようとまでした。

　収まらないのが同盟国のオーストリアとフランス、ロシア正教会、ロシア軍部、それに皇妃のエカチェリーナである。

　同年六月十二日、ピョートル三世が愛人を連れて、軍の閲兵のためにサンクトペテルブルクを離れると、エカチェリーナは軍部、ロシア正教会と結託してクーデターを起こし、帝名を「エカチェリーナ二世」として六月二十八日に第十二代皇帝に即位した。

　翌日、エカチェリーナ二世は自ら近衛部隊を率いて夫ピョートル三世の逮捕に向かい、皇位放棄書に署名させたあと身柄を獄舎に移し、逮捕から一週間後の七月六日に獄舎内で殺害している。

エカチェリーナ二世
(1729-1796)

　エカチェリーナ二世の国内統治は安定しており、ロシア正教会、軍部、宮廷貴族から支持されたが、支配下にあった異民族の中には快く思わない者もいた。

　その中のウクライナ人士官の一部が、一七六四年にクーデターを目論んで牢に幽閉されている廃帝イヴァン六世を担ぎ出そうと救出を試みたとき、エカチェリーナ二世はエリザヴェータの遺言を守って、看守にイヴァン六世を刺殺させている。

領土拡張に関しては、ヨーロッパ方面に於いて歴代皇帝の中で最も領土を拡げた。

皇帝就任から二か月後の八月二十六日にポーランド国王アウグスト三世が死去すると、エカチェリーナ二世はポーランドの国政に間髪入れずに介入した。

ポーランドが選挙によって国王を選ぶ「選挙君主制」を取っているのをいいことに、エカチェリーナ二世は嘗《かつ》ての愛人であったポーランド貴族のスタニスワフ・ポニャトフスキーを国王に据えるために国費を費やして買収工作を進め、金に転ばない反対派には一万人を超える軍隊をポーランドに送って恫喝し、強引にポニャトフスキーを国王に据えた。

その後、エカチェリーナ二世がポーランドの内政に頻繁に口をはさむようになったため、嫌気がさしたポニャトフスキーがロシアの支配から脱却する動きを見せると、エカチェリーナ二世はオーストリア、プロイセンと共にポーランドに侵攻して自立運動を叩き潰し、三か国でポーランドを山分けして一七九五年に地図上から消した。

その配分であるが、プロイセンとオーストリアがそれぞれポーランドの国土の六分の一程度だったのに対して、エカチェリーナ二世は三分の二を手に入れている。

一七六八年からは、オスマントルコへの侵食も本格化させた。

コーカサス地方（黒海とカスピ海の間）とカスピ海東方（現在の中央アジアのトルクメニスタン、ウズベキスタン辺り）、黒海方面の三か所からオスマントルコに侵攻して（第一次露土戦争）、一七八三年にはオスマントルコの属国となっていた黒海北岸のクリミア・ハン国（黒海北岸クリミア半島）を併合し、愛人の陸軍大将グレゴリー・ポチョムキンを知事に据えて、軍港とセヴァストポーリ要塞の建設を始めた。

これが原因で一七八七年に第二次露土戦争が勃発すると、翌年にスウェーデンがエリザヴェータに奪われたフィンランドを奪回するためロシアに宣戦布告して「ロシア・スウェーデン戦争」も勃発した。

エカチェリーナ二世といえども二方面で戦争をする余裕はなく、一七九〇年八月にスウェーデンと開戦前の国境線まで兵を退《ひ》くことで和平を結び、オスマントルコとの戦争に戦力を集中させた。

同年十二月には黒海北岸一帯（現ウクライナ南部、モルドバ南部、ルーマニア東部）を占領し、翌一七九一年には失地を奪還にきたオスマントルコ艦隊を撃破して黒海の制海権を握り、ボスポラス・ダーダネルス両海峡に迫った。

ヨーロッパ方面ではウクライナを北上してベラルーシを併合し、アジア方面ではカムチャッカ半島に到達後、千島列島の捨子古丹《シャスコタン》島、松輪《マツア》島、羅処和《ラショワ》島、新知《シムシル》島、得撫《ウルップ》島を占領して間宮海峡に艦艇を放ち、択捉《えとろふ》島、樺太を襲って日本人を殺害、拉致するようになった。

一七八九年にフランス革命が起こり、四年後の一七九三年にルイ十六世と王妃マリー・アントワネットが処刑されると、その余波がロシアに及ぶことを恐れたエカチェリーナ二世は、イギリス、プロイセン、スウェーデン、オーストリアと「対仏大同盟」を組んでフランス革命を叩き潰しにかかった。

その最中の一七九六年にエカチェリーナ二世が崩御し、嫡子パーヴェル一世が皇位を継ぐと、母エカチェリーナ二世も加わった対仏大同盟から離脱してナポレオンと軍事同盟を結んだ。ナポレオンとパーヴェル一世の間で何らかの密約が交わされたとみられるが、その行為がロシア軍部の怒りを買った。

一八〇一年、近衛兵たちがパーヴェル一世の寝室に忍び込み、帝位を明け渡すよう求めたがパーヴェル一世が拒んだため、その場で絞殺している。

近衛兵を寝室まで手引きをしたのが、対仏強硬派の嫡子アレクサンドル一世と見られている。

そのアレクサンドル一世が帝位に就くと、ナポレオンへの対決姿勢を露《あら》わにした。

ところが、このころのナポレオンは敵対するプロイセン、スウェーデンを叩きのめして服従させ、絶頂期を迎えていた。

アレクサンドル一世はイギリス、オーストリアと手を結んでナポレオンと対峙したが、一八〇五年十二月に「アウステルリッツの戦い」で手もなく捻られ、一八〇七年の「フリートラントの戦い」で再び一蹴されると、「ティルジットの和約」を結んでナポレオンの軍門に下った。

そのあとアレクサンドル一世はナポレオンの駒として仕え、イギリスとの交易を禁じる「大陸封鎖令」に加わった。

しかし抜け目のないアレクサンドル一世はヨーロッパ諸国がナポレオンとの戦争で大混乱になっているのに乗じて、皇帝就任直後にオスマントルコからグルジア（「グルジア」はロシア語表記で、英語表記では「ジョージア」となる）とモルドバを奪い、ナポレオンと結んだ同盟を利用して一八〇八年にナポレオンに敵対するスウェーデンからボスニア湾のオーランド諸島(現フィンランド領)

を奪い、一八一三年にはアゼルバイジャンまで掌中に収めた。

さて、イギリスに対する兵糧攻めとして行われた大陸封鎖令であるが、イギリスと交易をしているヨーロッパ各国の経済をも疲弊させ、ナポレオンに対する不満を募らせるようになった。

しかもナポレオンは、ナポリ国王に据えていた兄ジョゼフをスペイン国王にも就かせたため、スペイン人の怒りを買った。

スペインの民衆が一斉に立ち上がり、独立を求めての蜂起がスペイン全土で起こると、ナポレオンに服属させられていたオーストリア、プロイセン、ポルトガル、オランダ、スウェーデンが一斉にナポレオン軍に襲い掛かった。

この動きに合わせ、アレクサンドル一世も翌年に「大陸封鎖令」からの離脱を表明して、再びナポレオンに牙を剥いた。

ナポレオン
(1769-1821)

一八一二年六月二十四日、ナポレオンは七十万の軍勢を率いてロシア討伐に向かうが、ロシア軍は砲火を交えることなく町や村を焼き払い、ナポレオン軍の食糧の現地調達を困難にしながら退却を繰り返してフランス軍を領内深く引き込んだ。

九月十四日にナポレオン軍がモスクワに入城したときには市民全員が脱出したあとで、街は蛻《もぬけ》の殻であった。

しかもその夜、ロシア軍が街に火を放ったためフランス軍は宿泊所を確保できず、野営せざるを得なくなった。

ナポレオンは再三再四アレクサンドル一世に会談を申し入れたが、アレクサンドル一世はナポレオンとの会談の席に着こうとせず、ひたすら冬の到来を待った。

その上でアレクサンドル一世はナポレオンとの話し合いを決裂させた。

ナポレオン軍がやむなくパリに戻ることになったのは、ロシアに冬が訪れた十月中旬である。夏服でやってきたナポレオン軍に猛烈な寒波が襲いかかり、凍死する兵が相次ぐ中でコサック兵の襲撃を受けて殲滅され、パリに生還できたのは二万人だけであった。

このアレクサンドル一世の冬を味方につけた戦法がフランスの息の根を止め、ナポレオンを失脚させる結果となった。

深手を負ったフランスに周辺国が一斉に襲い掛かってパリを陥落させ、「ナポレオンの退位」と「王政の復活」を条件に講和を成立させて、ナポレオンを地中海のエルバ島に流して漸《ようや》く脅威を取り除いた。

そのアレクサンドル一世が一八二五年に病没すると、弟のニコライ一世が帝位に就いた。

フランス革命の影響で共和制を望む声がヨーロッパ全土で上がる中、ニコライ一世の生涯の大半は帝政を護ることに費やされた。

就任早々、共和制への移行を求める陸軍将校のクーデター（「デカブリストの乱」）が起こると、首謀者五人を吊るし、クーデターに加担した百二十人をシベリアに送って、国内の帝政打倒派を震え上がらせた。

一八三〇年にポーランドでロシアからの独立を求めて暴動が起きた時には、十万を超える兵力を投入して力でねじ伏せ、一八四八年にオーストリア領ハンガリーでオーストリアからの独立運動が起きたときも、その余波がロシア国内に波及することを恐れて武力介入し、革命を圧《お》し潰して「ヨーロッパの憲兵」と恐れられた。

対外政策では一八二八年にコーカサス地方のアルメニアを併合し、一八五三年にはオスマントルコ領のコーカサス地方へ侵攻したため、ロシアの勢力拡大を警戒した英仏がオスマントルコに加勢して「クリミア戦争」が勃発した。

† アフリカ

十八世紀末にアフリカ各地で石油、石炭、マンガン、錫、亜鉛、天然ガス、ニッケルなどの鉱物資源が発見されると、ここでも白人たちの分捕り合戦が始まった。

その中で最も版図を拡げたのは勿論イギリスである。

ケープタウンとトランスバール共和国をオランダから強奪して金鉱床とダイヤモンド鉱山を手に入れたあと、エジプトのスエズ運河を乗っ取って通行料をすべて吸い取った。

次いでポルトガル領ケニアの金鉱床も奪ったあと、アフリカ大陸を南北に貫くように領有を進め、現在の国でいえばスーダン、ウガンダ、ザンビア、ジンバブエ、マラウイ、レソト、スワジランドを併呑した。

これを「アフリカ縦断政策」と言う。

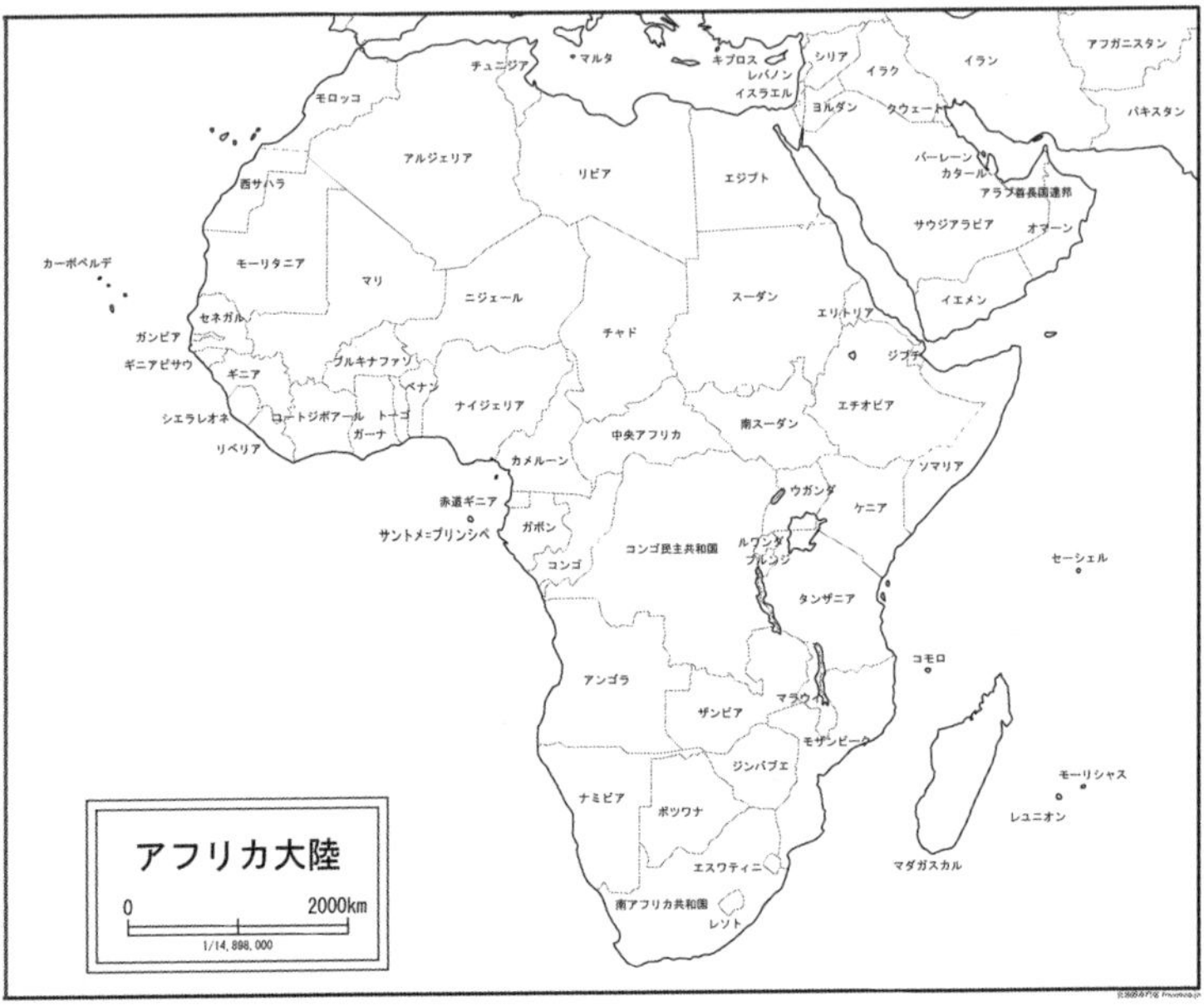

さらにアフリカ西岸のナイジェリア、ガーナ、ガンビア、シエラレオネ、インド洋岸のモーリシャス、セーシェルまで併合してアフリカ大陸の二十パーセントを手に入れた。

　イギリスに続いてアフリカに侵攻したのがフランスである。

　一八三〇年にアルジェリアを征圧したあと東へ向かって蚕食していき、セネガル、モーリタニア、マリ、ニジェールを支配下に置いた。

　これを「アフリカ横断政策」と言う。

　その後、モロッコ、ソマリランド、マダガスカル、ウバンギ・シャリ（現・中央アフリカ共和国）、ガボン、コンゴ共和国、チャド、ギニア、コートジボワール、チュニジア、ダホメ（現ベナン）、オートボルタ（現ブルキナファソ）を掌中に収め、イギリスを上回るアフリカ大陸の二十六パーセントを領有した。

こうして一八九八年、英仏は互いの領土拡張策が交錯するスーダンのファショダで遭遇して、三度目の軍事衝突の危機に陥った（「ファショダ事件」）が、フランスがイギリスの威嚇に屈して譲歩したため争いは回避された。

フランスはアフリカ東進の過程で、一八八一年にイタリアとも領有権問題を起こした。

イタリアは、イタリア半島の延長線上にある対岸のチュニジアをかねてから自国領と主張し、大量のイタリア国民を移住させて乗っ取りを進めていた。

ところが突如フランスが「チュニジアの領有」を一方的に宣言して、横から掻《か》っ攫《さら》ったのである。

このことでフランスに恨みを持ったイタリアは、フランスと対立しているドイツに接近し、翌一八八二年にオーストリアも含めて「三国同盟」を結んだ。

その後、イタリアはチュニジアの隣のリビアを支配下に置いてフランスの東進を阻止したあと、ソマリア半島とエチオピアも属国に組み入れた。

そこへ割り込んできたのがベルギーである。

一八八三年、国王レオポルド二世が、アフリカ中央の二百三十四万五千平方キロメートル（現コンゴ民主共和国、ウガンダ、ルワンダ）を「自分の所有物である」と一方的に宣言した。

その広さはベルギーの国土の七十七倍にあたる。

この地には「黒い金」と呼ばれる宝があった。

ゴムの木である。

当時は自動車や自転車が普及し始めた頃であり、ゴムの需要は急増していた。

レオポルド二世は、軍に命じてゴムの樹液である「ラテックス」を先住民に採集させた。

ゴムの樹液の採取場は、先住民の居住区から歩いて二週間はかかる。

先住民は、食料を用意する時間も与えられぬままゴムの採取場に駆り立てられ、多くの者が採取場に辿《たど》り着くまでに飢えて死んでいった。

ゴムの採取場に辿り着いた者も、熱帯雨林での過酷な労働や、チフス、マラリア、赤痢などの風土病に侵されて、命を落とす者が絶えなかった。

ベルギー軍は、先住民が採取するラテックスの量にノルマを課し、達成できなかった者をその場で射殺するという方法を取った。

ベルギー軍の上官は兵士に銃弾の無駄遣いを固く禁じ、一発の銃弾で黒人を仕留め、右腕を切り落として運んでくるよう命じた。

使用した銃弾の数と切り落とした腕の数が一致するか確認するためである。

切り落とした大量の腕を運ぶのは重く嵩《かさ》張る。

やがて切り落とすのは陰茎《ペニス》になった。

レオポルド二世は、先住民を阿鼻叫喚の地獄に叩き落として世界一の富豪となり、美女に溺れる生活を一九〇八年に死去するまで二十五年間続けた。

この収奪で、コンゴの人口は二千万人から九百万人にまで激減したと言われる。

世界的に有名なベルギーチョコレートにしても、原料のカカオ栽培に血塗られた歴史が潜んでいるかもしれない。

白人たちの身勝手なアフリカ切り取り合戦は、その後もアフリカ大陸に暗い影を落とした。

白人たちはアフリカに暮らす部族の事情など一切考慮せずに、地図に定規で国境線を引いて分け合ったため、一つの部族が二つの国に分断されたり、対立する部族同士が同じ国で共生することになって現在のアフリカ各地での内戦を招いている。

もう一つ、アフリカで内戦が続いている原因が「分断統治」である。

イギリス領となったナイジェリアでは、二百以上の部族が共生しており、人口は八百万人を超えていた。

その中で最大の部族が二百五十万人いたハウサ族である。

ハウサ族はイギリスの統治に対して不満を隠そうとはせず、敵意をむき出しにする者も多かった。

そこでイギリス軍は、自分たちに尻尾を振る百七十万人のイボ族を使ってハウサ族を酷使させた。

そのナイジェリアが一九六〇年に独立してハウサ族が政権を掴むと、イボ族への復讐を始めた。

イボ族は大西洋岸に逃れ「ビアフラ共和国」を建国したが、ハウサ族はそれを認めず、ビアフラ共和国に宣戦布告した。

戦争は一九七〇年まで続き、物資輸送を断たれたビアフラでは、二百万人以上の餓死者を出す悲劇が起きている。

ベルギーもコンゴで収奪するとき、黒人たちの憎悪が自分たちに向かないようにするため、現地人の約二割に当たるツチ族のみを可愛がり、そのツチ族に残り八割を占めるフツ族を酷使させた。

一九八〇年にコンゴがベルギーの支配から脱却したとき、ツチ族に対するフツ族の復讐が始まり、一九九四年までの十四年間で数十万人のツチ族が殺された。

その報復にツチ族がフツ族出身の大統領を暗殺すると、フツ族はツチ族八十万人を鉈《なた》で惨殺して復讐を果たす（ルワンダ虐殺）など、報復が報復を呼ぶ内戦は現在（二〇一〇年代）も収束の目処は立っていない。

† インド

時代を十七世紀に戻す。

北米同様、英仏蘭の係争地となったのがインドである。

この地には六つの宗教と二十二の言語が存在し、一億六千万人を超える人民が数百の小国家に分かれて暮らしていたため、太古から民族紛争や宗教対立が絶えず繰り返されてきた。

そのため結束して外敵に対処することが出来ずに異民族の侵入を許し、十世紀からはイスラム教国への隷属を余儀なくされ、十六世紀には同じイスラム教国のムガール帝国の支配下に入った。

ムガール帝国のインド統治であるが、インドの人口の八割を占めるヒンドゥー教徒を抑圧したため、以前にも増して民衆の反乱を招く結果となり世は乱れた。

しかも一六二七年に四代皇帝ジャハーンギールが死去すると、五代皇帝の座を巡って四人の皇子の殺し合いが始まり、インドの政情は混乱の極みに達していた。

侵略する側にとってはうってつけの条件が揃っていたわけである。

一六三九年、そのインドにイギリスが商館を設置して、茶葉や香辛料の栽培や貿易を始めたが、一六五一年にオランダが割り込んできて、イギリスの利権を脅かすようになった。

イギリスは翌年勃発した「第一次英蘭戦争」でオランダを破ってインドから締め出したが、入れ替わるようにフランスがやって来た。

しかもイギリスの商館の目と鼻の先に貿易拠点を設けて向こうを張ってきたため、争いが激化していった。

このころ両国は北米大陸の領有を巡って争っている最中である。

双方の本国ともインドに大軍を送る余裕は無く、現地の両軍がインド人を傭兵《ようへい》として募ると、予想を大きく上回るインド人が殺到してきた。

国家意識など持っていないインド人は、金さえ出せば侵略者にでも簡単になびいたのである。

ただしその戦力に圧倒的な差ができた。

散々インド人を食い物にしてきたイギリスに付いた傭兵は流石《さすが》に少なく、現地のイギリス人将兵八百人を合わせても三千人にも満たなかった。

片やフランス軍はフランス人将兵の数こそ四十人ほどとイギリス軍の足元にも及ばなかったものの、イギリスの統治に反感を持つベンガル軍を味方に引き入れることに成功して七万近い大軍となった。

イギリス軍は圧倒的に不利な状況を覆すため、地方長官の地位を与えることを餌にベンガル軍の将軍を買収した。

一七五七年六月二十三日に始まった戦闘は、イギリス軍の企て通りに進んだ。ベンガル軍五万の兵が戦闘に加わらずに傍観したのである。

それでもフランス軍の兵力はイギリス軍の六倍以上と優位であったが、味方の七割が傍観する事態にベンガル兵の間に動揺が広がった。

しかも午後から豪雨となり、銃器の扱いに慣れていないベンガル兵たちは弾薬を濡らして銃撃できなくなった。

こうなってくると、所詮は金で雇われた傭兵である。大半のベンガル兵が戦場から逃げ出してフランス軍は崩壊してしまい、たった一日で戦闘は終了してしまった（「プラッシーの戦い」）。

イギリス軍の損害は負傷二十数名だけという圧勝であった。

フランスをインドから締め出してインドの利権を独り占めしたイギリスは、ムガール皇帝シャー・アーラム二世に僅かな年金を与えて徴税権を脅し取り、農民にムガール帝国時代の四倍の人頭税（納税能力に関係なく乳児から寝たきり老人まで一律に同額の税を納める税制）を課して、土地税を七倍に吊り上げた。

イギリスによるインド統治で壊滅的な打撃を被った産業が綿産業であった。

イギリス本国に持ち込まれたインドの産物の中で、取り分け人気を博したのが綿製品である。

当初、イギリスはインド人織物業者から買った綿製品を本国に送っていたが、一七七〇年代にイギリス本国で紡績機が発明されて大量生産が可能になると、インド人から搾り取った税金で綿花農家から原綿を買って本国に送り、紡績機で生産した安価な綿製品をインドに輸出するようになった。

そのため手工業が主であるインドの綿産業は潰れ、仕事を失ったインド人が街に溢れるようになった。

さらにインド人を窮地に追い込んだのが、ほぼ同時期にイギリスがインドで始めた阿片の製造である。

十八世紀半ば頃、イギリスは清国から茶葉を購入して本国で販売したところ、爆発的な人気商品となった。

「眠れる獅子」と世界から畏怖されていた清国に対しては、イギリスといえども武力侵攻に出ることはせず、茶の代金を銀で支払うという真っ当な商取引を行ったため、大量の銀が清国に流出するようになった。

当初、清国の武力を恐れていたイギリスであったが、清国の内情を知るにつれ、軍備が時代遅れで、人口は多いものの民度は低く、雑多な民族の集まりでしかないことに気付いた。

次第に清国を舐めるようになったイギリスは、清国に流れた大量の銀を阿片の密貿易で取り戻そうと考えた。

その原料のケシを栽培する耕作地としてインドの田畑を潰して転用し、清国に流したのである。

阿片栽培のために田畑を潰されたインドでは、一七七〇年から一九四三年までの一七三年間で三十四回の飢饉が起こって五千万人以上が餓え死にした。

反英感情は日に日に高まり、マイソール王国、マラータ同盟、シク教徒などインド各地で軍閥の蜂起が相次いだ。

イギリス軍は力任せにねじ伏せていったが、続発する反乱に手が足りなくなり、インド人を傭兵として好待遇で雇うようになった。

このインド人傭兵を「シパーヒー」という。

そのシパーヒーまでもが一八五七年に反乱を起こした（「インド大反乱」）。

発端はシパーヒーに新式のエンフィールド銃が配られたことにある。

この銃に使用される銃弾は、湿気を防ぐために一発ずつ脂を塗った実包に包まれている。

エンフィールド銃に弾薬を装填する際には脂を塗った実包を噛みちぎるのであるが、その脂として使用されているのが豚脂や牛脂であるという噂がシパーヒーたちの間で流れた。

シパーヒーのほとんどは、敬虔なヒンドゥー教徒かイスラム教徒である。

ヒンドゥー教徒にとって牛は神聖な動物とされ、食べることは固く禁じられている。

またイスラム教徒にとって豚は不浄の動物であり、口にすることは赦《ゆる》されない。

イギリス人の上官は「噂はデマである」と打ち消したが、エンフィールド銃を使っての訓練で、九十人中八十五人のシパーヒーが弾薬の入った袋に触れようとしなかった。

イギリス軍は命令を拒否したシパーヒーたちを裁判にかけて、十年の懲役刑に処した。

その処分に対し、仲間のシパーヒー二十万人が投獄された仲間を救うために蜂起して、イギリスに廃位させられたも同然になっていたムガール皇帝シャー・アーラム二世を担ぎ出すと、仕事を失った綿織物業者や強制労働でケシを栽培させられている農民までが加わって、反乱はインド全土に及んだ。

インドに駐留しているイギリス正規軍四万人ではこの大反乱を抑えられず、一万人以上の死傷者を出した。

イギリス軍は一旦インドから脱出したあと、マレー半島や清国の駐留軍を集結させてから反撃に出て、ヒンドゥー教徒には牛の血を、イスラム教徒には豚の血を無理やり飲ませたあと、数十人単位で一斉に縛り首にしていき、四か月で反乱を鎮圧した。

その犠牲者数であるが、イギリス政府は一切公表していない。

知られては都合が悪いほど殺したのだろう。

報復を終えたイギリスは、シャー・アーラム二世をビルマに流してムガール帝国を滅ぼし、翌年に「インド帝国」を建国した。

そして一八七七年に初代インド帝国の皇帝の座にのうのうと就いたのがヴィクトリア女王、第一章で触れたが、咽頭癌に冒された娘婿フリードリヒ三世に医師団を遣わして誤診を招き、死期を早めたあの女王である。

イギリスによるインド統治であるが、イギリスを憎悪する四億人のインド人を抑え込むなど至難の業であるため、ここでも分断統治をやった。

キリスト教徒やイスラム教徒を入植させてヒンドゥー教徒との対立を煽り、支那人や黒人も放り込んで民族間の対立を引き起こし、結束してイギリスに歯向かうのを防いでいる。

一九四七年にインドがイギリスから独立した時、ヒンドゥー教徒が大半を占めるインドからイスラム教国パキスタンが分離し、そののち国境線を巡って三度にわたるインド・パキスタン戦争が起こったのもイギリスがインドに大量のイスラム教徒を放り込んだのが原因である。

† 清国

インド産の阿片が大量に流れ込んだ清国国内は、阿片中毒者で溢れ返るようになった。

事態を憂慮した清国政府は阿片の輸入を禁じたが、イギリス政府は清国の方針に従わずに密貿易を続けた。

イギリスの目に余る行為に対して、清国皇帝・道光帝から特命全権大臣に任命された林則徐は阿片千四百トンを没収して廃棄処分にした。

さらに阿片を売買した者だけでなく、吸引する場所を提供した者まで死罪とする法律を制定してイギリス人を清国領内から退去させた。

清国側としては当然であったこの措置に対し、イギリス議会では「清国討つべし」との声が上がった。

一方で、あまりにも理不尽な出兵理由に開戦を躊躇《ためら》う意見も多く出た。

投票の結果、二百七十一票対二百六十二票で開戦派が勝利したが、わずか九票という差に反対意見を無視できなくなり会議は紛糾した。

それを裁可したのもヴィクトリア女王である。

一八四〇年八月、女王の裁可を得たイギリス政府は、イギリス本国、インド、南アフリカに配備していた艦隊四十七隻を広州湾に集結させ、北京に向けて出撃させた。

かくして「史上もっとも恥ずべき戦争」と自国民にすら言わしめた「阿片戦争」が勃発した。

イギリス艦隊は清国沿岸を砲撃しながら北上して渤海に入り、海河《ハイヴェア》を遡上して天津に迫ると、開戦から二か月で清国政府は降伏し、翌一八四一年一月二十日の講和会議で、

一、香港の割譲
一、賠償金六百万ドルの支払い

の二条件を受け入れて戦争は終結した。

ところが、その直後に清国政府部内で対英強硬派が和戦派を追い落として「講和条約を破棄する」と一方的にイギリス政府に通知してきたため、戦争が再開されることになった。

同年四月、再び来襲したイギリス艦隊は、広州《コワンチョウ》、厦門《シアメン》、福州《フーチョウ》、寧波《ニンポー》、舟山《チャウシャン》を艦砲射撃で破壊して揚子江河口に迫った。

清国艦隊は迎撃に向かったが、二百年以上も前に作られた青銅砲を搭載している清国艦艇の砲弾

はイギリス艦隊まで届かず、逆に木造帆船の清国艦艇は、命中弾を一発喰らっただけで木っ端微塵になって沈んでいった。

イギリス艦隊は上海を陥落させたあと揚子江を遡り、七月には鎮江《チェンチアン》を占領して南京への補給路を断った。

負けを悟った清国皇帝の道光帝は、イギリスと「南京条約」を結び、最初の講和条件である「香港の割譲」の他に、

一、賠償金を六百万ドルから二千百万ドルに上積み
一、広州、厦門、福州、寧波、上海の五港の開港
一、領事裁判権（外国人が清国内において罪を犯しても、清国に裁判権がない）の承認
一、最恵国待遇
一、関税自主権の放棄
一、阿片貿易の黙認

という六つの新たな要求を受け入れて講和を結んだ。

阿片が公然と流れ込むようになったことで、当時二億人とも三億人とも言われていた清国の人口のうち、阿片中毒者は三千万人から四千万人にまで激増した。

阿片戦争の賠償金で清国の財政は破綻し、黄河、揚子江といった大河の堤防工事が滞るようになっ

た。

清国政府が工事費用を捻出しても、地方役人が横領するため堤防工事は進まず、豪雨の度に堤が決壊して洪水が起こり、家や田畑を流された農民は匪賊となって強奪、殺人、人身売買に手を染めるなど人心は荒廃して農民の暴動が相次ぐようになった。

世情混沌とする中、世を憂いて清国打倒に立ち上がったのが、広州出身の農民で漢民族の洪秀全《こうしゅうぜん》である。

街頭で行われていた白人宣教師の「乱れた世を正せ」という布教に感化された洪秀全は、キリスト教に改宗して「滅満興漢《めつまんこうかん》（満洲出身の女真族が建てた清国を滅ぼして、漢民族の国を建国する）」を唱え、人々に広く参画を呼びかけると、たちまち三万人を超える人民が集まった。

清国を脅かす一大勢力を築き上げた洪秀全は、一八五一年に江西省で「太平天国」という革命政権を樹立して、清国軍との内戦に突入した。

清国政府は軍を向かわせたが、各所で太平天国軍に打ち破られた。

南京を目指して北上する太平天国軍に加わる人民は増え続け、南京に到着した時には二百万人を超える大軍勢となった。

清国守備隊との戦いを二週間で征して南京を占領した洪秀全は、南京を「天京《てんけい》」と改めて太平天国の首都に定めた。

この間、英仏は、アフリカの支配地で頻発する黒人暴動の鎮圧や、クリミア戦争でオスマントルコに与してロシアと戦ったために、清国の蚕食を停止していたが、一八五六年にクリミア戦争が終結すると早速フランスが清国領を奪いにかかった。

狙ったのが清の属国ベトナムである。

宗主国の清国が食い物にされていく様《さま》を見たベトナムでは、キリスト教を警戒して宣教師の入国を固く禁じるなど排外主義運動が高まり、白人を襲撃する事件が多発するようになっていた。

フランス政府は、それを分かったうえで宣教師をベトナムに潜入させて布教させた。

宣教師が殺害されるのを待って、それを大義名分にベトナムに侵攻するつもりであった。

言わば鉄砲玉である。

フランス政府の期待通り、ベトナムに渡った宣教師は直ぐに捕らえられ、ベトナムの法律に則《のっと》って斬首された。

戦争を仕掛ける大義名分が出来たフランス政府は宣戦布告する好機を待った。

その機会はすぐに来た。

この年の十月八日、清国官憲が広州湾に停泊中のアロー号を臨検したところ、阿片が発見されて、支那人の船員三人が逮捕されるという事件が起こった。

清国政府が阿片の輸入を認めていたのはイギリスのみで、それ以外の阿片の流入は厳しく取り締まっていたのである。

清国官憲の取った行動に何ら問題があったわけではない。

しかしイギリスが絶好の機会を見逃すはずがなかった。

広州領事ハリー・パークスは「清国官憲によるイギリス船籍アロー号の拿捕は南京条約に違反す

る。しかもアロー号に掲げられていたイギリス国旗を引きずり下ろした行為は、イギリスの国威を著しく踏みにじる行為である」として清国政府に抗議した。

清国政府は「アロー号へのイギリスの船籍登録期限はすでに切れている。またイギリス国旗は掲げられていなかった」と弁明したが、ハリー・パークスから報告を受けたイギリス政府は、清国政府の言い分を一切聞かずに宣戦布告した（「アロー戦争」）。

イギリス艦隊は、広州、九龍、厦門、福州、寧波を艦砲射撃で破壊しながら北上していき、開戦から一年後の一八五七年十二月二十九日には、機会を窺っていたフランスも清国に宣戦布告し、ベトナムに派兵してサイゴンを占領した。

翌一八五八年一月、イギリス軍が天津市を占領した時点でロシアが仲裁に入り、講和会議が持たれた。

席上、清国全権は英仏側から突きつけられた六つの講和条件、

一、賠償金六百万両の支払い（イギリスに四百万両、フランスに二百万両）
一、九龍半島のイギリスへの割譲
一、天津、漢口、九江、牛荘、煙台、淡水、台南、潮州など十港の開港
一、外国公使の北京駐在許可
一、外国人の清国内での旅行、通商の自由の認可
一、キリスト教布教の認可

をすべて受け入れて「天津条約」を締結させた。

これで戦争は収束するかに見えたが、さらなる混乱が起こった。

翌一八五九年六月十七日、天津条約正式調印に向かう英仏使節団を乗せた艦艇に、清国軍の反動分子が砲撃してしまい、戦闘が再開してしまった。

翌一八六〇年十月、英仏軍一万八千の兵が二百隻を超える艦艇で天津港に殴り込み、上陸した四千人の陸兵が北京を占領した。

同年十一月、英仏全権使節団は清国に「天津条約」の実施を確約させただけでなく、

一、英仏への賠償金を、天津条約で結んだ六百万両から八百万両に増額
一、アヘン貿易の認可
一、関税撤廃
一、天津港の開港
一、支那人労働者の出国許可

の五つの条件を上積みした「北京条約」の締結を清国政府に承諾させた。

「支那人労働者の出国許可」とあるが、有体《ありてい》に言えば「支那人を奴隷船で出荷しても文句を言うな」ということである。

清国政府がこの条件を受け入れて「北京条約」が締結されると、仲裁に入ったロシアまでもがア

ムール川以南の清国領に侵犯して、清国政府に無断で沿海州（ウスリー川以西から間宮海峡西岸まで）を併合し、ここに天然の良港を見つけると、軍港の建設に着工した。

瀕死の清国に対してイギリスが次にやったのが、阿片撲滅を唱える太平天国軍の討伐である。

太平天国軍の首都天京を目指して揚子江を遡ったイギリス艦隊の艦砲射撃と上陸した陸軍部隊の近代兵器に太平天国軍は圧倒された。

しかも戦闘中に洪秀全が病死してしまい、指導者を失った太平天国は一八六四年に呆気なく崩壊して、二千万人もの死者を出した内乱は終結した。


洪秀全が「太平天国の乱」を起こしたのは、白人宣教師から腐敗し切った清朝の世を正すように吹き込まれたのがきっかけだが、この白人宣教師は、清国内を内乱で引っ掻き回して弱体化させるためにイギリスかフランスが潜入させた工作員だった可能性がある。

漢民族と女真族を争わせるため、太平天国軍を散々利用して清国を弱らせたあと、用済みになって潰したのかもしれない。

もしそうであるなら、実に見事な分断統治である。

† インドシナ半島

イギリスはインドと清国で収奪に励む一方で、アジア侵略の拠点としてインド周辺の攻略も着々と進めていた。

一八一六年にネパールを勢力下に置くと、世界最強と言われる山岳地帯の傭兵（グルカ兵）を雇い、一八五七年に起こったインドでのシパーヒーの反乱のときには一万数千人のグルカ兵を投入している。

一八一九年にはマレー半島のジョホール王国（現マレーシア）から半島対岸の島（現シンガポール）を強奪して軍港を建設し、阿片戦争の時にはこの軍港から清国に東洋艦隊を出撃させた。

当初、イギリスはインドシナ半島を軍事拠点としか見ていなかったようであるが、一八二四年にビルマで「pigeon blood（鳩の血）」と呼ばれる透明度の高い深紅のルビーが採れることを知ると、ルビー鉱山があるベンガル地方の明け渡しをビルマ国王に求めた。

武力で敵わないことが分かっている国王がベンガル地方を両国で二分割する妥協案を出すと、イギリスはビルマに宣戦布告してベンガル地方全域を奪い取った（「第一次英緬戦争」）。

その後、阿片戦争やインド各地で頻発する反乱の鎮圧に兵を取られ、イギリスのビルマ侵食は止んでいたが、それらを鎮圧した一八五二年に再びビルマに舞い戻り、ビルマ王にチークの原生林の譲渡を求めた。

チークの木は堅く伸縮性が小さいため、住居や高級家具から船舶にまで使用される優れモノであるが、高温多雨のインドシナ半島一帯でしか生えないため希少でヨーロッパでは高値で売れる。

が、これはあまりにも無茶な要求であった。

というのが、ビルマの国土の八割は森林で覆われている。

それをイギリスに譲るということは国土の八割を失うことを意味する。

しかも、すでにベンガル地方を奪われているので喪失面積は九割を超える。

当然、ビルマ王は断った。

その途端、イギリスはビルマに宣戦布告して「第二次英麺戦争」の勃発となった。

この戦いでビルマのほぼ全土を手に入れたイギリスは、仕上げにビルマ王家の息の根を止めるだけとなった。

が、イギリス軍は忙しい。ビルマ侵攻を中止せざるを得なくなった。

クリミア戦争が勃発したからである。

ビルマ駐留イギリス軍は多数の将兵をクリミア戦争に引き抜かれてしまった。

そのクリミア戦争がロシアの降伏で終結し、やっとビルマに戻れると思ったら、今度は清国でアロー戦争の勃発である。

しかもその翌年にはインドでシパーヒーの反乱が起こった。

シパーヒーの反乱を年内に片付け、翌年にアロー戦争にもほぼ決着をつけたと思ったら、太平天国軍の討伐が待っていた。

さらに米英仏露四か国が入り乱れての日本争奪戦が始まった。

しかし、当時の日本人は白人にひれ伏すような臆病《ヤワ》な民族ではなかった。

詳細は次章で述べるが、激高した武士たちによる襲撃が相次ぎ、長州との「馬関戦争」や、「生麦事件」に端を発した「薩英戦争」まで勃発してビルマにまで手が回らなくなったのである。

おまけにアロー戦争にほぼ決着がついた一八五八年にはジョホール王国で大量の錫《すず》鉱石が発見された。

イギリスはいつでも料理できるビルマ王家を捨て置いて、マレーシア人に錫鉱石の採掘と溶錬を強いて金儲けに精を出した。

錫の鉱石には鉛毒が含まれているが、排水処理を一切行わずに森に排出した。

樹木の根は地中の土を掴んで地表を固め、土砂の流出や崩落を防ぐ働きがあるが、そんなことなどお構いなしに鉛毒を森に垂れ流したため、根が枯れて地表は脆《もろ》くなり、土砂が崩れて川に落ちて川床が上昇していった。

雨期になると川は頻繁に暴れてマレーシア人の住居を押し流し、大量の犠牲者が出るようになった。

さらに南米から持ち込んだゴムの苗木を植樹して、ジョホール王国に連れてきたインド人を監督官にしてマレーシア人に樹液を採集させ、イギリス人に憎しみを抱かせないようにした。

またもや分断統治である。

しかも念には念を入れ、言語、文化、宗教が違うタイ人、ビルマ人、カンボジア人、ベトナム人、支那人を放り込んでマレーシア人との対立を生み出してジョホール国内を引っ掻き回した。

こうしてジョホール王国でたんまり貯め込んだイギリスは、一八八五年に三度《みたび》ビルマに侵攻してビルマ王家の息の根を止めにかかった。

長年にわたりイギリス様に逆らった代償は大きかった。

ビルマ国王と王妃はインドに流されて獄死し、王子と国王の弟は銃殺された。

四人の王女たちはインドに連行され、身分の低いインド兵士から辱めを受ける生活を強いられた。

晩年、王女たちは貧民街で花を売って生活の糧を得るまでに身を落とし、痛ましい生涯を終えている。

こうしてビルマ王家を根絶やしにしたイギリスは、支那人にビルマを統治させてビルマ人を最下層の奴隷の身分に落とし、ルビーの採掘やチークの木の伐採で酷使して森を丸裸にしていった。

そんなイギリスをフランスも見倣い、インドシナ半島の侵食を本格化させた。

一八六二年、阿片戦争、アロー戦争、太平天国の乱で死に体となった清国の属国であるベトナムに乗り込み、皇帝の嗣徳帝《しとくてい》を脅してコーチシナ南部を割譲させ、一八六七年にはコーチシナ北部、一八八二年にはハノイも占領してベトナム全土を勝手に併合した。

清国政府がそんな勝手を認めるわけもなく、ベトナムを取り戻すために派兵して一八八四年八月に「清仏戦争」が勃発したが、フランス軍が清国軍を終始圧倒した。

台湾海峡馬尾港沖での海戦でも、清国福建艦隊二十四隻のうち十三隻を一時間で沈めるという圧勝である。

ところが安南のベトナム農民によって結成された黒旗軍に形勢を逆転された。

のちのベトナム戦争のときもそうであるが、ベトナム人は滅法喧嘩が強い。

フランス軍は密林に潜む農民兵のゲリラ戦に悩まされ、ホーチミン、ダナン、ハノイを奪還されてしまった。

有色人種に圧倒される体たらくにフランスは世界中の物笑いになった。

国の威信は失墜し、本国では首相のジュール・フェリーが解任される事態となった。

窮地に追い込まれたフランスを救ったのが、この年の十二月に朝鮮半島で起こったクーデターである。

朝鮮独立党の金玉均《きんぎょくきん》が国の近代化を目指し、清国支配からの脱却を図って蜂起した（「甲申事変」）。

清国政府は朝鮮半島のクーデター鎮圧を優先するためにフランスとの講和を急ぎ、翌年六月九日にフランスと「天津条約」を締結してベトナムの宗主権を放棄した。

これによりフランスはベトナム全土を正式に併合して、一八八七年に「フランス領インドシナ連邦」を成立させた。

以降、フランスもインドシナ半島で徹底した分断統治を行った。

ベトナムには支那人を、カンボジアにはベトナム人を監督官として送り、民族間の対立を煽って亜鉛・銅・ニッケルの採掘、コーヒー豆、砂糖キビ、香辛料の栽培で酷使して収奪を続けた。

一八九九年にはラオスも併合して鉱物の採掘で現地人を低賃金で働かせ、農民からは収穫物の五十パーセントを年貢として取り立てた。

さらにインドシナ連邦全域で塩、米、アルコールの販売権を独占し、値段を一気に五倍に吊り上げて、結婚式や葬式にも重税を課した。

子供も十歳になると砂糖キビ畑で働かせて税を徴収するようになった。

アヘン専売公社も設立して無料《タダ》同然でアヘンをばら撒き、アヘン中毒にしてから値段を吊り上げるというヤクザ顔負けの手口を国家ぐるみで行った。

唯一、オランダ、イギリス、アメリカと違ったのは、言語の統一を試みたことであった。

ただしベトナム人、カンボジア人、ラオス人独自の文化を破壊してフランス語を強制し、逆らう者は断頭台《ギロチン》で首を落とすという同化策である。

インドシナ半島で英仏の侵略を免れたのはタイ王国のみであった。

タイ国王の外交手腕が長けていたのも独立を維持できた一因であろうが、最大の理由はタイに手を出すことによって英仏の直接対決になることを恐れたからだろう。

辛うじて独立を守れたに過ぎない。

この時点で、フランスが世界中で掠領した土地は千三百万平方キロメートル、イギリスに至っては取りも取ったり三千三百七十万平方キロメートル、その広さはモンゴル帝国を抜いて世界史上第一位である。

これに仲間割れから独立したアメリカも加えると四千三百五十三万平方キロメートルで、モンゴル帝国のおよそ一・三倍の超巨大帝国となった。

英語が世界の公用語になった理由《わけ》が分かっただろう。

こんな言語《ことば》を有り難く学んでいるのだ、日本人《われわれ》は。

カナダの公用語が英語とフランス語、中南米二十一か国の公用語がスペイン語、ブラジルの公用語がポルトガル語なのも然り。

オーストラリアとニュージーランドの国旗に誇らしげにイギリス国旗のユニオンジャックが配《あしら》っ

であるのも、ベトナムにフランス文化が根付き、ヨーロッパ風の建物が並んでいるのも、黒人スポーツ選手の国籍が、アメリカ、イギリス、フランス、ベルギーであるのも、すべて白人どもが世界中を荒らしまくった爪痕だ。

一九四一年十二月八日、真珠湾攻撃が始まる一時間前に、英仏に乗っ取られたマレー半島に日本軍が侵攻した。

「マレー上陸作戦」である。

その経緯《いきさつ》については後述するが、ザックリ言えば米英蘭に資源の供給を断たれた日本が、生きていくのに必要な石油、石炭、錫、ゴムなどの資源を確保するための「自衛戦争」であった。

日本軍は強かった。

兵が精強だっただけではない。

有色人種を代表して、白人優位の狂った世を正そうという意識が兵の端々にまで行き渡っていた。

そこに正義があったからである。

白人どもを鎧袖《がいしゅう》一触で蹴散らす日本軍を東南アジアの民衆は歓喜で迎えた。

マレー半島を駆け抜ける銀輪部隊の自転車が壊れれば、マレーシア人は自身の自転車を喜んで供与してくれたし、タイは日本と「平和進駐協定」を結んで日本軍の領内通過を許可してくれた。

中には日本軍に歯向かってくる有色人種もいたが、そいつらは英仏が分断統治のためにインドシナ半島に放り込んだ連中で、金融や経済を牛耳って甘い汁を吸っていた支那人やインド人だ。

台湾からは四十万人が日本軍への入隊を志願し、日本兵と共に戦った高砂族六千人のうち半数が日本兵を守るために命を落とした。

インドでも、投降したイギリス軍インド部隊の俘虜《ふりょ》一万五千人が日本軍の呼び掛けに応じ、イギリス軍に反旗を翻して日本軍と共に戦った。

援蒋ルートの遮断が目的の「ビルマ攻略戦」では、イギリスに王家を根絶やしにされ、分断統治で最下層の身分に落とされた二百人のビルマ人たちが「ビルマ義勇軍」を結成して日本軍に合流した。

その数は半年後には三千人、大東亜戦争終結直前には一万人に膨れ上がった。

前述したが、戦後、ダグラス・マッカーサーの復讐裁判で銃殺刑に処せられた本間雅晴中将は、石油の輸送ルートを確保するための「フィリピン攻略戦」でマニラに進駐するとき、将兵を集めて「焼くな、犯すな、奪うな」を徹底させ、「違反者は厳罰に処する」と訓示して軍紀を引き締めている。

インドネシアでは、油田確保のためにスマトラ島に落下傘で降下し、パレンバン製油所を守る英蘭豪連合軍を制圧した陸軍第一挺進団をインドネシア人は「神」として迎えた。

三百四十年間に亘ってオランダの収奪に苦しんできたインドネシア人の間には「北から来た黄色い人が白い布を纏《まと》って空から舞い降り、白い人を追い出してくれる」という言い伝えがあった。

「ジョヨボヨ王の予言」というやつだが、この伝説が奇《く》しくも現実となったわけだ。

日本軍はオランダ軍を追い払って油田を確保しただけではない。

「神」と呼ばれるに相応《ふさわ》しい見事な行動を取った。

診療所を開設して病に伏せる島民に治療を施し、インドネシア人の言語を統一し、武器を与えて軍事教練を行い、自力で「自由」と「人間の尊厳」を勝ち取る気概と術《すべ》を叩き込んだ。

そして結成されたのが郷土防衛義勇軍「PETA《ペタ》」である。

一九四五年、日本がアメリカの軍門に下ると、オランダ軍がインドネシア人の生き血を再び吸うために舞い戻ってきた。

この時、二千人の日本兵が日本《ふるさと》で待つ年老いた父母や、妻や、幼子《おさなご》の許《もと》に戻ることを諦めて「PETA」と共にインドネシア独立のために戦い、その半数が散華した。

彼らはインドネシア人によって手厚く葬られ、英雄墓地に眠っている。

オランダとの戦いに生き残り、インドネシアを終《つい》の棲家《すみか》にした日本兵もいる。

彼らは複数の妻を持つ。

イスラム教徒の多いインドネシアでは一夫多妻が認められているからだ。

祖国を救ってくれた英雄だ。女が放っとくわけがない。

日本軍が侵略などしていない何よりの証《あかし》である。

我らが日本軍は解放軍であった。神軍であったのだ（『日本が戦ってくれて感謝しています』井上和彦
産経新聞出版　参照）。

第四章　日本蚕食

以上、記してきたように、十五世紀から四百年に及ぶ欧米列強の侵略政策で「南北アメリカ」「アフリカ」「オセアニア」「インド」「西アジア」「中東」「清国」、タイを除く「東南アジア」が白人たちの手に落ちた。

その広さは地球の陸地面積の九九・二五パーセントにあたる。

もはや白人手つかずの地は「日本」と清国の属国である「朝鮮半島」「タイ」の〇・七五パーセントだけとなった。

この喰い残しの地に白人たちが一斉に襲いかかった。

最初に食指を伸ばしてきたのがロシアである。

アムール川を渡河して支那人を屠《ほふ》りながら清国領の侵食を始めた。

同時に間宮海峡に艦艇を放って、樺太、蝦夷、千島を襲い、警固にあたっていた松前藩士を殺害して放火、略奪、島民の拉致を行うようになった。

「蒙古襲来」「宣教師の布教」に次ぐ「第三の国難」の始まりであった。

一八五三年にはペリー率いる四隻のアメリカ艦隊が浦賀に現れ、開国を要求してきた。

幕府はこの砲艦外交に屈して「日米和親条約」を結び、「長崎、下田、函館の三港の開港」の他、「海難事故の際の乗組員の救助」「必需品の供給」「領事駐在権（日本にいる外国人が罪を犯しても日本に裁判権はなく、本国の法によって裁かれる）」を約束させられた。

日本は鎖国を二百二十年続けたうえに徳川幕府のもと戦争はなく、武器の進歩は止まったままであった。

その間、欧米列強は侵略と戦争を繰り返し、武器は著しく進歩していた。

このころの日本の軍事力は、信長・秀吉の時代と比べて脆弱極まりないものになっていたのである。

一八五五年には、ロシア皇帝ニコライ一世が全権使節を日本に遣わして「日露和親条約」を締結させた。

その内容は、

一、択捉島・得撫《ウルップ》島間に国境線の策定
一、樺太に関しては、共同統治とする
一、函館、下田、長崎の開港
一、ロシア領事の日本駐在

一、最恵国待遇

というロシアにとってのみ都合のいい片務的な条約であった。

すると、それを知ったイギリス、フランス、さらに二百年以上交易以外求めなかったオランダまでもが態度を一変させて幕府に同様の和親条約を結ばせ、日本の鎖国政策は終わりを告げた。

鎖国に踏み切って以来、徳川幕府は、欧米列強の残虐行為を唯一の交易国オランダから入手していたはずである。

そして、その情報は町人、農民、女、子供にまで伝わっていたに違いない。

ゆえに、たった四隻の黒船が来ただけで、すべての日本人が、

――白人の奴隷にされる。

という恐怖心を抱き、日本中が大騒ぎになったのだろう。

一八五六年、幕府を震撼させる知らせが、ヨーロッパからもたらされた。

クリミア戦争を戦っていたロシアが、交戦国であるオスマントルコ、イギリス、フランスとの講和の席に着き、国境線を開戦前に戻すことで合意して「パリ条約」を結んだというのである。

ロシアはクリミア戦争を収束させたことで、余った兵力をアジアに振り向けてくる恐れがあった。

このときのロシア皇帝はニコライ一世ではない。

ニコライ一世は、クリミア戦争でロシアの敗色が濃厚となった一八五五年三月に死去し、跡を継いだ穏健派の嫡子アレクサンドル二世が、就任早々に講和を締結させたのである。

アレクサンドル二世は、ロシア国内の統治においても農奴を解放してロシアの近代化を図るなど善政を敷いた賢君であった。

しかし対外政策に関しては、歴代ロシア皇帝と何ら変わることはなかった。

一八五八年、幕閣が恐れた通り、アレクサンドル二世は米英仏蘭を誘い、幕府に対して貿易に関する通商条約の締結を迫った。

その内容は日本に「関税自主権（日本に輸入される品に日本が税をかける権利）」はなく「治外法権（在留外国人が罪を犯しても、日本の法律で裁けない）」を呑まされるという屈辱的なものであった。

さらに、当時の国際社会での金・銀の交換比率が、金一グラムに対し銀十五グラムであったにも拘らず、欧米列強は徳川幕府に対して「金一グラムを銀五グラムで交換する」という取り決めまで求めてきた。

この無茶苦茶な要求に対し、大老井伊直弼《なおすけ》は勅許《ちょっきょ》（帝の許可）も得ずに勝手に締結してしまった。

そのため大量の金が国外に流出するようになり、外国人犯罪も増加した。

この弱腰外交に対し、直弼を糾弾する声が全国から湧き上がった。

相次ぐ批判に対し、直弼は自分の施策に反対した者を根こそぎ捕らえ、吉田松陰ら十四人を斬首、切腹、磔刑《たっけい》に処し、前水戸藩主徳川斉昭《なりあき》ら二十人を隠居、謹慎、永蟄居《えいちっきょ》させた（「安政の大獄」）。

一八五九年、日本国中が物情騒然となっているのをよそに、神奈川宿に到着したイギリス総領事ラザフォード・オールコックは、銃を携え赤い軍服をまとった兵士百四十人を従えて江戸の町を我が物顔でのし歩き、幕閣の制止を振り切って江戸城内にまで入ってしまった。

威圧すれば、有色人種は白人の足元にひれ伏すと侮ったのだろう。

ところが、当時の日本人は現代のように臆病ではなかった。

たちまち激昂した士族による外国人襲撃事件が多発するようになった。

同年八月十八日、ロシア海軍士官と水兵が斬殺され、十一月五日にはフランス領事の執事が斬りつけられ負傷した。

翌一八六〇年一月七日、イギリス公使に雇われていた日本人通訳が刺殺され、一月八日にはフランス公使館が放火されて全焼、二月五日にはオランダ商船船長と船員が斬殺された。

三月二十四日（旧暦三月三日）、前年まで続いた安政の大獄で永蟄居の処分を受けた前水戸藩主、徳川斉昭の心情を汲み取った水戸藩士十五人と、薩摩藩士一人、常陸国《ひたちのくに》（現在の茨城県）の神官二人が登城中の井伊直弼の行列を襲撃した。

直弼は首を取られ、供回りの彦根藩士九人が討死、十三人が重軽傷を負った。

襲撃側は討死三人、深手を負ってのちに絶命した者二人、同じく深手を負い、力尽きて自刃した者五人、捕らえられ斬首された者五人、逃亡ののち自刃した者一人、明治時代まで生き延びた者は二人だけであった。

彦根藩の処分が酷かった。

直弼の登城に付き従った総勢六十人程のうち、斬り合いで重傷を負った藩士八人が流罪、軽傷者五人が切腹、中間《ちゅうげん》・小者《こもの》を除く無傷の藩士五人が斬首、という冷酷な処分が下された。

続発する血なまぐさい事件を尻目に、オールコックはまたしても火に油を注ぐ愚行を犯した。

日本人の信仰を集める富士山に登ったのである。

頂上に着いたオールコックは、火口に向けて拳銃を数発撃ち、イギリス国歌を歌ったあと、シャンパンを抜いて女王陛下に乾杯までした。

噂はたちまち士族の間に拡がり、オールコックの命を狙う者を多数生み出した。

同年、さらなる悪い知らせが届いた。

ロシアが沿海州に建設していた軍港が完成したのである。

アレクサンドル二世はこの港を「Vladivostok《ウラジヴォストーク》」と名付けた。

「Vladi《ウラジ》」とはロシア語で「征服する」、「vostok《ヴォストーク》」は「東」という意味である。

「東を征服せよ」という物騒な台詞《せりふ》を港の名前にしたのである。

その名の通り、翌一八六一年には、早速この港から軍艦ポサドニック号を対馬に出動させた。

対馬に上陸したポサドニック号の乗組員たちは、対馬藩の番人を射殺して島を占領し、幕府に一切の断りもなく軍港や兵舎の建設を始めた（「ロシア軍艦対馬占領事件」）。

おまけに乗組員たちは幕府に娼婦まで要求してきた。

喧嘩をしても勝ち目が無いことが分かっていた老中安藤信正は、オールコックに「対馬を不法占拠しているロシアを退去させてくれ」と助けを求めた。

毒を以て毒を制しようとしたわけである。

アジアでの利権をロシアに奪われたくないオールコックは、安藤の要請を聞き入れて軍艦二隻を対馬に急行させ、ポサドニック号を恫喝して対馬から退去させた。

さらにこの年、南北戦争が起こったため、アメリカ艦隊までもが日本を離れた。

日本にとっては天祐であった。

しかし、米露が去っても英仏の無理難題は続き、侍の怒りは頂点に達した。

七月五日、オールコックがイギリス公使館として使っている東禅寺に、水戸脱藩浪士十四人が斬り込んだ。

当日は幕士二百人が東禅寺を警護していたが、うち三人を斬殺し、四人に重傷、九人に軽傷を負わせた。

襲撃側も二人が斬殺され、一人が重傷、深手を負った二人がその場で自刃した。

この襲撃で日本人の怒りをようやく理解したオールコックは身の危険を感じて、翌年三月に日本から逃げ出した。

内ゲバ事件も発生した。

一八六二年五月二十一日（旧暦四月二十三日）、尊皇派の薩摩藩士九人が、他藩の尊皇派志士と船宿寺田屋に参集し、幕府寄りの関白九条尚忠と京都守護職酒井忠義を殺害して帝を攫《さら》い、幕府討伐の勅許を得て、薩摩全藩を挙げてのクーデターを目論んだのである。

企てを知った藩主の父島津久光に幕府と事を構える気持ちなど毛頭なく、すぐに藩士八人を説得に向かわせた。

ところが決起組は説得を聞き入れず、双方が刀を抜いた。

決起組の柴山愛次郎だけは「君命には逆らえぬ」と刀を抜かず、正座したまま左右から袈裟がけに斬られ絶命した。

首謀者の有馬新七は、道場五郎兵衛と数合刃を交わしたが、自身の刀が折れてしまった。

有馬は道場に組み付き、決起組の橋口吉之丞に「俺《おい》ごと、道場どんを刺せ」と叫んだ。

橋口はその言葉通り「ご両人、御免」と言うなり、盟友有馬新七の背中から刃を入れて、押し付けられている道場五郎まで串刺しにした。

その他の決起組は五人が討死し、捕えられた二人は切腹となってクーデターは回避された。

その薩摩藩が二か月後に大変な国際問題を引き起こした。

九月十四日（旧暦八月二十一日）、島津久光の行列が江戸から京へ向かう途中、馬で遠乗りをしていたイギリス人商人四人と神奈川宿生麦村で鉢合わせになった。

イギリス人四人は馬を街道のわきに寄せて通り抜けようとしたが、薩摩藩士の怒気を察したリチャードソンが引き返そうと馬首をめぐらせた。

ところが馬ですら薩摩藩士の殺気に脅えてしまい、興奮して行列の中に踏み入ってしまった。

隊列に乱入されたことに怒った奈良原喜左衛門がリチャードソンの胴を払うと、内臓が露出した。

そこへ久木村治休が駆け寄り、抜き打ちで同じ個所を斬りつけたため、リチャードソンの手首と内臓が切断された。

ずるりと落馬し、虫の息となったリチャードソンの襟首を海江田信義が掴んで松林の中に引きずり入れた。

木の幹にリチャードソンの背をもたせ掛けた海江田は「楽にしてやる」と言うと、左手でリチャードソンの胸をまさぐり、肋骨の隙を確認すると脇差の刃を水平にして差し込み、心臓に止《とど》めを刺した。

同行していたウッドソープ・クラーク、ウイリアム・マーシャルも数太刀を浴びて重傷を負ったが、イギリス公使館まで逃げ帰って事の顛末を伝えた。

イギリス公使館から知らせを受けた神奈川奉行所は久光一行を追いかけ、奉行所で取り調べを受けるように説得したが、薩摩側は「浪人が異人を斬って逃走した」と嘯《うそぶ》き、そのまま京へ向かってしまった。

事件を知った街道の民衆は久光の行列に喝采を送り、京都到着後、孝明天皇は久光に薩摩武士の武勇を称えた。

この事件は重大な国際問題となり、本国政府からの指示を受けたイギリス公使館は、薩摩藩を抑えることが出来なかった幕府に「十万ポンドの賠償金」を要求し、薩摩には「二万五千ポンドの賠償金の支払い」と「殺害者の処罰」を書面で通達することにした。

ところが幕府翻訳方を務めていた福沢諭吉が「殺害者の処罰」の個所を「島津久光の処罰」と誤訳してしまったのである。

通達の内容に激怒した薩摩藩はイギリスの要求を峻拒した。

その後も薩摩には幕府とイギリスから繰り返し同じ通達がなされたが、薩摩は黙殺するかのらりくらりと回答を保留して賠償に応じようとはしなかった。

賠償交渉が進まないことに苛立ったイギリスは、戦艦の威容を見せて脅せば、薩摩は直ぐに要求に応じると考えた。

翌一八六三年八月七日（旧暦六月二十三日）、イギリス艦隊七隻が横浜港を発ち、鹿児島に向かった。

この情報は、直ちに江戸薩摩藩邸から鹿児島に伝えられた。

薩摩藩は八千の兵で鹿児島湾の守りを固め、実弾射撃訓練を入念に行った。

八月十二日（旧暦六月二十八日）、鹿児島湾内に姿を現したイギリス艦隊は桜島沖に投錨した。

翌十三日、旗艦ユーリアラス号で、薩摩側使者とイギリス代理公使ニールとの会談が行われた。

ニールは従来通り「二万五千ポンドの賠償金」と「リチャードソンを殺害した藩士の処刑」を要求したが、薩摩側の使者は「非は行列を侵したイギリス商人にある」と主張して、賠償に応じなかった。

その後も会談が重ねられたが合意には至らず、八月十四日の会談では激しい口論となり、艦を辞しようとした使者にニールが「次回は講和交渉で会おう」と事実上の宣戦布告をしてしまった。

翌八月十五日、夜が明けるとイギリス艦隊は姿を消していた。

四ツ（午前十時）、薩摩砲台の守備隊の前に三隻の船を曳航したイギリス艦隊が現れた。

それは夜陰に乗じてイギリス艦隊に拿捕された薩摩の蒸気船「白鳳丸」「青鷹丸」「天祐丸」であった。

しかも三隻を薩摩藩士に見せつけるかのように桜島沖で艦を停止させ投錨したのである。

その瞬間、薩摩砲台の八十門の砲が一斉に火を噴いた。

――未開の島の土人がイギリスに盾突くはずがない。

と日本人を侮っていたイギリス艦隊は戦闘準備をまったくしておらず、大混乱に陥った。

旗艦ユーリアラス号では士官たちが食事中であり、幕府から脅し取った十万両の賠償金を弾薬庫の前に積み上げていたため砲弾を取り出すことすらできず、一時間に亘って一方的に撃たれた。

イギリス艦隊は拿捕した蒸気船に火を放ち、曳航していたロープを断ち切って北西に針路を取った。パーシウス号に至っては抜錨する間もなく、錨鎖を切断して着弾地点から逃れた。

射程圏外に出たイギリス艦隊は単縦陣を形成すると、艦を南へ反転させて薩摩砲台に向かっていった。

このときイギリス艦隊は更なる過ちを犯した。

イギリス艦隊に搭載しているアームストロング砲は、射程距離が四キロと薩摩の青銅砲の四倍の能力を有していたにも拘らず、薩摩側の射程圏内である七百メートル沖を海岸に平行に進みながら砲撃したのである。

しかも薩摩藩が実弾射撃訓練を重ねた海域に突入したため、被弾が多くなった。

イギリス艦隊は果敢に応戦して薩摩砲台を次々と破壊し、城下にも砲撃を加えて五百戸を超える家屋を炎上させたが、八ツ半（十五時）ごろ、薩摩側の砲弾がユーリアラス号に命中して艦長と副艦長を死亡させ、続く一弾が艦尾近くに着弾して水兵七人の命を奪った。

七ツ半（十七時）すぎ、イギリス艦隊は戦闘海域から離れて桜島沖に停泊して戦闘は停止された。

翌日、イギリス艦隊は前日の戦闘で戦死した乗組員の水葬を済ませたあと、五ツ半（午前九時）ごろ罐《かま》を焚き始め、四ツ（午前十時）すぎに再び戦闘海域に進入して砲戦が再開された。

しかし、艦の損傷が甚だしく砲弾も尽きかけたイギリス艦隊は、半刻（一時間）ほど砲撃を行っただけで薩摩の射程範囲から逃れて艦を停止させた。

翌八月十七日、八ツ半（午後三時）過ぎ、イギリス艦隊の煙突から煙が湧いた。

薩摩藩守備隊に緊張が走ったが、イギリス艦隊が攻撃に向かってくることはなく、七ツ（午後四時）ごろ艦首を南に向けて鹿児島湾から退去していった。

「イギリス艦隊が撃退された」というニュースは世界中に驚きを以《もっ》て伝えられた。

日本国内でも朝廷や幕府から称賛の声が上がったが、近代兵器の破壊力を知った薩摩藩士の中に勝ったと思っている者は一人もいなかった。

イギリス艦隊が十分な準備を為《な》して再来した場合、勝ち目が無いことを悟った藩父島津久光は、薩英戦争が長引いてイギリスと日本の全面戦争に発展することを恐れる幕府に仲裁を頼んで講和会議に入った。

席上、薩摩側はイギリスの要求をすべて受け入れて講和を成立させた。

ただし、二万五千ポンドの賠償金は、日本とイギリスの全面戦争に発展することを恐れる幕府から借り受けて支払い、のちに踏み倒している。

リチャードソンを殺害した奈良原喜左衛門と久木村治休については「行方不明のままで、捕縛しだい処刑する」ということでイギリス側を納得させたが、両人を処分することなく、うやむやにして終わらせようとした。

薩摩武士の強さを思い知ったイギリスもそれ以上追及することはなかった。

薩摩藩を操って幕府と衝突させ、両者を疲弊させて日本の乗っ取りを目論んだのである。

ここでも分断統治である。

薩英戦争の後、薩摩藩はイギリス人貿易商グラバーを介してイギリスから最新兵器を買い付け、軍備の近代化を急ぐようになった。

薩摩同様、全藩挙げて戦った漢《おとこ》たちがいた。

欧米列強からの無理難題に唯々諾々と従う幕府に見切りをつけ、「尊王攘夷」を唱えた長州藩士である。

薩英戦争が起こった一八六三年の年明け、江戸庶民が集う桜の名所御殿山にイギリスが公使館を建設するという暴挙に出た。

一月三十一日（旧暦一八六二年十二月十二日）、その完成直後のイギリス公使館を高杉晋作と久坂玄瑞が指揮を執り、火を放って全焼させた。

実行犯は、のちに初代内閣総理大臣になった伊藤博文や内務大臣を歴任した井上馨ら明治の元勲たちであった。

朝廷への工作も進めた。

攘夷派の公家と結託して孝明天皇を煽り、全国諸藩を率いての攘夷決行を将軍家茂に約束させたのである。

しかし、幕府だけでなく、どの藩も勝ち目が無いことをわかっていたので、攘夷を実行しなかった。

ところが長州藩のみが砲台の構築を始めて攘夷に取り掛かった。

長州藩主毛利敬親《たかちか》は家臣の過激な提言に一切異論を差し挟むことなく、すべて「そうせい」と答えたため、高杉晋作らは自在に藩を動かすことができた。

そのため、毛利敬親は「そうせい侯」という有り難くない異名を頂戴して愚鈍な印象を世間に与えたが、明治維新後「家臣の意見を退ければ、命の危険があったため同意していた」と洩《も》らしている。

六月二十五日（旧暦五月十日）、長州藩士たちが馬関海峡を通過する米商船ペンブローグ号を警告なしに砲撃して「第一次馬関戦争」の火蓋《ひぶた》が切られた。

七月八日には、仏艦キャンシャン号に十数発の命中弾を喰らわせて乗員四人を戦死させる戦果を挙げたが、米艦ワイオミング号に藩船二隻を撃沈され、七月十日には仏艦セミラミス号とタンクレード号の砲撃で四十七人の死傷者を出す損害を被った。

あまりにも過激な行動に、異人嫌いの孝明天皇でさえ長州を忌むようになった。

長州に対する孝明天皇の嫌悪感を利用したのが、公武合体派の薩摩と会津である。

両藩は孝明天皇から勅諚《ちょくじょう》を得て九月三十日（旧暦八月十八日）に長州藩と長州派の公家七人を京の政界から追い落とし、藩主毛利敬親・定広父子に国許で蟄居を命じた（「八月十八日の政変」）。

これで収まる長州ではなかった。

翌一八六四年七月八日（旧暦六月五日）、長州藩士を中心とする過激派攘夷志士三十人ほどが京に火を放って帝を拉致し、倒幕の勅許を得ようと池田屋に集結したが、新選組の襲撃を受けて九人が斬殺され、二十三人が捕縛されてしまった（「池田屋事件」）。

八月二十日（旧暦七月十九日）、長州藩士三千人が藩と藩主毛利敬親・定広父子の冤罪を訴える嘆願書を携えて京に上ったが、御所の前で会津と薩摩に阻まれて戦闘になり、四百人の死傷者を出して撤退した（「禁門の変」）。

その四日後の八月二十四日には幕府が諸藩に「長州追討令」を出し、十五万の兵を長州に出兵させる準備を始めた（「第一次長州征伐」）。

しかも九月五日には、米・英・仏・蘭連合艦隊十七隻が前年に砲撃された借りを返しに馬関海峡に現れて「第二次馬関戦争」の幕が切って落とされた。

長州兵は果敢に立ち向かったが、近代兵器の威力には歯が立たず、三日間にわたる砲撃で長州の全砲台は破壊され、陸戦でも上陸したライフル部隊に圧倒されて長州藩は降伏した。

旗艦ユーリアラス号で講和会議が開かれることになり、長州の代表として高杉晋作、伊藤博文と井上馨が乗艦した。

高杉らは過大な賠償金を課せられることを覚悟していたが、連合国は長州の息の根を止めようとはしなかった。

講和の条件は「馬関海峡の航行の自由」「水、食糧、石炭の供与」「天候悪化時の港への寄港」だけという意外にも緩やかなもので、賠償金は「攘夷決行」を命じた幕府に請求したのである。

英仏は幕府の長州への憎悪を煽って双方を戦わせ、両者を疲弊させようとしたのだろう。

英仏の思惑どおり、長州の尻拭いをすることになった幕府の怒りは凄まじく、即座に長州に向けて兵を動かした。

「禁門の変」「馬関戦争」と度重なる敗北で満身創痍の長州藩に幕府軍と戦う余力は残っていなかった。

藩内では「幕府と和睦を結ぶべし」という意見が大勢を占めるようになり、渋る三人の家老を無理やり切腹させ、その首を幕府に差し出して恭順の意を示し、漸《ようや》く幕府の怒りを鎮めた。

ところが、それから一月《ひとつき》も経たない翌一八六五年一月十二日（旧暦一八六四年十二月十五日）、高杉晋作がクーデターを起こして恭順派を追い落し、長州は再び攘夷・倒幕に舵を切った。

長州藩のクーデターを知った幕府は二度目の「長州追討令」を諸藩に出して、戦闘準備を始めた。

幕府が勝つと踏んだフランスは、この辺りから幕府を支援するようになった。

軍需物資を供与して幕府を借金で縛り、内乱終結後に、領土の割譲や政治・経済への介入を狙ったのである。

日本はインカ帝国やムガール帝国の二の舞いを演じるところであった。

英仏の野望を挫《くじ》いたのが土佐の脱藩浪士坂本龍馬である。

龍馬は、白人国家に怯《ひる》むことなく立ち向かう薩長が手を結び、内乱を回避して新政権を樹立することが日本を白人国家の侵略から守る唯一の方法と考えた。

しかし尊王攘夷派の長州は、公武合体派の薩摩に「八月十八日の政変」「禁門の変」と二度にわたって煮え湯を飲まされたため、薩摩を「薩賊」「薩奸」と呼んで憎悪するようになっていた。

薩摩と長州に手を組ませるなど実現不可能な馬鹿げた発想であった。

そこで龍馬は両藩を利で説き、幕府という共通の敵をつくることで薩長同盟を成立させようとした。

坂本龍馬
（1836-1867）

薩摩藩は公武合体派とはいえ、幕府と良好な関係にあったわけではない。

関ケ原の戦いで薩摩は徳川の敵に回り、敗れた。

敗戦後の処分で、薩摩と同じく西軍に付いた長州は百二十万石から三十七万石に減封され、土佐の長曾我部家は取り潰しになった。

ところが薩摩は「領地の没収や減封は、許してくれ」と口では哀願しつつも国境を閉じ、兵を集結させて「処罰する気なら戦いも辞さず」と家康を威嚇した。

薩摩藩に継承されてきた剣法を「示現流《じげん》」という。

この剣法に防御はない。

剣を右肩上に垂直に立てて相手に駆け寄り、相手より速く太刀を打ち下ろし、斬られる前に斬り殺してしまう。稽古法は立木もしくは横木をただ打ち下ろすだけである。

何時《いつ》如何なる場合でも戦えるよう稽古着も身につけず、礼すら「斬り殺す相手に必要なし」と省かれる実戦剣法である。

その太刀を浴びれば胴は真っ二つに切断され、刀で受けても弾き返された自身の刀に頭を砕かれるという凄まじさである。

白兵戦になれば掛け値なしで世界史上最強だろう。

家康はその戦闘力を恐れ、薩摩の領地に指一本触れることができなかった。

以降、徳川幕府は薩摩を最大の脅威と見なし、多額の出費を強いる制度を設けて薩摩の国力を削ぎ、あわよくば取り潰そうと画策してきた。

その制度が参勤交代である。

龍馬は薩摩人の腹の底に潜んでいる「徳川憎し」の思いを利用すれば、薩摩の説得は可能と考えたのかもしれない。

ところが薩摩が抱く徳川幕府への憎悪は、龍馬の想像を遥かに超えたものであった。

徳川幕府の薩摩藩に対する無理難題は、関ヶ原合戦以降二百六十年間に及び、一七五四年にはたびたび氾濫する木曽川の治水工事を薩摩藩に命じ、現在の金額に換算して二百億円もの金を投じさせた。

工事は困難を極め、事故や疫病で藩士三十人以上が命を落とした。

この幕府の嫌がらせに抗議して、工事に従事した藩士五十人以上が自刃した。

工事を指揮した家老、平田靱負《ゆきえ》も堤防の完成後に多数の犠牲者を出した責任を取り、割腹して果てた。

薩摩藩ではこの悲劇を「宝暦治水事件」として代々語り継いできた。

薩摩藩は積年の恨みを晴らすため龍馬の提案に乗った。

一方の長州は「馬関戦争」と「禁門の変」の敗北で瀕死の状態にあった。

しかも幕府が睨みを利かしているため武器を調達する術もない。

「薩賊」「薩奸」などと薩摩を毛嫌いしている状況ではなかったのである。

一八六六年三月七日（旧暦一月二十一）、龍馬の提案に乗った西郷吉之助は、薩摩藩名義で買った軍艦一隻とミニエー銃八千丁を長州に調達して和議を結び、坂本龍馬の立ち合いのもと「長州が再び幕府と対立することとなった場合、薩摩は長州を全藩挙げて支える」という密約を交わした。

同年七月十八日（旧暦六月七日）、戦闘準備の整った幕府軍十五万の兵が馬関海峡、瀬戸内、広島、日本海の四方から長州領に攻撃をかけたが、強制的に動員された小倉、伊予松山、肥後の藩士たちの士気は低く、薩摩から調達した軍艦ユニオン号の砲撃やミニエー銃での狙撃、高杉晋作が指揮する奇兵隊の奇襲攻撃に圧倒された。

しかも戦闘が始まった翌月の八月二十九日（旧暦七月二十日）に、将軍家茂が脚気のために二十歳の若さで死去してしまったのである。

十月八日、戦どころではなくなった幕府が長州領から全面撤退すると、薩摩は倒幕の旗幟を鮮明にして兵を挙げた。

すると、情勢を注視していたイギリスが、薩長支援に回って内乱に介入してきた。

日本国内は、北米やインド同様に、幕府を支援するフランスと薩長を後押しするイギリスの英仏代理戦争の様相を呈してきた。

ところが将軍慶喜が政権を朝廷に返上してしまった。

ここでも裏で糸を引いたのが龍馬であった。

土佐藩参政、後藤象二郎を説得して藩父山内容堂に建白書を書かせ、将軍慶喜に大政奉還を進言したのである。

内乱を最小限に抑えて英仏に介入する隙を与えないためであった。

ただし龍馬は慶喜を新政府の要職に就けるつもりでいた。

ところが龍馬は京都見回り組に暗殺されてしまう。

すると薩摩藩は龍馬の意に反して慶喜を排除し、新政府を樹立してしまった。

慶喜を新政府に入れれば、所領四百万石を有する徳川が旧来通り最大勢力であり続けることに恐れを抱いたからである。

さらに薩摩は「幕府の全領地を朝廷に返還せよ」と迫った。

この無理難題に旧幕府軍と会津・桑名藩士が激怒し、一八六八年一月二十七日（旧暦一月三日）、大阪城に移った慶喜の下《もと》、結集して「鳥羽伏見の戦い」となった。

兵力は薩長軍五千人に対し、旧幕府軍と会津・桑名軍は一万五千人と圧倒的に優勢であった。

しかも旧幕府軍はフランス軍顧問を招いてヨーロッパ仕込みの軍事教練を受けており、最新兵器のフランス製シャスポー銃で武装していた。

弾と装薬を装填する箇所が銃身後部の引き金近くにあるため、六秒で装填と射撃が可能となる。

対する新政府軍、すなわち薩長軍の銃器は、南北戦争終了後に用済みとなってアメリカから大量に流れてきたミニエー銃である。

銃口から弾丸と装薬を装填せねばならず、一発撃つのにシャスポー銃の五倍の三十秒はかかり既に型落ちとなっていた。

薩長軍に勝ち目はなかったのである。

ところが鳥羽街道を北上していく旧幕府軍の前線指揮官である滝川播磨守具挙《ともたか》は、兵に弾丸の装填を命じていなかった。

そこへ新政府軍から奇襲を受けた旧幕府軍は大混乱となって退却し、一月二十九日には譜代大名で老中の稲葉正邦の居城である淀城まで辿り着いたが、すでに新政府の議定（総裁、参与と並ぶ要職）となった三条実美《さねとみ》から「旧幕府軍に付いてはならぬ」と釘を刺されていた淀藩は藩主の留守を盾に旧幕府軍の入城を拒絶した。

淀藩の変節に遭った旧幕府軍は一月三十日に大阪城に戻るが、この夜慶喜は兵を見捨てて江戸へ逃げ帰ってしまった。

総大将に置き去りにされた旧幕府軍の士気は一気に落ち、兵たちは慶喜を追うように戦場から離脱して旧幕府軍は瓦解し、二月二日（旧暦一月九日）に大阪城は炎に包まれて落城してしまった。

伏見街道に取り残された会津・桑名藩士や新選組隊士こそいい面の皮であった。

この二藩の藩士の装備は、戦国時代の甲冑に火縄銃、新選組の頼りは日本刀である。

そんな装備では型落ちしたとはいえ性能に勝るミニエー銃に太刀打ちできるわけもない。

おまけに一分間に二百発連射できるガトリング砲を持ち出してきた新政府軍に薙《な》ぎ倒されて、三日間で壊滅してしまった。

新政府軍は江戸に上って五月三日（旧暦四月十一日）に江戸城を開城させたあと、七月に旧幕府側に立った越後長岡藩、八月に会津藩、翌一八六九年五月には蝦夷まで逃げた旧幕府側の残党を五稜郭で降伏させて、一年半足らずで内乱を終息させた。

かろうじて英仏につけ入る隙を与えずに明治政府を樹立した日本は、国の近代化に邁進し、軍備増強に奔《はし》った。

その舵取りを担ったのが「馬関戦争」「薩英戦争」を戦った薩長の侍である。

英仏といえどもおいそれと日本に手を出せなくなった。

ところがこれで一件落着とは行かなかった。

イギリスに対馬から締め出されたロシアが朝鮮半島に迫ってきたのである。

アレクサンドル二世在位中のロシアの膨張が凄まじい。

一八六六年にはベーリング海峡を越えてアラスカに到達、一八七八年にはオスマントルコに十一度目の戦争を仕掛けて、翌年に黒海北西岸（現モルドバ）を奪い取った。

これでロシアの領土は最大の二千七百三十万平方キロメートルにまで拡がった。

モスクワ公国時代のイヴァン四世の皇帝就任時から換算すれば、三百十九年間、一日平均二百三十四平方キロメートルの膨張を毎日繰り返してきたわけである。

その広さはモンゴル帝国に次ぐ世界史上第三位である。

第五章　ビスマルク解任

ヴィルヘルム二世就任時のドイツに話を戻す。

ドイツはどうであったのか。

手に入れたのは、統一ドイツが誕生する前年の一八七〇年にプロイセンとフランスの間でヨーロッパでの勢力争いが起こったとき、プロイセンの宰相だったビスマルクがフランスを挑発して戦争に持ち込み（普仏戦争）、「アルザス・ロレーヌ地方（独仏が直接国境を接する一帯、現在はフランス領）」と「賠償金五十億フラン」を巻き上げたくらいである。

しかしフランスから深い恨みを買って復讐に備えなければならなくなり、海洋進出どころの話ではなくなった。

そこでビスマルクが皇帝ヴィルヘルム一世に献策した案が、フランスで王政が倒された影響が自国に波及することを今も恐れているオーストリア皇帝フランツ・ヨーゼフとロシア皇帝アレクサンドル二世を取り込んで「三帝同盟」を結成し、協力してフランスを牽制しようというものであった。

フランス革命が起こったときに帝政を敷《し》く周辺国が革命を潰そうとした状況は八十年以上経っても続いていたのである。

三者の思惑は一致して一八七三年に「三帝同盟」が締結されたが、一八八七年に仲間割れが起きた。

ロシアがバルカン半島に南下を図ったため、バルカン半島に版図を持つオーストリアとの対立が生じて、三帝同盟は呆気なく崩壊してしまったのである。

慌てたビスマルクは同年六月十八日に「ドイツはロシアのバルカン半島進出を黙認する代わりに、ドイツとフランスが交戦状態に入った場合にロシアは中立を守る」という約定の「再保障条約」を三年間の期限で締結した。

ところが翌一八八八年に、皇帝ヴィルヘルム一世と子帝フリードリヒ三世が相次いで死去してしまう。

ここで孫帝ヴィルヘルム二世の登場である。

就任早々から、ヴィルヘルム二世とビスマルクは閣議で悉《ことごと》く対立するようになった。

アクの強い二人の関係は、海洋進出策を巡って更に悪化していく。

すでに、中東、西アジア、中央アジア、インド、東南アジア、清国、オセアニアは、米、英、仏、露、蘭に刈り尽くされていた。

ドイツが統一後、最初に手に入れたのが、太平洋上の三十四個の環礁（珊瑚が積もって海面に現れた島、現在のマーシャル諸島共和国）である。

十六世紀にスペインが発見して領有を宣言したが、採算が取れずに放棄していたのをドイツが自国領に組み込んだ。

すべての環礁を合わせた総面積は百八十一平方キロメートルで、利尻島とほぼ同じ広さ、淡路島の三分の一ほどと言ったほうが分かりやすいだろうか。

資源はココナッツと魚のみである。

ドイツ本国から遠く離れ、管理した途端に大赤字になった。

マーシャル諸島共和国の人々には大変失礼な言い方になるが、捨ててあったゴミを拾ったようなものである。

おまけに寄り合い所帯のドイツ帝国は統一早々から揉め続けた。

ドイツ諸邦の中にはカトリック教徒も多く、プロテスタントを国教とするプロイセン出身のビスマルクに反発して宗教対立が激化し、領土拡張どころではなくなったのである。

そのためアフリカ争奪戦にも後《おく》れを取り、ベルギーにさえ出し抜かれた。

とはいえ、英仏手付かずの地であったギニア湾北岸（現トーゴ）と北東岸（現カメルーン）、大西洋岸南部（現ナミビア）、インド洋岸中部（現タンザニア）を、何とか手に入れることが出来た。

その総面積は凡《およ》そ二百四十万平方キロメートルで、ドイツの国土（当時のドイツの国土は、現在のポーランド北部、ロシアのカリーニングラード州、リトアニア西部におよび、その総面積は五十五万平方キロメートルで現在のドイツの一・五四倍あった）の四・三倍もあった。

これら新たに手に入れた領土で、ドイツは英、仏、ベルギー同様に黒人を酷使して綿花栽培を始めた。

虐待が過ぎて、タンザニアでヘヘ族の大暴動（「マジマジの反乱」）を招いてしまったが、ドイツ軍は暴動の扇動者百人ほどをバナナの茎に吊るし、鉈や槍しか持たないヘヘ族の戦士二、三十万人を銃火器で殲滅して、漸く荒稼ぎ出来るようになった。

しかし、イギリスが世界中に保有する支配地の総面積三千四百万平方キロメートルと比べると、ドイツの領土はイギリスの十四分の一、フランスの千二百万平方キロメートルと比べても五分の一と遥かに及ばない。

それがヴィルヘルム二世のお気に召さなかった。

とはいえ、これ以上版図を拡げるには、最早《もはや》奪い取るより他に手が無かった。

ロシアと交わした再保障条約の更新期限まで残り三か月となった一八九〇年三月十六日、ヴィルヘルム二世は閣議で「バルカン半島に鉄道を敷く」と言い出した。

ベルリンからコンスタンチノープル（現イスタンブール）を経由して、バグダッドまで鉄道を施設するというのである。

狙いは二つあった。

一つはオスマントルコ領メソポタミアのティグリス川東方（現イラン・イラク国境あたり）で発見された油田の獲得である。

ドイツはこの油田の採掘権を巡ってイギリスと競合関係にあった。

ヴィルヘルム二世はイギリスを出し抜いて油田を独り占めしようと目論んだ。

しかも、バグダッドからペルシャ湾を下れば、インドへの最短ルートが開ける。

選《よ》りにも選ってイギリスの利権を奪うというのである。

世界最大の領土を持ち繁栄を続けるイギリスを妬《ねた》んだヴィルヘルム二世は、イギリスを世界の覇者の座から引きずり降ろし、自らがその座に就こうと企《たくら》んだ。

「馬鹿か、お前は」

フランスの復讐に備えてロシアと再保障条約を結び、バルカン半島への南下を容認してきたビスマルクは強硬に反対する。

「イギリス一国と喧嘩しても勝ち目はないのに、再保障条約の更新を打ち切ってバルカン半島に手を出してみろ、ロシアまで敵に回る。そうなればフランスも恨みを晴らしに来て、三方から攻め込まれる。ドイツを滅ぼすつもりか」

「家臣の分際で主人に意見する気か。そもそもフランスを敵に回したのは貴様だろうが。宰相風情が口を挟むことではない。焼きが回った老人《おいぼれ》は引っ込んでろ」

皇帝は冷やかにビスマルクの意見を退けた。

「ならんものはならん。その愚策がどれだけの災禍を招くかわからんのか。ヨーロッパ全土が火の海となり、多くの国民が血を流すことになろう。そして民衆の怒りのホコ先はお前に向く。行き着く先は断頭台《ギロチン》だ」

ビスマルク
(1815-1898)

この時、ビスマルクは七十四歳。老人とはいえ百九十センチ、体重百二十キロの偉丈夫で、眼光は虎のように鋭い。

持って生まれた気性の荒さで子供の頃から喧嘩が絶えなかった。

日本の小学校にあたる基礎学校時代に、素行の悪さを教師から叱責されたことを逆怨みして、飼っていた大型犬のジャーマン・シェパードを放ち、教師を襲わせたことがある。

中高等学校時代には連日殴り合いの喧嘩をやった。

フェンシングの名手で、ベルリン大学時代には、酒席での口論や女を巡っての争いから剣を用いての決闘を二十八回行い、すべてに勝利した。

ビスマルクの顔写真をみると左目の下に傷跡があるが、そのときに負ったものである。

大学卒業後、高等官試験に合格し、アーヘン（ベルギー、オランダとの国境に近接する都市）の県庁に勤めたが、素行の悪さは治らず、入庁早々から上司を怒鳴りつけ、知事でさえ威圧した。

親分肌で手下を引き連れて夜の街に繰り出せばヤクザも道を譲った。

女に入れ揚げて博打に手を出し、身を持ち崩しかけたこともある。

プロイセン王国時代から宰相として二十五年間先々帝に仕えてきたが、気に入らなければ皇帝にすら歯に衣着せず楯突くなど逸話には事欠かない無頼漢である。

一方のヴィルヘルム二世も両親や親族から毛嫌いされているだけあって、口の汚さでは人後に落ちない。

しかもヴィルヘルム二世にはビスマルクの功績に対する嫉妬心もある。

分封国家を統一し、ドイツを一等国の地位に押し上げたビスマルクは、周辺国から畏怖され尊敬されてきた世界に名をとどろかす名宰相である。

――名宰相を超える名君としての称賛を浴びたい。

という功名心がビスマルクとの言い争いを一層激化させていく。

やがて両者の激しい言い争いは悪罵《あくば》の投げ合いとなり、色をなしたヴィルヘルム二世がビスマルクに今後の登院と参内を禁じて閣議室から追い出したあと、居並ぶ閣僚にビスマルク解任の手筈を命じた。

翌日、ヴィルヘルム二世の使者が宰相官邸を訪れ、ビスマルクに辞表の提出を要請したが、ビスマルクは辞任を拒否して使者を追い返した。

報告を受けたヴィルヘルム二世は、閣議でビスマルクの解任を一方的に決定したあと、ビスマルクにその故《ゆえ》を伝えた。

さらに翌日、ドイツ政府は事実を伏せ「ビスマルクは政界を引退した」と国内外に正式に発表してビスマルクを政界から追い落とした。

第六章　翻弄される日本

先々帝とは真逆の専制政治（強大な権力を持つ支配者によって、独断で行われる政治体制）を復活させたヴィルヘルム二世は、六月十八日に更新期限を迎えるロシアとの再保障条約の継続を真っ先に打ち切ってビスマルクの外交努力を粉微塵《こなみじん》に打ち砕き、戦艦四隻の建造に着手した。

当時、ドイツが保有していた戦艦は六隻で、イギリスの三十三隻に遠く及ばなかったのである。

一八九三年には追加七隻の建造案を可決し、海軍基地も拡充して潜水艦の開発も命じた。

さらに、バルト海側のキール軍港からイギリス艦隊との戦場となる北海へ最短距離で出るために、ユトランド半島の付け根に東西百キロに及ぶ運河の開削を始めた。

ドイツの軍備拡張に対して英仏露は警戒網を敷き始めた。

イギリスはドイツの海軍拡充策を自らに対する挑戦と受け取り、こののち英独双方が三十隻以上の軍艦を量産するという苛烈な建艦競争を始めた。

一方、再保障条約の更新を拒絶されたロシアは、フランスと「両国のどちらかがドイツから攻撃を受けた場合、もう一方の国はドイツに宣戦布告して東西から挟撃する」という「露仏同盟」を一八九四年に締結した。

英仏露という三大国に包囲されたことで、強気のヴィルヘルム二世も早急に対策を講じる必要に迫られた。

ヨーロッパで緊張が高まり始めた一八九一年、悪い知らせが日本に届いた。

ロシアが、モスクワ・ウラジオストック間九千三百キロメートルをつなぐ「シベリア鉄道」を起工させたのである。

このときのロシア皇帝は、アレクサンドル二世の嫡子アレクサンドル三世である。

前皇帝のアレクサンドル二世は、十年前の一八八一年三月一日に帝政打倒を目指す反体制テロ組織「ナロードニキ（人民の意志）」に爆殺されていた。

アレクサンドル三世は帝位に就くや、直ちに秘密警察オフラーナに命じて、父アレクサンドル二世を爆殺した五人を逮捕して絞首台に送り、父親の仇を取った人物である。

その新帝率いるロシアが極東に迫ってきた。

日本国中に緊張が走った。

更にこの年の五月十一日、日本中を震撼させる事件が起こった。

ロシアのニコライ皇太子が、ウラジオストックで行われるシベリア鉄道ウスリー支線（ウラジオストック・ハバロフスク間）の起工式に出席する途中に日本に立ち寄り、琵琶湖を見学した帰路で

ニコライ皇太子
（のちニコライ二世）
(1868-1918)

沿道を警備していた滋賀県巡査津田三蔵に斬りつけられ、頭部に二太刀を浴びて重傷を負ったのである（「大津事件」）。

幸い皇太子の傷は致命傷には至らなかったものの、この事件を口実に父親であるアレクサンドル三世が賠償として択捉島、国後島、礼文島、隠岐、対馬などの割譲を迫るか、宣戦布告してくる恐れがあった。

他国に宣教師を送り込んで殺害されるのを待ち、因縁をつけて戦争に持ち込むのは白人たちが他国を侵略するときに使う常套手段である。

ましてや襲撃されたのがロシアの皇太子である。

日本中が騒然となった。

明治天皇と総理大臣松方正義がニコライ皇太子を見舞ったほか、全国から一万通を超える見舞いの手紙が届き、父帝アレクサンドル三世の怒りを鎮めるために剃刀《かみそり》で自らの咽喉を切り裂いて失血死する女性まで出るなど日本国中で混乱が続いた。

元老伊藤博文、井上馨、総理大臣松方正義、内務大臣西郷従道、農商大臣陸奥宗光らは熟議の末、予想されるロシアの要求を躱《かわ》すには津田三蔵を死刑にするほかないという結論に達した。

それには皇室に対する謀殺未遂となる刑法第百十六条「天皇、三皇（太皇太后、皇太后、皇后）、皇太子ニ対シ危害ヲ加ヘントシタル者ハ死刑ニ処ス」をニコライ皇太子に適用する必要があった。

が、管轄である大津地方裁判所の判事は「ニコライ皇太子は日本の皇族には当たらない」という見解を示し、刑法第二百九十二条「予メ謀リ人ヲ殺シタル者ハ謀殺ノ罪ト為シ死刑ニ処ス」、未遂の場合「刑ニ一等又ハ二等ヲ減ズ」で審理を進めていた。

これでは津田に対する処分は無期懲役以下となり、ロシア側が納得するわけがなかった。そのため日本政府は「ニコライ皇太子は日本の皇太子と同格にあたり、刑法第百十六条が適用される。よって本件は大津地裁の管轄外である」と異議申し立てを行い、審議の場を大審院（当時の最高裁判所）に移した（『ニコライ遭難』吉村昭、岩波書店　参照）。

とはいえ、大審院判事の見解も大津地裁と変わらないことを松方総理ら閣僚は承知していた。刑法第百十六条は、外国の皇族に対する犯罪を想定しておらず、法律上は民間人と全く同じ扱いにせざるを得なかったからである。

それでも閣僚たちは津田を死刑にする必要性を大審院の判事たちに説き、必死の説得を続けたが判事たちの考えを覆すことは出来ず、五月二七日に判事七人全員一致で津田の無期懲役が確定した。

その後の津田であるが、同年七月二日に釧路の獄舎に送られたあと、八月末に体調を崩して急性肺炎となり、ニコライ襲撃から百四十一日後の九月二十九日に父帝アレクサンドル三世とニコライ皇太子に赦しを乞うかのように獄死している。

とはいえ、これで幕引きとはならなかった。

こののち日本への意趣返しとしか取りようのない極東でのロシアの南下が本格化していくのである。

大津事件から三年後の一八九四年、日本はついに対外戦争に踏み切らざるを得なくなった。「日清戦争」である。

引き金となったのが全羅北道《チョルラプクト》で起こった農民一揆（甲午《こうご》農民戦争）であった。

この乱の原因については「日本の圧政に耐えかねた農民が決起し、それを抑えられなかった朝鮮政府が清国に乱鎮圧の援軍を要請したため、半島の領有権を巡って日・清が激突した」という説がまかり通っているが、まったく事実と異なっている。

一八九二年、全羅道古阜《チョルラドコブ》に赴任してきた郡守が私腹を肥やすために年貢の取り立て量を増したことで、困窮した農民たちが決起したというのが事実である。

朝鮮半島では李氏朝鮮が統治していた五百年の間、特権階級である両班《ヤンバン》による収奪や役人の汚職が横行し、庶民は貧困に苦しんでいた。

甲午農民戦争は李氏朝鮮の腐敗体質が招いた結果であり、日本に責任は一切ない。

朝鮮政府は正規軍を投入して乱の鎮圧を図ったが、逆に農民軍に叩きのめされた上に、全羅北道最大の都市である全州《チョンジュ》市を占領されてしまった。

朝鮮政府は、清国に鎮圧部隊の派遣を要請する一方で、農民たちの説得にあたり、「郡守の更迭」と「年貢量の軽減」を約束することで何とか乱を鎮静化させた。

清国の鎮圧部隊が全州市に到着したのは農民軍が撤収したあとである。

この騒動の九年前、伊藤博文と清国の欽差《きんさ》大臣（全権大使）李鴻章との間で「朝鮮半島で内乱が起こり、日本・清国どちらかが派兵する必要が生じた場合、乱の鎮圧後はただちに半島から兵を退く」という約定が交わされていた。

にも拘らず、清国政府は派遣軍を居座らせ、半島を実効支配する動きを見せたのである。

日本政府は慌てた。

自国領すら英仏露に蚕食され続けている清国に朝鮮半島を委ねれば、立ちどころにロシアに奪われて日本侵攻の拠点とされてしまうのは目に見えていた。

六月十二日、日本政府は朝鮮公使大鳥圭介に命じて、清国軍掃討の要望書を日本政府に出すよう朝鮮政府に圧力をかけ、七月十九日には巡洋艦二十八隻、水雷艇二十四隻からなる連合艦隊を編成して黄海に向け出撃させた。

同時に陸軍二個師団を仁川に送って朝鮮駐留軍に合流させ、第一軍を編成して清国軍と対峙させた。

このとき、第一軍司令官の山県有朋は「生きて虜囚の辱《はずかし》めを受けず」と将兵に訓示した。

「敵に捕らわれれば生き永らえようとせず、潔く死を選べ」というのである。

支那兵は捕らえた敵を捕虜として扱わない。

首まで土中に埋めて両眼をくり抜き、耳鼻を削ぎ落し、顔の皮を剥がして死に勝る痛みを数十日与えた後に、陰茎《ペニス》を切り取って咽喉《のど》にねじ込み、窒息死させる。

支那人の残忍さを知り尽くしていた山形が「苦痛を最小限に抑えられる自死を選べ」と、将兵の身を気遣った言葉である。

七月二十五日、巡洋艦「浪速」「吉野」「秋津洲」が、牙山《アサン》湾沖で遭遇した「済遠」「広乙」から砲撃を受けて最初の海戦となったが、日本側が反撃すると「広乙」は沈没し、「済遠」は大破しながらも逃走して自ら浅瀬に乗り上げ、擱座させたあと降伏した。

日本巡洋艦三隻は「済遠」を追跡している途中で、イギリス国旗を掲げた大型汽船「高陞丸《こうしょうまる》」を発見した。

その甲板上に多くの清国兵を見受けたため臨検したところ、日本軍との戦闘に向かう増援部隊千四百人が乗艦していた。

清国軍は日本軍が手出しできないようにイギリス船籍の「高陞丸」をチャーターしていたのである。

「浪速」の艦長東郷平八郎は信号旗で停戦を命じたが、清国軍が停船命令に従わなかったため、魚雷で高陞丸を撃沈して海に投げ出されたイギリス人乗組員三人のみをボートで拾い上げた。

その際、清国兵を一切救助しなかったため、そのほとんどが溺死している（「豊島沖海戦」）。よほど腹に据えかねたのだろう。

同日、日本政府の圧力に屈した朝鮮政府が漸く清国軍討伐の要請書を日本に出すと、第一軍は直ちに清国軍が駐留する牙山に向かったが、清国軍は開城《ケソン》へ逃げたあとであった。

第一軍は逃走した清国軍を追って七月二十九日に開城に迫ると、清国軍はまたしても平壌に向けて逃走した。

八月一日に日本が宣戦布告して本格的な戦闘となるはずであった。

が、清国軍はその後も逃げに徹した。

九月十五日、第一軍が平壌城に立て籠もる清国軍に総攻撃をかけると、清国軍は半日戦っただけで逃げた（「平壌攻略戦」）。

十月一日、朝鮮半島から清国軍を掃討した第一軍が清国・朝鮮国境の鴨緑江を渡河して清国領内に踏み込むと大東満《ダードーマン》の清国軍も逃げ出し、九連城《ジュリエンチョン》の清国軍も街に火を放って逃げた。

第一軍は遁走する清国軍を追撃して西へ二百キロ進んだが、牛荘《ニウジュアン》（遼河《リィアオフェア》下流域の港町）の守備隊に行く手を阻まれて両軍一歩も退かぬ激闘が始まった。

九月十七日には鴨緑江河口沖を索敵中の連合艦隊十隻が北洋艦隊を発見して「黄海海戦」の火蓋が切られた。

連合艦隊は旗艦「松島」が「鎮遠」から命中弾を受けて九十六人の死傷者を出す損害を被ったものの、二百発以上の命中弾を北洋艦隊に浴びせ、四時間程の戦闘で撃沈五隻、中・大破六隻、擱座二隻の戦果を挙げたが殲滅には至らず、七隻に山東半島の威海衛に逃げ込まれてしまった。

十月二十四日、遼東半島占領のために花園口《ファユエンコウ》に上陸した第二軍は南西に進み、十一月六日に金州《ジンジョウ》を占領、十一月二十一日に一万二千人の清国兵が立て籠もる旅順要塞に総攻撃をかけると、陥落させるのに半年はかかると見られていた巨大要塞はたった一日で死傷四千五百人、捕虜六百人の大損害を出して陥落した。

日本軍の損害は戦死四十人、負傷二百四十一人のみである。

旅順陥落を知った清国政府は、戦闘開始から四か月で「講和会議の開催」を呼び掛けてきたが、

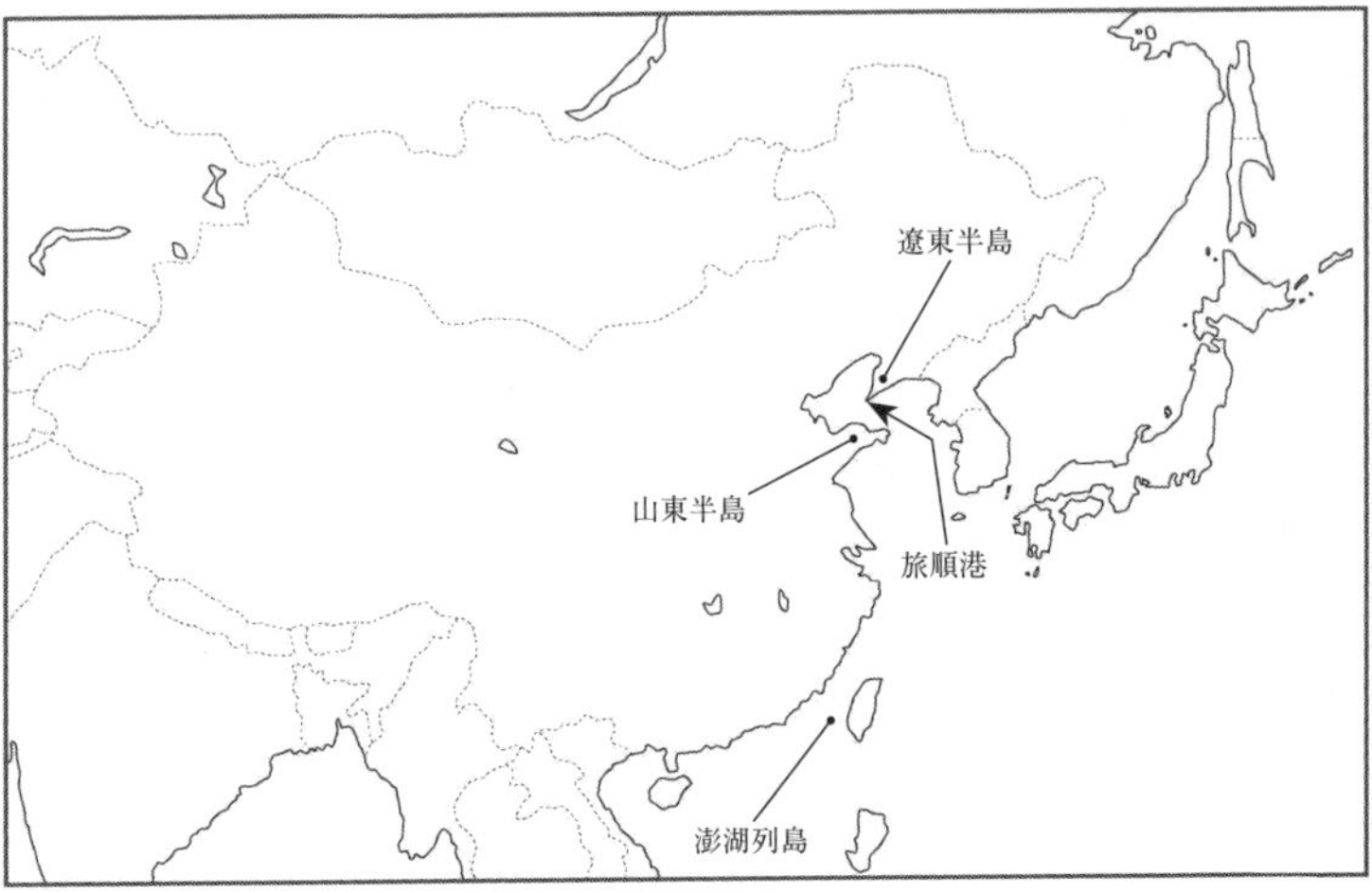

日本政府は拒否した。

旅順要塞を落とした第二軍は、威海衛に逃げ込んだ残存北洋艦隊を殲滅するため、十二月十九日から海上輸送で山東半島へ向かった。

翌一八九五年一月三十日、山東半島東端の栄城湾《ロンチョン》に上陸した第二軍が威海衛に姿を現すと、清国軍守備隊は砲台を捨てて逃げた。

砲台を占領した日本軍は、その砲口を港内に停泊している北洋残存艦隊に向けて砲撃を開始した。

海上からは、連合艦隊が放った水雷艇が湾内に突入して、魚雷攻撃で戦艦二隻、汽船一隻を撃沈し、旗艦定遠の喫水線下に大穴を開けて座礁させるなど嬲《なぶ》り殺しの様相を呈してきた。

港外からも連合艦隊が艦砲射撃を加え、その一発が巡洋艦靖遠《せいえん》を直撃して大爆発を起こし一瞬で沈没すると、北洋残存艦隊のすべての艦艇で水兵の反乱が起こり、艦長たちに刃物を突きつけて降伏するよう脅した。

「定遠」の艦長は部下の反乱を嘆いて拳銃自殺し、「鎮遠」に座乗していた司令長官も李鴻章に降伏する旨打電したあと阿片を呑んで服毒自殺を遂げた。

翌二月十二日、北洋艦隊がマストに白旗を掲げた鉄屑同然の艦艇を港外に出して降伏の意思を示すと、日本軍の砲撃は漸く止んだ（「威海衛の戦い」）。

一方、牛荘で進撃を阻まれていた第一軍は、三か月を超える激闘の末、二月二十七日に清国軍守備隊を撃破し、三月九日に田荘台に攻め込むと、二万人の清国軍も一時間で降伏した。

陸海軍ともに完膚なきまでに叩きのめされた清国政府が再び講和会議の開催を持ち掛けると、漸く日本政府はその呼びかけに応じて、三月十九日に李鴻章が門司に到着して話し合いが持たれた。

日本側が提示した条件が、

一、朝鮮国の独立の承認
一、遼東半島と台湾の割譲
一、賠償金二億両（清国の国家予算二年分）
一、日本への最恵国待遇付与

の四条件である。

提示条件の中で李鴻章が台湾の割譲に難色を示すと、日本全権は交渉決裂を告げて全軍に戦闘再開を命じ、三月二十六日に第二軍が澎湖《ほうこ》列島を占領した時点で改めて話し合いが持たれた。

席上、日本側が「澎湖列島の割譲」を上積みすると、李鴻章はその要求を呑んで四月十七日に「日清講和条約（下関条約）」が締結され、日清戦争は終結した。

日本軍二十四万六千百六人、清国軍六十三万人を投じた日清戦争の損害であるが、日本側は戦死千四百十七人、負傷三千七百五十八人、対する清国側の死傷者は三万五千人と、日本軍の大勝であった（フリー百科事典ウィキペディア「日清戦争」参照）。

ひとつ気になるのが、日本兵の病死者が一万千八百九十四人と戦死者を八・三九倍も上回っている点である。

澎湖列島攻略戦では、四千六百四十二人の兵士が赤痢、マラリア、コレラ等に罹患して死亡しているが、それ以外の七千二百五十二人が朝鮮半島を進撃中に病死しているのである。

日清戦争が始まる五か月前に朝鮮半島と清国を訪れたイギリス人女性旅行家イザベラ・バードが、朝鮮半島の不潔さを『英国婦人の見た李朝末期』（講談社）で「首都ソウルには悪臭が漂い、二十五万の市民が路上で暮らしている。家々の前の溝は人糞で溢れ、道らしき所も人糞、馬糞、牛糞に覆われて足の踏み場もない。川も糞尿で黄色く濁り、女たちはその川で洗濯をしている。私は北京を訪れるまで、ソウルが世界一不潔な街だと思っていた」と驚きを以て書き留めている。

また当時の北京代理公使で日露戦争時の外務大臣小村寿太郎が北京の様子を「その往来の不潔さは聞きしに違《たが》わぬもので、皆、道路上に大小便をする。街には無数の羽根虫が繁殖し、刺されれば黒痣《あざ》ができて腫れあがる。水は悪し。飲むに堪えるものなし」と記している（司馬遼太郎『坂の上の雲』文藝春秋　ママ）。

首都ソウルや北京ですらこの有様である。

戦場となった朝鮮半島や清国領内の劣悪な衛生状況が窺い知れよう。

日本軍にとっての最大の敵は清国軍ではなく、十四世紀にキプチャク・ハン国軍が細菌戦に利用してヨーロッパ全土に感染拡大し、人口の三分の一となる三千万人の命を奪った「黒死病《ペスト》」や二十一世紀の「SARS《サーズ》」「鳥インフルエンザ」「新型コロナウイルス」といった殺人ウイルスを世界中に撒き散らした支那や朝鮮半島の不潔な風土だったのである。

話を戻そう。

清国と朝鮮の宗主・従属関係を断ち切り、朝鮮を独立させても日本政府に安堵する暇《いとま》などなかった。

日清戦争中の一八九四年十一月一日、ロシアでは皇帝アレクサンドル三世が死去して、大津事件で重傷を負ったあのニコライ皇太子が帝名を「ニコライ二世」として皇帝の座に就いた。

そのロシアの駐日公使が、下関条約締結から一週間後の四月二十四日、ドイツとフランスの駐日公使を伴って外務省を訪れ「日本の遼東半島の領有はアジアの平和を乱す。清国に返してやれ」と要求してきた。

世にいう「三国干渉」である。

裏で糸を引いたのがヴィルヘルム二世である。

欧米列強の白人同様、ニコライ二世も日本人を人間とは思っていなかった。

それに加えて来日した際、日本の警官に斬り付けられたことで、ニコライ二世の日本人に対する感情は「軽侮」から「憎悪」へと変わっていた。

事実、ニコライ二世は公の席でも日本のことを「Macaca《マカク》（オナガザル）」と呼び、公文書にもそう記すようになっていた。

ヴィルヘルム二世はニコライ二世の日本への憎悪を利用して日露間の対立を煽り、あわよくばフランスをも日本との争いに巻き込み、両国の兵力を極東に割かせて露仏がドイツに敷いた挟撃態勢を弱めようとしたのである。

ヴィルヘルム二世の誘いにニコライ二世がまんまと跳び付いた。

ニコライ二世は直ちに軍艦を日本海に遊弋《ゆうよく》させ、砲口を日本に向けて恫喝してきたのである。

フランスも加わった。

この時の日本にたとえ独仏露の一国とでも一戦交える力は無い。

時の外相陸奥宗光は「ここは屈するしか道はない」と遼東半島を清国に返還した。

それから二年後の一八九七年十一月、山東省でドイツ人宣教師二人が殺害される事件が起こると、ヴィルヘルム二世は「ドイツ人居留民の保護」という名目で、軍艦二隻を膠州湾《ヂヤオヂヨウ》に派遣して清国政府から「膠州湾の九十九年間の租借権」を脅し取った。

しかし遼東半島には手を付けなかった。ニコライ二世に喰い付かせる餌として残したのである。

ヴィルヘルム二世の狙い通り、ニコライ二世はこの餌にすぐ喰い付いた。

翌一八九八年、日本に返還させた遼東半島を清国政府から脅し取り、旅順港をロシア太平洋艦隊の根城にして遂に切っ先を日本の脇腹に突き付けた。

さらに「南満洲鉄道（旅順・哈爾濱《ハルビン》間）」の建設にも着手した。

すると、支那の歴代王朝に事大《じだい》（弱者が強者の庇護下に入り、言いなりになって生き永らえようとすること）してきた朝鮮国王の高宗が、ロシアのやりたい放題に文句一つ言えない日本を侮り、日本が朝鮮半島近代化のために行ってきた改革をことごとく取り止めて、政治、財政、軍事面においてロシア人顧問を招くなどロシアに事大し始めた。

しかも鎮海湾《チンヘ》の港町馬山浦《マサンホ》をロシア人居留地の建設地として差し出した。

慌てた日本政府は周辺の土地を買い占めてロシアの居留地建設を阻止したが、高宗は漢城《ソウル》にあるロシア公使館に移って政務を行うようになった。

日本はロシアとの戦争に備えねばならなくなり、国家予算に占める軍事費の割合は三十パーセントから五十パーセントの間を推移し続けたが、国民はこの重税に耐えた。


その頃、欧米列強に喰いものにされ続けている清国内では「扶清滅洋《ふしんめつよう》（外敵を排除し、国を守る）」を唱える排外主義運動が各地で起こるようになった。

その中で最も大規模なものが、一九〇〇年に山東省の宗教組織「義和団」の信者二十万人が決起した「北清事変」である。

当初、欧米列強の言いなりになっていた清国政府は義和団の乱を鎮圧するつもりでいたが、義和団員たちが日・米・英・露・独・仏・墺・伊、八か国の外国公使館を包囲するのを見ると、政府内の攘夷派が恭順派を追い落として六月二十一日に八か国に宣戦布告した。

八か国は直ちに七万の兵を送って七月十四日に天津を陥落させ、八月十四日には北京を占領した。義和団を支持した政府攘夷派は西安に逃れ、実権を取り戻した恭順派は、八か国に協力して乱を鎮圧し、一九〇一年に八か国に四億五千万両（清国の国家収入五年分）の賠償金を支払うという要求を呑んで「北京議定書」を結び、北清事変を収束させた。

この北清事変勃発直後の一九〇〇年七月十三日、日本人を恐怖のどん底に突き落とす事件が起こった。

露清国境に近い支那人とロシア人が混住するアムール川河畔の街ブラゴベシチェンスクで、鉄道敷設工事のためにロシア当局から立ち退きを迫られた支那人が反乱を起こすと、ニコライ二世は軍を投入して支那人三千人を惨殺したのである。

しかも、その二十日後にはロシア軍は清国国境を突破し、黒竜江省で住民二万五千人をアムール川に投げ入れて殺害し、満洲に居座った。

ロシアの脅威が目前に迫る中、日本に思わぬ味方が出現した。

アジアでの権益をロシアに脅かされるのを恐れたイギリスが、日本を利用しようと同盟締結を呼びかけてきたのである。

その約定は「日英どちらかが二か国以上と交戦した場合、もしくは敵国に他国が便宜を図った場合、もう一方は参戦の義務を負う」というものであった。

その「日英同盟」が一九〇二年に締結されると、イギリスは日本の戦費調達の手助けを始めた。

心強い味方を得た日本であったが、翌一九〇三年に足元を揺るがす事態が起こった。

満洲を下ってきたロシア軍が鴨緑江（現在の支那・北朝鮮国境）に迫ると、朝鮮政府は鴨緑江河口の港町竜岩蒲《ヨンアムポ》をロシアに差し出したのである。

これは日本への侵入路を開くに等しい行為であった。

日本政府の危惧どおり、ロシアは朝鮮から租借した竜岩蒲に軍港の建設を始めた。

日本政府はロシアに猛抗議したが、ロシア政府は日本の抗議を無視して北緯三十九度以北までの領有を主張して、軍を南下させる動きを見せた。

同年十二月、ロシア軍の動向を探っていた密偵から「シベリア鉄道の全線開通まで残り半年となった」という報告が日本政府に入った。

シベリア鉄道が完成して複線化されれば、東ヨーロッパの百万人を擁《よう》するロシア正規軍は、一週間で満洲に到着できるようになる。

そうなれば日本に勝ち目はなかった。

かくして日本は、国土六十八倍、人口二・八倍、陸軍常備兵力十五倍、保有戦艦二・三倍、国家収入八倍の大国ロシアとの戦争を決意し、一九〇四年二月六日にロシアに国交断絶を通告した。

同日、連合艦隊は佐世保港を出港して、ロシア旅順艦隊の巣である旅順港を目指し、巡洋艦五隻は別動隊として陸兵二千人を乗せた三隻の輸送船を護衛したあと、仁川港沖で遭遇したロシア巡洋艦ワリャーグと砲艦コレーツを砲撃して大破させた。

ロシア側の戦死者は二百二十三人、日本側は死傷者ゼロという幸先の良い出だしとなったが、その後は連合艦隊の拙攻が相次いだ。

旅順港に向かった連合艦隊本隊は、二月九日午前零時過ぎに駆逐艦隊を出撃させて、旅順港外に停泊していた旅順艦隊に十八本の魚雷を撃ち込んだが、戦艦二隻、巡洋艦一隻を小破させるに止《とど》まり、全ロシア艦艇に旅順港の中に逃げ込まれてしまった。

旅順港は、周囲を標高百三十メートルから二百メートルの山に囲まれている。

ロシア陸軍は、その山々に五十個を超える堡塁と砲台を構築して旅順港を守る鉄壁の防御を施しており、連合艦隊は手の出しようがなくなった。

そこで連合艦隊は、旅順港口に汽船を沈めて旅順艦隊の洋上への出口を塞ぐ「閉塞作戦」を決行することになった。

旅順港口の幅は二百七十三メートルあるが両端は水深が浅く、戦艦が通過できるのは中央の九十メートルほどしかない。

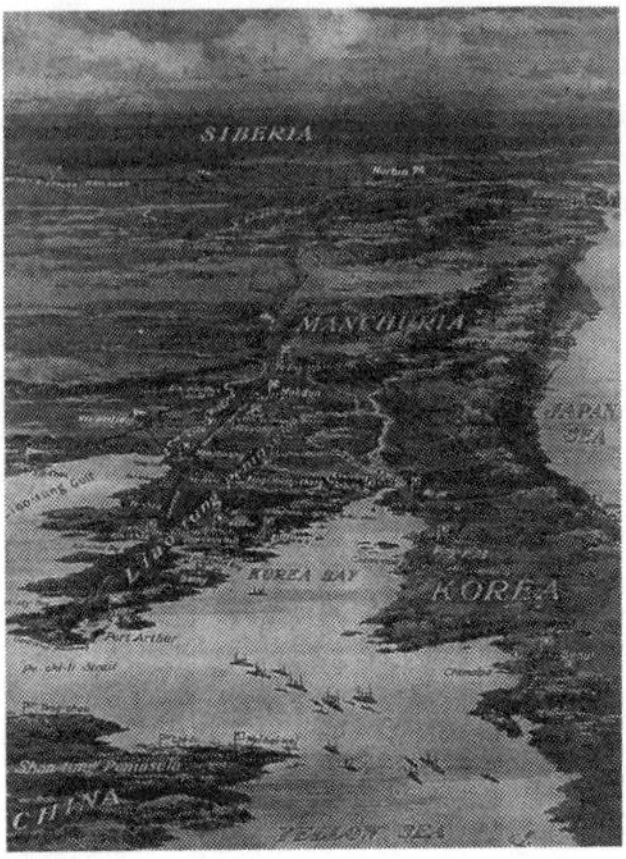

ここに汽船を沈めようというのである。

しかし、ロシア旅順要塞は、旅順港口東側の黄金山に三個の砲台、西側の老虎尾半島に六台の砲台を据えて洋上にも睨みを利かせていた。

その監視の目をすり抜けて港口に辿り着ける可能性は限りなくゼロに近い危険な任務であった。

連合艦隊は二月二十三日から五月三日にかけて三度「閉塞作戦」を決行し、十四隻の汽船を港口に沈めようと試みたが、旅順要塞からの探照灯に照らし出されて猛射を浴び、港口に近づくことすら出来ずに二十余人の戦死、行方不明者を出しただけで閉塞作戦は中止になった。

この間、旅順港外に釘付けになった連合艦隊に対し、港内に潜むロシア艦艇がたびたび港外に出てきて挑発を繰り返し、小規模な砲戦が頻発するようになっていた。

そのロシア艦艇の動きに共通する点があった。

すべてのロシア艦艇が挑発行動を取った後、必ず同じ航路を通って帰投していたのである。

連合艦隊はその帰投路に機雷を撒いてみた。

四月十三日、巡洋艦同士の砲戦が起こった時、砲声を聞きつけた旅順艦隊司令長官マカロフ中将座乗の旗艦ペトロパブロフスクが出動してきた。

その艦影を見た日本の巡洋艦は逃げ出し、ペトロパブロフスクは一発の砲弾も発射することなく帰投するのだが、他のロシア艦艇と同じ帰投路を取ったため、連合艦隊が撒いた機雷に触雷して轟沈し、マカロフ中将の他六百人以上の乗組員が戦死するという思ってもみない戦果を挙げることが出来た。

ところが連合艦隊も旅順艦隊と同じ轍《てつ》を踏んだ。

旅順港外のパトロールで、連日同じ航路を取り続けていたのである。

その航路に機雷を撒かれた。

ペトロパブロフスクの轟沈から三十二日後の五月十五日、戦艦初瀬、八島、敷島の三艦がパトロール中に、初瀬がロシア軍の撒いた触雷して船底を破られ、逆立った甲板から乗組員が海に滑り落ちた。

後続する戦艦八島が救助に向かったが、同艦も触雷して沈没した。八島の乗組員は全員救出されたが、初瀬の乗組員四百九十三人は全員が戦死して、連合艦隊の保有戦艦は一瞬にして六隻から四隻に減ってしまったのである。

自分が仕掛けた罠を敵も仕掛けてくるという当たり前のことに考えが及ばない、あってはならない手抜かりであった。

新たな問題も浮上した。

この間、陸軍は朝鮮半島に黒木第一軍四万二千人、遼東半島の大洋河《ダーヤンフェア》河口に野津第四軍四万四千人、塩大澳《イエンダーアオ》に奥第二軍三万八千人、張家屯《チャンヂアトウエン》に乃木第三軍五万千人を上陸させていたが、ウラジオストック艦隊の巡洋艦リューリック、グロモボーイ、ロシアの三隻が日本海に出没して、兵員や武器、弾薬を満洲に運ぶ日本の輸送船を尽《ことごと》く沈め、海上補給路を断ちにかかったのである。

六月十五日には輸送船常陸《ひたち》丸が砲撃を受けて、陸軍将兵九百五十八人が戦死、もしくは切腹、身投げ、小銃で自らを撃ち抜いて自決し、イギリス人船長と乗組員百三十三人も犠牲になって、死者は総計で千九十一人に上った（フリー百科事典ウィキペディア「常陸丸事件」参照）。

連合艦隊は、上村第二艦隊の巡洋艦四隻を割いてウラジオストック艦隊掃討に向かわせたが発見することができず、その間、ウラジオストック艦隊は津軽海峡から太平洋に抜けて宮城県沖、千葉県房総半島沖、静岡県遠州灘にまで出没して、八十隻を超える輸送船を沈めるようになった。

一刻も早くウラジオストック艦隊を殲滅しなければ、大陸に渡った四個軍が補給を断たれて孤軍と化し、ロシア軍に殲滅される恐れが出てきた。

しかも五月二十日にロシア政府は「バルチック艦隊をアジアに回航する」と発表した。

バルチック艦隊が旅順艦隊と合流すれば、戦艦保有数は連合艦隊の四隻に対して、ロシアは十四隻と三・五倍に開いてしまい、万に一つの勝ち目もなくなる。

しかし、連合艦隊に旅順艦隊を港から引きずり出す術は見出せず、陸上からの砲撃で旅順艦隊を港から追い出すことになった。

この厄介な任務を任されたのが乃木希典を司令官とする第三軍であった。

六月六日、第一、第二、第四軍が満洲に居座るロシア軍を掃討するために北上していく中、乃木第三軍のみが遼東半島を西進して、歪頭山《わいとうさん》、剣山、太白山のロシア軍陣地を陥落させ、八月八日には千二百五十八人の死傷者を出して旅順港の一部が俯瞰できる大孤山を奪取した。

この山の頂上から、海軍陸戦隊がありったけの砲弾を旅順港に向けて盲撃《めくらう》ちした。

乃木希典
(1849-1912)

この砲撃に、ツェザレヴィッチ、セヴァストポーリ、レトウィザンの戦艦三隻が被弾するようになり、巡洋艦バヤーンが大破して航行不能となる等、旅順艦隊は港にのんびり浮いているわけにはいかなくなった。

八月十日、旅順艦隊司令長官ヴィトゲフトは、旅順港を脱出してウラジオストックに行く決断を下し、全艦艇が罐《かま》を炊き始めた。

港外で監視していた駆逐艦白雪が、旅順艦隊の動きを打電すると、連合艦隊は直ちに急行して旅順港から四十キロ南南東で「黄海海戦」の火蓋が切られた。

連合艦隊は旅順艦隊の行く手に二度にわたって単縦陣で垂直に進入し、頭を押さえて並行戦に持ち込もうとしたが、逃げに徹したロシア旅順艦隊は、連合艦隊の進行方向とは逆に舵を切って二度とも躱《かわ》した。

三時間に及ぶ追跡の末、旅順艦隊に追いついた連合艦隊は並行戦に持ち込んで砲撃を開始した。旅順艦隊の戦艦七隻は、それぞれ二十発から五十発被弾して大火災を引き起こしたが、沈む艦は一隻もなかった。

逆に連合艦隊は旅順艦隊からの反撃を受けて、一番艦三笠が三十発近く、二番艦朝日が三発被弾した。

十八時三十分過ぎ、三笠から放たれた砲弾が旗艦ツェザレヴィッチの司令塔に立て続けに二発命中して、司令長官ヴィトゲフトと幕僚、艦長、航海長を吹き飛ばし、操舵手を即死させた。

この操舵手の死が戦局に大きな影響を及ぼした。

絶命した操舵手の骸《むくろ》が舵にもたれ掛かったまま左側に傾いてしまったのである。

そのため、死体に操られた旗艦ツェザレヴィッチは、左に円を描いて後続する僚艦の隊列に突っ込んでいった。

ロシア旅順艦隊は突っ込んでくるツェザレヴィッチを避けようとして四散し、各艦が艦長の判断で戦闘海域から離脱していった。

しかも日没を迎えてしまい、連合艦隊は旅順艦隊を全滅させるどころか、一隻も沈めることが出来ずに全艦艇を逃してしまったのである。

ただ、この海戦で旅順艦隊は壊滅的な損害を被った。

旗艦ツェザレヴィッチと駆逐艦三隻はドイツ領膠州湾、防護巡洋艦アスコリドと駆逐艦一隻は上海、防護巡洋艦ディアーナはフランス領サイゴンで抑留され、武装解除された。

駆逐艦レシテリヌイは鹵獲《ろかく》され、防護巡洋艦ノーヴィックは太平洋側に逃れて樺太まで北上したが、追撃してきた巡洋艦千歳と対馬の砲撃を受けて大破し、武装解除された。

残りの戦艦六隻と巡洋艦一隻、駆逐艦十隻は旅順港に帰還したが、戦艦ペレスウェート、レトウィザン、ポベータ、セヴァストポーリ、ペトロパブロフスク、ポルタワの戦艦六隻は大破して鉄屑と化していたため、砲塔はすべて外されて陸用に転用され、旅順艦隊は壊滅した。

しかし、連合艦隊首脳部には、上海、ベトナムに逃げ込んだロシア艦艇が武装解除された情報は入ってきたが、旅順港に逃げ帰った艦艇の被害情報を知る術はなかった。

そのため連合艦隊は再び旅順港口に張り付けになった。

唯一救いだったのが、旅順艦隊出港の知らせを受けたウラジオストック艦隊三隻が加勢するため出撃していた。

出撃三十分後には、旅順艦隊からウラジオストック艦隊に出撃を取り止めるよう無電が発せられたが届くことはなく、ウラジオストック艦隊は戦闘海域へ向けて南下を続けた。

翌八月十一日午前五時、ウラジオストック艦隊は蔚山《ウルサン》の東方沖まで下ったところで上村第二艦隊四隻に発見されて砲撃を受け（「蔚山沖海戦」）、大破したリューリックは航行不能となって自沈し、グロモボーイとロシアの二艦はウラジオストックに逃げ帰ったが、損傷が激しく廃艦となってウラジオストック艦隊が壊滅したことである。

せっかく乃木が旅順港から追い出した旅順艦隊を連合艦隊が取り逃がして旅順港に逃げ帰らせてしまったことで、またしても乃木が尻拭いをする破目になった。

陸上からの旅順艦隊殲滅作戦である。

ところが陸上からの攻撃に対する旅順要塞の防御力は、海上からの攻撃に対する守りより数段勝っていたのである。

以降、旅順の地は日本兵の大量の血を吸い続けることになる。

乃木第三軍は、第一師団、第九師団、第十一師団の三個師団（一個師団は一万から二万人）と四個旅団（一個旅団は二千から五千人）で編成されている。

旅順港から北西方面にある海鼠山《なまこやま》（標高百六十二メートル）と二百三高地から旅順港が俯瞰できることに気づいた乃木は、この方面に第一師団、北正面に第九師団、北東方面に第十一師団を割り振った。

八月八日、北西方面の第一師団は、海鼠山の手前にある大頂子山（百七十四高地）を占領した。

八月十七日には、北正面と北東方面でも火砲三百九十門を用いての総攻撃が開始され、二日間で砲弾三万七千発、六百九十五トンを旅順要塞に叩き込んだあと、総勢五万二千の兵士が六万を超えるロシア兵が守る旅順要塞を強襲した。

ところが、分厚いコンクリートに覆われたロシア堡塁と地下深く掘られた掩体壕《えんたいごう》はビクともしていなかったのである。

しかも戦闘においては高所に位置する側が有利なのは言うまでもないが、ロシア軍の堡塁は山上にある。

日本兵は銃火器を抱えて五、六百メートルの坂を駆け上がっていくのであるが、その突撃路に樹木は一切生えていない。

ロシア軍は旅順港を取り囲む山々の樹木をすべて伐採して禿山《はげ》にしており、山肌の隆起している部分は爆破して平坦にしていたため、突撃してくる日本兵に身を隠す術はなく、ロシア軍から丸見えとなる。

しかもこのときの日本兵の戦闘服は黒色で目立ち過ぎた。

そこへ、掩体壕から這い出してきたロシア兵が、トーチカや塹壕から機銃掃射を浴びせかけてくる。

銃弾を掻い潜って登っていく先には高圧電流が流れる鉄条網が張り巡らされ、日本兵が有刺鉄線の切断に手間取る間に、ロシア軍が山上から転がり落としてきた機雷や手榴弾で吹き飛ばされる。

そこを抜けても地雷原があり、上空からは榴散弾が炸裂する。

榴散弾とは、散弾銃の銃弾と導火線の付いた爆弾を組み合わせたような構造で、砲弾を発射したときに導火線に着火し、導火線の長さを変えることで砲弾が炸裂するタイミングを調整できる。

標的の上空で砲弾が爆発すると、砲弾の中の直径十ミリから十二ミリの鉄粒四十個から五十個ほどが地上に降り注いで日本兵を薙ぎ倒す。

すべての火網を奇跡的に潜り抜け、ロシア軍の塹壕陣地に飛び込んだとしても、急勾配を駆け上がり体力を消耗し切ってからのロシア兵との白兵戦が待っている。

そこを突破しても、その先には四十個近い砲台と堡塁の砲や銃器がハリネズミのように備えられている。

堡塁間を抜けようにも隙間なく火網が張り巡らされ、左右の砲台から機銃掃射を浴びる。

奇跡的に第一線の堡塁間をすり抜けても第二線の堡塁間に飛び込むだけであり、前方、左右、すり抜けた後方の砲台の四方向から十字射撃を浴びる。

そこを抜けても第三線、第四線堡塁に飛び込むだけである（『歴史群像アーカイブ「日露戦争」』学研参照）。

堡塁を占領しようにも、突撃してくる日本兵には直前まで見えないよう巧妙にカポニエール（空堀）が掘られている。

しかも第一師団は夜襲をかけたため、日本兵は暗闇で落とし穴に落ちるようにカポニエールに落下していった。

カポニエールに気づいて踏みとどまる兵もあるが、後続する兵士に押されて落下してしまう。

カポニエールとは大阪冬の陣で徳川軍一万五千人を死体に変えた真田丸と同じ造りで、空堀の深さは五メートルから八メートルと真田丸とほぼ同じ、幅は五メートルから十メートルと真田丸の三分の一から四分の一ほどで、死角がないよう銃眼が穿《うが》たれている。

空堀の中の砲台は一辺の長さが百二十メートルから二百メートルの台形をしており、真田丸と規模はほぼ同じ。

違いは、真田丸が空堀の中の砦に銃眼が穿たれているのに対し、カポニエールは外壁、すなわち日本兵が落下した側の壁面の中に通路が掘られており、そこからカポニエールに向けておよそ一メートルの間隔で銃眼が穿たれている。

落下した日本兵はカポニエールの中に張り巡らされた鉄条網に足を取られ、身動き出来なくなったところを背後の銃眼から狙い撃ちされる。

カポニエールの内壁、すなわち、胸墻《きょうしょう》（堡塁の土台部分）であるが、急な傾斜でよじ登ることはできず、堡塁の上からも機銃掃射され、手榴弾を投げ落とされる。

稀に胸墻を登り切る兵士もあるが、そこにはまた胸墻があり、その上からも機銃掃射を浴びる。

結果、第三軍は六日間で、投入兵力五万七百六十五人のうち、戦死五千十七人、負傷一万八百四十三人もの犠牲者を出して八月二十四日午後四時に強襲を中止した。

その成果であるが、要塞北東方面の第十一師団は、東鶏冠山のカポニエールに前進を阻まれて一歩も前進できず全滅。

北正面の第九師団は、防御の弱い東西盤龍山堡塁を奪取して幅三キロの範囲で最大三キロ前進。

北西方面の第一師団は目標の海鼠山を占領したが、頂上からは港の一部しか俯瞰出来ず、旅順艦隊を砲撃するには至らなかった。

ロシア側の損害は、戦死千五百人、負傷四千五百人で、第三軍の惨敗となった。

大量の兵を失った第三軍は、国内から招集された新兵が送られてくるのを待ち、兵員補充が完了した九月十九日に第二回総攻撃を再開した。

北正面の第九師団は塹壕を掘り進め、可能な限りロシア軍要塞に近づいてから突撃を敢行して、竜眼北方堡塁、盤龍山堡塁、水師営南方堡塁を占領し、幅三キロの範囲で二キロ前進したが、二龍山堡塁と望台堡塁のカポニエールで全滅。

北東方面の第十一師団はまたしても東鶏冠山堡塁のカポニエールで全滅し、一歩も前進出来ずじまいである。

十月十五日には「バルチック艦隊がリバウ港を出港した」という知らせがもたらされ、乃木は一刻も早く旅順要塞を攻め落とさねばならなくなった。

焦慮した第三軍司令部は、旅順港全体を眼下に見渡せる旅順要塞中央の白玉山堡塁奪取のために志願兵を募り、白襷《しろだすき》隊を編成して十一月二十六日二十一時に三千余人に突撃を敢行させたが、敵味方を識別するために掛けた白襷が、ロシア軍の探照灯に照らし出されてロシア兵射手の射撃を助けるという皮肉な結果となり、一時間で千人を超える損害を出して作戦を中止、四万四千百人の兵力を投入した第二回総攻撃も、戦死千九十二人、負傷二千七百八十二人の損害を出して失敗に終わった。

第三軍は再び兵員の補充を行ったが、内地から送られてきた新兵たちは「旅順の堀は三途の川」と囁《ささや》き合い、士気は著しく落ちた。

二度目の兵員補充を完了した第三軍は、北正面、北東方面、北西方面の三方面で、ロシア軍堡塁に向けて塹壕を掘り進め、北西方面で二百三高地の突撃可能地点に達した十二月四日早朝、北東方面、北西方面からも大半の兵を引き抜いて、二百三高地へ総攻撃を敢行した。

重量二百十八キロの砲弾を放つ二十八センチ榴弾砲の掩護射撃の下《もと》、急勾配を駆け上がり、山頂での白兵戦を制して二百三高地を占領した第一師団は、直ぐに観測所を設けて山麓の砲兵隊に旅順艦隊の位置を知らせ、二十八センチ榴弾砲による観測射撃を開始して、十二月八日までに旅順艦隊の主力艦である戦艦ポルタワ、レトウィザン、ペレスウェート、ポペータ、重巡バヤーン、軽巡パルラーダを擱座させ、九日には旅順港に浮かぶ全艦艇を破壊した。

二百三高地奪取における日本軍の損害は、戦死五千五十二人、負傷一万千八百八十四人、ロシア側は、戦死五千三百八十人、負傷一万二千人に上った（フリー百科事典ウィキペディア「旅順攻囲戦」参照）。

旅順艦隊がことごとく擱座したのを見届けたのち、ようやく連合艦隊は包囲網を解いて日本に戻り、佐世保と呉のドックで損傷箇所の修理と、十か月間洋上に漂い続けたために船底に張り付いた貝殻や海藻を削ぎ落として、バルチック艦隊の来航に備えた。

しかし、旅順艦隊を殲滅したからと言って、乃木の任務が終わったわけではない。

旅順要塞のロシア軍を降伏させて武装解除させない限り、遼東半島の北上を続ける第一、第二、第四軍の兵站基地である大連《ダーリエン》港が脅威に晒されるため、その後も旅順要塞北正面、北東方面の堡塁まで塹壕を掘り進め、カポニエールと胸墻を爆破して爆破孔から堡塁内に突入し、ロシア兵との白兵戦を制して堡塁を占領していく方法で、十二月十八日に東鶏冠山堡塁、二十八日に二龍山堡塁、三十一日に松樹山堡塁を陥落させた。

そして、翌一九〇五年一月一日に望台山堡塁を占領した時点で、まだ八割以上の砲塁が健在であったにも拘らず、ステッセル中将は降伏して一月五日に武装解除に応じた。

第三軍に包囲されて補給路を断たれていたロシア軍は、日本兵を殺し過ぎて砲弾が底をついたのだろう。

第三回総攻撃における日本軍の損害であるが、東鶏冠山では投入兵力千八百二十人中、死傷八百六十五人で損傷率は四十七・五パーセント、二龍山では投入兵力三千四百八十人中、死傷千百九十人で損傷率が三四・一パーセントに上り、死傷者の総計は二万八千九百二十人と大損害を出した第一回総攻撃の死傷者一万五千六百八十人の一・八四倍に上った（『司馬さんに嫌われた乃木・伊地知両将軍の無念を晴らす』西村正　高木書房　参照）。

第一回総攻撃からの累計では、戦死一万五千四百人、負傷四万四千百人と日露戦争で最も多くの犠牲者を出す戦いとなった（フリー百科事典ウィキペディア「日露戦争」参照）。

乃木第三軍が旅順で死闘を繰り広げている間、第一、第四、第二軍は、ロシア軍を掃討しながら遼東半島を北上していた。

その人的損害であるが、第一軍は、鴨緑江北岸の九連城《ジウリィエンチォン》、摩天嶺《ムォティエンリン》、橋頭《チャオトウ》、楡樹林子《ユーシューリンツー》の戦いで千三百六十人、第四軍は、分水嶺《フェンシュイリン》と坼木城《ヂェアムーチォン》で千七十人、第二軍は、南山《ナンシャン》、金州《ジンジョウ》、得利寺《ディーリースー》、蓋《ガイ》平《ピン》、大石橋《ダーシーチィアオ》で六千八百四十人と最も多く、総計一万六千六百九十三人の損害である。

遼東半島からロシア軍を一掃した第二、第四軍は、朝鮮半島から北上してきた第一軍と合流して、八月に遼陽《リャオヤン》会戦を制したあと更に北上を続け、十月に沙河《シャーホー》、翌一九〇五年一月には黒溝台《ヘイコウタイ》でロシア軍の迎撃を受け、辛うじて退けたものの、更なる犠牲を強いられた。

その内訳であるが、遼陽で戦死五千五百人、負傷一万八千人、沙河で戦死四千九十九人、負傷一万六千三百九十八人、黒溝台で戦死千八百四十八人、負傷七千二百四十九人、総計で戦死一万千四百四十七人、負傷四万千六百四十七人という大損害である（『司馬さんに嫌われた乃木、伊地知両将軍の無念を晴らす』西村正　高木書房　参照）。

兵力は底をつきかけ、内地での徴兵検査の合格基準も、身長百五十五センチ以上という規定が四尺九寸五分（一・五メートル弱）にまで引き下げられた。

出征する小柄な兵隊を見送る国民は「寸足らずの兵隊さん」と囁きあった。

さて、黒溝台会戦を制して北上を続けた日本軍であるが、奉天（現・瀋陽）から十五キロ南でロシア軍と東西百十キロにわたって対峙した。

日本軍は、東から西へ黒木第一軍、野津第四軍、奥第二軍という布陣で、旅順陥落直後に朝鮮駐留軍によって新たに編成された鴨緑江軍が加わった。

これに北上してくる乃木第三軍を加えても、日本軍の総兵力は二十五万、対するロシア軍は三十五万と日本軍の一・四倍、砲門数は日本軍九百門に対しロシア軍は千二百門と一・三三倍でロシア軍の有利は動かなかった。

二月二十二日、対峙ライン東端より六十キロ南東から突如現れた鴨緑江軍が北上してロシア軍の背後に回る動きを見せ、戦いの火蓋が切られた（「奉天会戦」）。

鴨緑江軍に、補給線となる奉天・哈爾濱《ハルビン》間の鉄道線を遮断されることを恐れた満洲軍司令官クロパトキンは、過敏に反応して西翼の兵七万を東翼に移動させた。

二月二十七日、対峙ライン中央でも、第一、第四、第二軍が攻撃を開始し、ロシア軍西翼の兵力を更に東に引き寄せたところに、対峙ライン西端の遥か南西から乃木第三軍三万五千が現れて、ロシア軍西翼を側面から衝く動きを見せると、ロシア軍に信じ難い動きが起こった。

突如、クロパトキンが全軍に撤退命令を出し、奉天を捨てて六十キロ北の鉄嶺《ティエンリン》まで兵を引いたため、奉天会戦はたった十八日間の戦闘で呆気なく終わってしまったのである。

クロパトキンが兵を引いた理由については、様々な憶測を呼んでいるが謎のままである。

なお、遼陽、沙河、黒溝台、奉天と撤退を重ねたことで、クロパトキンは軍上層部から「退却将軍」と揶揄され、満洲軍司令官の職を解かれている。

ともあれ、日本にとってクロパトキンを満洲軍総司令官に据えたロシア軍の人事は神助となり、日本陸軍は「ロシア軍の朝鮮半島への侵入阻止」と「満洲からの一掃」という当初の目的を達した。

この時点で、アメリカ大統領ルーズベルトが日露両政府に講和を呼びかけてきたが、日本政府、ニコライ二世共に突っぱねた。

ただし、日本政府は、ロシアから講和の希望があれば応じる意思があることだけは伝えた。

さて、アジアの戦場に向けて前年の十月十五日にリバウ港を出港したバルチック艦隊であるが、苦難の航海を続けていた。

　出港早々から日本駆逐艦の魚雷攻撃に怯え、出港から三日目の十月十七日には全乗組員に戦闘服のまま寝ることを命じ、十月二十日にデンマーク北端のスカーゲン岬沖で探索船から「不審船を目撃した」という知らせを受けると、周囲を航行するノルウェー、スウェーデンの漁船にいちいち砲口を向けるようになった。

　出港から六日目の十月二十日二十一時、最後尾の工作船カムチャッカから「日本の駆逐艦に追尾されている」という無電を受けた司令長官ロジェストヴェンスキーは、いよいよ神経過敏になって全艦に戦闘準備を命じた。

　日が改まった二十一日午前一時過ぎ、ドッガーバンク（イギリスからおよそ百キロ東方沖合の漁場）で探照灯に照らし出されたイギリス漁船数隻を日本の駆逐艦と間違えて砲撃し、民間人の乗った漁船を機銃掃射で穴だらけにするという大失敗を犯した。

　しかも、主砲から放った砲弾を全弾外した上に、僚艦の巡洋艦オーロラにのみ命中弾を喰らわせて大破させ、乗艦していた神父に腕を失う重傷を負わせるという醜態を演じて世界中から嘲笑を浴び、イギリス政府からは猛抗議を受けて莫大な賠償金の支払いを要求された。

　この事件ののち、バルチック艦隊はイギリス海軍から徹底的に嫌がらせを受けた。

　北海を航行中は、イギリス巡洋艦隊に付きまとわれた挙句に追い抜かれて、進路前方で艦隊運動をされるという挑発行為を受けた。

　スエズ運河の通過も「砲弾・石炭の過積載で喫水（水面から船底までの垂直距離）が深くなりす

ぎて通行不可」と事前にイギリスから通達されたため、主力戦艦部隊はバルト海のリバウ港からインド洋に到達するのに喜望峰を回らねばならず、スエズ運河経由の倍近い距離を航行せねばならなくなった。

さらにイギリスは「日英同盟」を盾に第三国にも睨みを利かせて、バルチック艦隊の石炭搭載を妨害した。

日英同盟の規約で「イギリスは日露の戦いには介入しないが、第三国がロシアに便宜を図った場合は宣戦布告する」ことになっていたからである。

そのため、バルチック艦隊がイギリス海峡を抜けて中立国スペインのビーゴ港に入港した時には、接岸しての石炭搭載を拒否され、洋上に漂いながらの困難な給炭作業を強いられた。

イギリスの恫喝に屈した同盟国フランスからも袖にされた。

アフリカ大陸西端のフランス領（現セネガル）ダカールでも入港を許されず、スペインのビーゴ港に寄港したときと同様に洋上での石炭搭載となった。

ポルトガル領アンゴラの港に立ち寄った際には、たった一隻の小型老朽艦に港から追い出されて喜望峰を回るまで石炭の搭載ができなかった。

十二月二十九日にスエズ運河を通過してくるフェリケルザム支隊との合流のため、フランス領マダガスカル島に立ち寄ったときも、軍港への入港を拒否され、三度《みたび》洋上での石炭と食糧の搭載となった。

バルチック艦隊はマダガスカル島の沖で七十七日間停泊するわけであるが、その間の一月には「旅順艦隊全滅」「旅順要塞の陥落」「黒溝台会戦での敗北」「血の日曜日事件」、三月には「奉天会戦での敗北」と悲報が届き、乗組員の士気は著しく下がった。

おまけに、ロシアを不倶戴天の仇とするオスマントルコにボスポラス海峡とダーダネルス海峡を閉じられて、ロシア黒海艦隊はバルチック艦隊に合流出来ず、商船に擬装した仮装巡洋艦数隻が、オスマントルコ軍の監視の目を掻い潜って合流するに止《とど》まった。

マダガスカル島を出港したあとも、イタリア領ソマリアで入港を拒否された。

インド洋を航行中は、アラビア半島南岸（現イエメン、オマーン）、インド、ミャンマー、マレーシアとイギリス領ばかりで何処にも停泊できず、長い航海に倦《う》んだ水兵の投身自殺が相次いだ。

水兵が入水自殺を図っても、士官が救助せずに放置したため信頼関係は損なわれ、水兵の抗命事件や反乱も続発した。

マラッカ海峡では日本駆逐艦の襲撃に怯え、夜は全乗組員が一睡もせずに狂ったように探照灯で海面を掃き続けた。

四月十四日、フランス領ベトナムのカムラン湾に入港したときにも、見切りをつけたフランス当局から邪険にされて、マダガスカル島に寄港したときと同様、乗組員の上陸は許されず、四度目も海上での石炭搭載となった。

連合艦隊はバルチック艦隊の動向を逐一イギリス海軍から得ていたが、その消息が四月二十二日にカムラン湾を出港したあと途絶えた。

バルチック艦隊がウラジオストックに入港するには、対馬海峡、津軽海峡、宗谷海峡の三つの何処かを通過することになるが、連合艦隊は、霧が発生しやすい宗谷海峡と機雷が撒かれている可能性が高い津軽海峡をバルチック艦隊が選ぶ可能性は低く、対馬海峡を通る公算が大きいと見て対馬海峡に哨戒網を張り巡らせていた。

しかし、五月二十日になってもバルチック艦隊の行方は掴めず、焦慮に駆られた連合艦隊幕僚らは、五月二十四日に旗艦三笠艦上で行われた会議で、バルチック艦隊は津軽海峡、もしくは宗谷海峡に針路をとったと判断して、東郷に津軽海峡へ移動を進言した。

東郷がその進言を聞き入れて津軽海峡への北上が決定しかけたとき、遅れて会議に加わった参謀長島村速雄のみが異を唱えた。

その根拠は、

一、バルチック艦隊はカムラン湾を出港したあと石炭を搭載する寄港地がない。
一、リバウ港から三万三千キロの大航海を続けてきたバルチック艦隊は艦が傷み、乗組員の疲労も極限に達している。太平洋側に迂回する余裕はない。

よってバルチック艦隊は必ず対馬海峡を通る、というものであった。

東郷は島村の意見を採択して五月二十八日までは対馬海峡に留まり、それでもバルチック艦隊が現れないときには津軽海峡に移動することを決断した。

それから三日後の五月二十七日午前四時四十五分、五島列島南西沖の東シナ海で、哨戒に当たっていた汽船信濃丸が対馬海峡に向けて東北東に航行中のバルチック艦隊を発見して、連合艦隊に打電した。

朝鮮半島南岸の鎮海湾に集結していた連合艦隊主力艦隊と、対馬近海、五島列島南西沖を警備していた巡洋艦・駆逐艦隊は一斉に出動した。

黄海を哨戒していた巡洋艦和泉も、無電を受けて洋上を駆けずり回り、二時間後の六時四十五分に、五島列島の北西約五十五キロの地点でバルチック艦隊を発見した。

和泉は丸腰の信濃丸に取って代わり、撃沈覚悟で八千メートルから九千メートルの距離を置いてバルチック艦隊の右舷側を並走しながら、バルチック艦隊の艦数、陣形、針路のほか「船体ノ色ハ黒、煙突ハ黄色」と逐一打電した。

バルチック艦隊は砲口を和泉に向けたものの、ロジェストヴェンスキーは隊列が乱れるのを嫌って、砲撃を禁じた。

東郷平八郎
(1848-1934)

九時には、対馬から出動した駆逐艦、朝霧、村雨、朝潮、白雲の四隻が、対馬海峡東水道で北上中のバルチック艦隊を発見して左舷側前方を並行し、十時三十分には、巡洋艦厳島、鎮遠、松島、橋立も五島列島北西沖で合流して、バルチック艦隊の左舷側に付いた。

十一時二十分に合流した巡洋艦笠置、千歳、音羽、新高は、バルチック艦隊との距離を三、四千メートルに縮めて挑発し、陣形を崩しにかかった。

それでもロジェストヴェンスキーは発砲を命じずに北上していったが、十一時四十分に、挑発に乗った戦艦オリョールの砲手が砲弾を放った。

巡洋艦・駆逐艦隊の挑発は続く。

十二時、駆逐艦、朝霧、村雨、朝潮、白雲の四隻が、大胆にもバルチック艦隊の進路を横切ったのである。

この日本駆逐艦隊の動きを機雷を撒いたと勘違いした司令長官ロジェストヴェンスキーは、駆逐艦隊が通過した海域を避けようとして、第一・第二戦隊に「右八点（九十度）一斉回頭」を命じて回避行動を取った
ところが、後続する第二戦艦隊の旗艦オスラービアが、第一戦隊最後尾のナヒーモフの信号旗を見落として直進したため、オスラービアに後続するシソイ・ウェリーキー、ナワーリン、ナヒーモフもオスラービアに倣《なら》い直進した。

そのため、第一戦艦隊が左八点（九十度）に一斉回頭して、針路を戻したときには、第二戦艦隊と並航する二列縦隊になり、陣形を立て直す間もないまま、東郷が待ち構える対馬海峡に突入してしまった。

待ち構える連合艦隊が、一万二千メートル南方にその艦影を捉えたのが十三時三十九分である。

バルチック艦隊の陣形が乱れているのを確認した東郷は、旗下の艦隊を西に進めてバルチック艦隊の進路の左舷側に出た。

その上で彼我の距離を八千メートルまで詰めてから、左十六点（百八十度）逐次回頭して並走し、バルチック艦隊が大陸側に逃れるのを遮断して並行戦に持ち込もうとした。

ただし、回頭時は、先頭を走る三笠は静止目標同然になり、後に続く敷島、富士、朝日、春日、日進はバルチック艦隊が照準を合わせた地点に自ら入る危険を冒すことになる。

しかも回頭中は、連合艦隊の各艦は右に大きく傾《かし》いで砲口が海面を向くため、砲撃ができない。

バルチック艦隊にとっては正に千載一遇のチャンスであった。

三笠が突如Uターンを始めたのを見た旗艦スワロフの幕僚たちは雀躍した。

ロジェストヴェンスキーは、すぐさま旗下の艦隊に砲撃を命じて三百発以上の砲弾を回頭中の三笠に叩き込んだ。

この砲撃で、三笠は四十発近く、続いて回頭した二番艦敷島は二十発以上被弾し、三番艦富士の後部主砲はへし折れ、六番艦日進の前部主砲の砲身は吹き飛ばされて海に落ちた。

しかし、陣形を立て直す最中だったバルチック艦隊は、正確に照準を合わせることが出来ず、連合艦隊第一戦隊六艦は致命傷となる被弾を免れた。

三笠以下、第一戦隊六隻が回頭を終えた十四時十分、彼我の距離六千四百メートルで、三笠がスワロフに向けて二度試射を行い、立ち上がる水柱の位置を見て距離を修正した。

三笠が三発目に放った砲弾は、スワロフの前部甲板に命中し、四発目が左舷装甲を貫通して艦内で爆発し、大火災が起こった。

三笠に後続する敷島、富士、朝日、春日、日進も、アレクサンドル三世、ボロジノ、オリョール目掛けて砲撃を開始すると、たちまちロシア第一戦隊四隻は火達磨になった。

バルチック艦隊の混乱はさらに続く。

紅蓮の炎に包まれた第一戦隊四隻が、単縦陣を組むために左舷側を並行する第二戦隊の前に出ようと速力を増したため、第二戦隊の旗艦オスラービアは追突を避けるために減速せざるを得なくなった。

その間、連合艦隊第一戦隊に次いで、第二戦隊の巡洋艦隊出雲、吾妻、常磐、八雲、浅間、磐手が回頭を開始した。

バルチック艦隊第二戦隊は、炎上している第一戦隊に代わって連合艦隊第二戦隊を砲撃し、五番艦浅間を大破させて隊列から落伍させたが、他の五艦に回頭を許した。

直後に、回頭を終えた第二戦隊五艦が、減速したオスラービアに集中砲火を浴びせかけた。オスラービアの煙突は吹き飛び、マストは倒れ、砲身はねじ曲がって大火災が起こった。

後続するシソイ・ウェリーキー、ナワーリン、ナヒーモフも減速を余儀なくされたところで滅多打ちに遭い、ロシア第一・第二戦隊が漸《ようや》く単縦陣を組んだときには、八隻全艦が猛火に包まれて完全に戦闘力を失った。

戦列後方での巡洋艦隊同士の砲戦も、巡洋艦笠置と高千穂が被弾して戦列から離れたものの、巡洋艦オレーグ、アヴローラ、ウラル、特務船カムチャッカを大破させ、曳舟ルースを撃沈、病院船アリョールとカストローマを鹵獲《ろかく》して対馬の三浦湾に曳航するなど、日本側がロシア側を終始圧倒した。

バルチック艦隊第一・第二戦隊は、炎上しながらも対馬海峡を抜けようと、一路ウラジオストック港を目指したが、十四時五十分にオスラービアの左側舷に砲弾が直撃して大穴が開き、そこから海水が流入してオスラービアは左舷方向に大きく傾き、隊列から落伍した。

傾斜が増してゆく甲板を乗組員たちは右舷へと這い上がっていったが、ついには横倒しとなり、乗組員は甲板から海中に落下していった。

その直後に、新たに飛来した砲弾に艦首を砕かれて、前方からも大量の海水が流入し、舳先から海中に沈み始めた。

やがてオスラービアはスクリューを天に突き立て、海に投げ出された乗組員を巨大な渦に巻き込みながら、十五時六分に海中に没した。

ロシア駆逐艦隊が救助に向かったが、乗組員およそ九百人中五百四人が戦死もしくは溺死した。

オスラービアが隊列から離脱したのと同時刻の十四時五十分、第一戦隊の先頭を行く旗艦スワロフも舵機を壊されて航行不能となり、列外へ出たあと円を描いて北上していった。

スワロフの変針を舵機の故障と見抜いた二番艦アレクサンドル三世の艦長ブフウォストフは、後続する艦艇に「我ニ続ケ」と命じる信号旗を掲げて直進したが、三笠に座乗する司令長官東郷と幕僚は、スワロフの変針を舵機の故障と見抜けず、後続する敷島、富士、朝日、春日、日進に「左八点（九十度）一斉回頭」を命じて、スワロフを追撃して戦域から離れていってしまった。

バルチック艦隊を取り逃がしかねない東郷の判断ミスを補ったのが、ウラジオストック艦隊の殲滅に手間取り、国内で厳しい批判に晒《さら》された第二艦隊司令長官上村彦之丞である。

ブフウォストフ同様に、スワロフの変針を舵機の故障と見抜いた上村は、東郷の挙げた信号旗に従わず、後続する艦艇に直進を命じてロシア第一戦隊に距離三千メートルにまで肉薄し、砲撃を開始した。

戦艦に比べ、火力・装甲で格段に劣る巡洋艦隊がロシア主力艦隊に戦いを挑むなど自殺行為に等しいが、すでに壊滅的な打撃を受けて戦闘力を失くした七隻のロシア主力艦隊は、一方的に撃たれ続け、アレクサンドル三世は左側舷の喫水部を破られて海水が流入し、左に傾いた。

上村艦隊は、戦闘海域に戻ってきた第一戦隊と共にバルチック艦隊を追撃したが、洋上に立ちこめる濃霧と、バルチック艦隊の煙突から立ち昇る騰煙《とうえん》、火災による黒煙に視界を遮られて、十六時五十分に取り逃がしてしまった。

この時点で、連合艦隊が屠《ほふ》ったロシア艦艇はオスラービア一隻のみである。

しかし、バルチック艦隊の大半の艦艇は、完膚なきまでに叩きのめされて、鉄屑同様になるほどの被害を受けていた。

十六時四十分、東郷は残敵を求めて駆逐艦・水雷艇六十隻を洋上に放ち、戦艦・巡洋艦隊も洋上に散った。

十八時過ぎ、巡洋艦須磨、和泉、千代田、秋津洲が、対馬海峡で漂泊していたスワロフを発見して止《とど》めを刺しにかかったが、砲弾を何発叩き込んでも沈まず、十九時に合流した駆逐艦から放たれた魚雷を二発受けると、スワロフは遂に転覆して艦尾から海中に没した。

スワロフが発見されたのとほぼ同時刻、三笠を先頭にした第一戦隊が、対馬海峡を抜けて北上する戦艦ナワーリン、シソイ・ウェリーキー、ボロジノ、アレクサンドル三世を発見した。

四隻のロシア艦艇は、一路ウラジオストックを目指して逃走を図ったが、七か月の航海で船底に貝や海藻が付いていたため速力が出ずに追いつかれ、袋叩きに遭った。

戦艦ナワーリン、シソイ・ウェリーキー、アレクサンドル三世は、艦首が沈下しながらも日本第一戦隊の追跡を振り切ったが、ボロジノは傾斜して航行不能となり、洋上を漂うだけになった。

十九時十分、戦艦富士に発見されたボロジノは、距離六千メートルから砲撃を受け、被弾した。ボロジノを包んだ猛火は弾薬庫で誘爆を引き起こし、二度大爆発を起こして十分後に沈没した。

乗組員八百六十五名が死亡し、生き残ったのは一人だけである。

逃走したアレクサンドル三世も、直ぐに追いつかれて完膚なきまで叩きのめされ、転覆した。

その後、アレクサンドル三世は、船底を晒したまま二時間ほど浮かんでいたが、二十一時二十分ごろ沈没して、乗員八百六十七人全員が死亡した。

この時点で、東郷は戦艦による戦闘を終了し、巡洋艦隊と六十隻の駆逐艦、水雷艇を放って、日本海に逃れたロシア艦艇を虱潰《しらみつぶ》しに屠りにかかった。

二十二時、水雷艇に発見された戦艦ナワーリンは、左舷前方に魚雷を受け、艦首が沈下して航行不能となった。二十八日午前一時ごろから二時にかけて、別の水雷艇から二度にわたる魚雷攻撃を受け、都合五発の魚雷を喰らって、午前二時三十分ごろ沈没した。

乗組員七百三人中、生存者は三人だけである。

艦首が水没寸前まで沈下していた巡洋艦アドミラル・ナヒーモフは、二十八日午前五時ごろ発見されて降伏し、全乗組員六百二十六人が救助されたあと、午前九時に駆逐艦の魚雷で沈められた。

残存する戦艦ニコライ一世、オリョール、巡洋艦イズムルード、装甲海防艦アプラクシン、セニャーウィンの五隻も、午前五時に連合艦隊の戦艦と巡洋艦二十七隻に包囲されて降伏した。

イズムルードのみが追撃を振り切ったが、豆満江《トマンコウ》（現・北朝鮮、ロシア国境近くの河川）河口近くで座礁したため、乗組員は艦を乗り捨てて、陸路ウラジオストックに向かった。

巡洋艦スヴェトラーナは、二十八日午前七時十二分に鬱陵島《ウルルン》南方約八十キロ沖合で、巡洋艦音羽と新高に発見され、砲弾を撃ち尽くすまで戦ったあと、キングストン弁を開いて自沈した。百七十人が戦死し、二百九十一人が仮装巡洋艦亜米利加丸に救出された。

蔚山《ウルサン》の北東約六十キロ沖で、艦首を沈下させて漂泊していた戦艦シソイ・ウェリーキーは、二十八日午前七時二十分に、巡洋艦信濃丸、台南丸、八幡丸に発見されて降伏し、六百十三人が救出されたあと、曳航中の午前十一時二分に沈没した。

魚雷を喰らって大破していた装甲巡洋艦ウラジミール・モノマーフの乗組員は、輸送船佐渡丸に救助されたあと、午前二時三十分に対馬の東方五十キロ沖合で沈没した。

巡洋艦ウシャーコフは、十七時三十分に対馬海峡から二百三十キロ北東で日本艦隊十二隻に包囲され、降伏を勧告されたが従わずに砲戦となり、砲弾が尽きた十八時十分にキングストン弁を開いて自沈した。乗組員四百二十二人中八十三人が戦死し、三百三十九人が収容された。

巡洋艦ドミトリー・ドンスコイは、二十八日十七時五十分ごろ、鬱陵島の南方約九十キロで日本巡洋艦と駆逐艦十二隻に包囲され、砲撃を撃ち尽くすまで戦ったあと逃げた。

乗組員は艦を乗り捨てて鬱陵島に上陸したが、翌日に投降した。

巡洋艦オレーグ、アヴローラ、ジェムチュクは、アメリカ領マニラに逃げ込み、抑留された。

バルチック艦隊の損害は、三十八隻中撃沈十九隻、逃走中に沈没一隻、自沈一隻、鹵獲《ろかく》五隻、抑留八隻で、リバウ港を出港時に一万二千八百人いた乗組員のうち、戦死が四千七百人、捕虜は六千百人で、負傷者数は不明である。

なお、ウラジオストックまで逃げ切った艦艇は、巡洋艦アルマーズ、駆逐艦グローズヌイ、ブラーヴィ、輸送船一隻の四隻のみであった。

対する連合艦隊の損害は、水雷艇が三隻沈没しただけで、戦死百十七人、負傷五百八十三人と、日本側のパーフェクト・ゲームとなった（『海の史劇』吉村昭　新潮文庫　参照）。

七月に入ると、日本政府は講和会議を見据えて、ロシア兵七千人が守る樺太へ二個旅団を派兵し、七月三十一日にロシア軍に戦死百八十人、捕虜七千三百人の損害を与えて、樺太全島を占領した。

この時点で、日本政府はルーズベルトに講和会議の斡旋を依頼した。

快諾したルーズベルトは、駐米ロシア大使を通じてニコライ二世に講和会議のテーブルに着くよう勧めた。

さらに勝手なもので、日露戦争の仕掛け人であるドイツ皇帝ヴィルヘルム二世までもが、ニコライ二世に講和に応じるよう書簡を送った。

ヴィルヘルム二世にとってロシアが弱体化するのは願ってもないことであったが、帝政が倒されるようなことになって、その余波がドイツに及ぶのを恐れたからである。

この二人に促され、漸くニコライ二世は講和のテーブルに着く決心をした。

何とか講和会議まで漕ぎつけた日本政府が締結しなければならない必須の条件は、
一、ロシアは日本の韓国に対する保護・指導に干渉しないこと
一、ロシア軍の満洲からの撤退と清国への占領地の返却
一、ロシアが清国から得ている旅順、大連の租借権及び、南満洲鉄道（旅順・哈爾濱《ハルビン》間）の日本への譲渡
の三点である。

しかしこれだけでは、重税に耐え、一家の働き手を戦争で失った国民が、暴動を起こす可能性が極めて高かった。

そのため、

一、日本が戦争に費やした戦費と損害に対する賠償金の支払い
一、樺太全島の日本の領有

の二条件も認めさせねばならなかった。

しかしこの二条件を提示すれば、戦争を継続する余力があるロシアを刺激して、その場で交渉が決裂する恐れがあった。

日本政府の要求を事前に知った満洲軍総参謀長児玉源太郎は「桂（首相）の馬鹿が、賠償金を取ろうとしている」（『ポーツマスの旗』吉村昭　新潮社　原文ママ）と周囲に嘆くほど、日本は兵力、戦費共に底をつきかけていたのである。

この厄介な交渉を任されたのが外務大臣小村寿太郎、対するロシアの全権は元・大蔵大臣（財務大臣）セルゲイ・ウィッテであった。

交渉前から追い詰められた立場に立たされていた小村に対し、戦争継続能力があるロシア全権ウィッテの方が圧倒的に有利な立場にあった。

しかし、ウィッテも講和会議が決裂すれば、国内の主戦派から突き上げを食い、ニコライ二世や和平派からは信を失って失脚する恐れがあった。そのため是が非でも講和を成立させねばならなかった。

八月十日からポーツマス市の海軍工廠で始まった講和会議で、日本側が提示した必ず締結しなければならない三条件についてロシア側に異存はなく、比較的容易に合意に達したが、「賠償金」と「樺太の譲渡」に関して話し合いは平行線を辿った。

ウィッテは落とし所として、樺太の北緯五十度を境界線として二分割する案を出した。

この提案に対し、小村は、日本が占領している樺太の北半分を返還する見返りとして、十二億円の賠償金を要求した。

この小村の要求にウィッテが同意して、双方合意に達しかけたが、ニコライ二世からウィッテに「一握りの領土も一ルーブルの賠償金も日本に与えてはならぬ」と横やりが入った。

日本にとって全島を占領している樺太を返還するなど、国家の威信にかかわる問題であり、応じられるわけがなかった。

一方のウィッテもニコライ二世の厳命に逆らうことは出来ず、会議は紛糾した。

日露代表団は協議を重ねたが、妥協点を見出すことが出来ずに交渉は決裂の危機を迎え、八月二十九日午前十時に最後の会議を開くことに決まった。

小村とウィッテは、本国政府に会議の成り行きを打電して指示を待った。

そして、小村からの電報で会議の成り行きを知った桂内閣の元老、閣僚たちは遂に音《ね》を上げた。

鳩首協議の末、「日本が占領している樺太の返還」と「賠償金十二億円の放棄」を決定し、日本時間の二十八日二十時四十分に、ポーツマスの小村に早急に講和を締結するよう打電した。

日本側の全面譲歩である。

その緊急電報を現地時間の二十八日午前十一時に受け取ったポーツマスの小村は、本国政府の決定に従い、翌日に行われる最後の会議で、まず「賠償金」の要求を撤回してロシア代表団の反応を窺い、それでもロシア側が講和妥結に応じなければ、「樺太全島の返還」を切り出すことにした。

ところがニコライ二世も、強気一辺倒の態度とは裏腹に内心怯えていた。

日露戦争の勃発後、首都サンクトペテルブルクでは、帝政打倒のテロ活動が活発化していたのである。

開戦から四か月後の六月六日には、フィンランド総督として赴任していたロシア軍少将ニコライ・イワノビッチ・ボブリコフが銃殺され、七月二十八日には対日開戦を主張した内務大臣プレーヴェが、馬車に乗っていたところを爆殺された。

ニコライ二世自身の身にも危険が及ぶようになった。

開戦翌年の一九〇五年一月十九日、自身が出席した冬祭りで、ネヴァ川対岸から突如発射された砲弾が、冬宮広場で炸裂したのである。

ニコライ二世に怪我はなかったが、市民数人が負傷する騒ぎとなった。

その三日後の一月二十二日には、一万人を超える市民が「戦争の終結」を訴えて冬宮の周囲を行進した。

ニコライ二世は、治安部隊に武力鎮圧を命じて四千人を超える市民を死傷させ、力尽くでデモを抑え込んだ（「血の日曜日事件」）が、その二十六日後に、ニコライ二世の叔父であるモスクワ総督セルゲイ・アレクサンドロヴィッチが、爆弾を投げつけられて即死するという報復としか考えられない爆破テロが起きた。

その背後には、開戦までサンクトペテルブルクで駐在武官をしていた陸軍大佐明石元二郎の暗躍があった。

一九〇四年二月の日露間での国交断絶後、サンクトペテルブルクを離れた明石は、スウェーデンの首都ストックホルムに拠点を移して反ロシア地下組織に接近し、政府から託された百万円（二〇二〇年の貨幣価値で四百億円以上）を使って、二万丁以上の銃と爆弾をばら撒いていたのである。

しかも、ポーランド、フィンランド、ウクライナにも飛んで「反ロシア活動」を後押ししたため、ロシア支配下の国々でデモが激化して、軍隊を投入しても抑えきれなくなっていた（『動乱はわが掌中にあり』水木楊　新潮社　参照）。

軍紀も緩んでいた。

一九〇五年六月十四日には黒海艦隊に所属する戦艦ポチョムキンで、食事に出されたスープに蛆の湧いた肉が入っていたことに激怒した水兵たちが反乱を起こし、艦長と士官を射殺して船を乗っ取ると、海軍司令部を砲撃したあと、ルーマニアまで逃亡したのである。

早急に講和を成立させなければ、自身もフランス革命で首を落とされたルイ十六世の二の舞いになってしまうことをニコライ二世は恐れた。

講和会議は、日本政府、ニコライ二世、小村、ウィッテのチキンレースと化していたのである。

そして先に泣きを入れたのは、ニコライ二世であった。

駐露アメリカ大使メイヤーに「樺太の南半分を日本に譲る意思がある」と伝え、ルーズベルトに講和成立の斡旋を依頼してきたのである。

メイヤーは、直ぐにニコライ二世の真意をルーズベルトに報告して、そのあと駐露イギリス大使にも漏らした。

それが駐日イギリス大使マクドナルドに伝えられ、日本時間二十九日午前零時三十分にマクドナルドから外務省にもたらされたのである。

外務省から連絡を受けた日本政府の閣僚たちは衝撃を受けた。

それはマクドナルドからもたらされた内容もさることながら、仲裁者であるルーズベルトが、日本の運命を左右するこの重要事項を小村に伝えず、握り潰していたことが判明したからである。

しかもルーズベルトは、小村に「国際世論を味方に付けるには、賠償金の要求を取り下げる方が得策である」と進言していた。

ルーズベルトは内心では日本を敵視していたか、もしくは講和交渉を一旦決裂させてから仲裁に入り、自身が講和を成立させて世界から称賛を浴びようと目論んだのかもしれない。

このときの日本政府に知る由もないが、この講和会議の翌年、ルーズベルトは日露戦争の終結に尽力した功労者としてノーベル平和賞を受賞するのである。

いずれにしろ、ルーズベルトが善意の仲裁者でないことを悟った日本政府の閣僚と元老たちは、日本時間二十九日午前二時に、先刻発信した「全面譲歩案」のロシア側への手交を見合わせるよう小村に至急電を発信したあと、駐日イギリス大使マクドナルドに再度確認したうえで皇居に赴き、天皇の裁可を得て、

「賠償金の放棄」に変更なし。「樺太全島の返還」を取り消し「樺太の北緯五十度以南」を要求せよ。

という修正電報を、日本時間二十九日午前六時に小村に発信した。

日本政府からの「全面譲歩」を指示する訓令が小村に届いたのは、ポーツマスの現地時間二十八日正午過ぎであった。

その五時間後の十七時には「全面譲歩の手交を見合わせよ」と指示する修正電報が届き、さらに二十一時に「南樺太の領有を主張せよ」との訓令である。

小村は本国政府の意図を解しかねたが、何らかの方法でロシア側の情報を得たに違いないと推測し、訓令通りにウィッテに手交する条文の修正に入った。

そのころウィッテらロシア代表団は、ニコライ二世から届いた妥協案が「南樺太の譲渡」だけに止まっていることに失望し、今までの小村の強硬な態度から見て、このような回答書を日本政府が受け入れるわけもなく、戦争継続は必至と見ていた。

そのため、小村がロシア側の回答を拒絶すれば、その場で随行員に合図を出して、本国政府に「交渉決裂」を打電する手筈を整えていた。

それは、満洲で日本軍と対峙するロシア軍の即時攻勢に繋がることになっていた。

現地時間八月二十九日午前十時、最後の会議の冒頭で、ウィッテは日本側の要求に対する回答書を手渡した。

そこには「ロシア政府はロシア軍捕虜の食費・宿泊料以外、日本への一切の金銭の支払いを拒否する。なお日露友好のため、北緯五十度以南の樺太の日本への譲渡に同意する」と記されていたのである。

一読した小村は表情を消したまま、新たに作成した日本政府の要求書をウィッテに手交した。

そこに記されていた日本政府の「賠償金の要求撤回」と「樺太の領有は北緯五十度以南に止《とど》める」という二つの譲歩案を確認して顔を紅潮させたウィッテは、声が上ずるのを抑えるように「日本政府は皇帝陛下の主張を受け入れ、賠償金の要求を取り下げた。ならば、ロシア帝国は貴国の譲歩案を受け入れざるを得ない」と述べて日本側の妥協案を受け入れ、既《すんで》の所で交渉における敗北は回避された。

そのあと両国代表団は議事録作成に取りかかり、署名を終えて散会した。

翌日からは「満洲からの日露両軍の撤収時期」や「捕虜の返還」など詰めの話し合いが行われ、九月五日に講和条約に調印して日露戦争は終結し、アジアからロシアの脅威は去った。

が、講和内容が報じられるや、日本国民の怒りが爆発した。

全国各地で、講和条約締結に反対する抗議集会が開かれ、東京では、集会終了後に聴衆が暴徒となって都内各所でキリスト教会や派出所に火を放ち、講和条約締結を評価した新聞社を襲撃した。

小村の家族が住む官舎にも暴徒が詰めかけ、火の付いた藁束を庭に投げ入れて、庭内に乱入してきたため、小村の家族は死を覚悟する事態となった。

救出に向かった軍隊が着剣した小銃を構えると、暴徒は撤収して事なきを得たが、小村の妻町子は精神に異常をきたし、生涯正常に戻ることはなかった。

小村が帰国する際には、何処《どこ》で小村が暗殺されるかの賭けが国民の間で行われ、厳戒態勢が取られた。

帰国した小村を待ち受けていたのが、日本がロシアから譲渡された南満洲鉄道の経営に、アメリカの鉄道王ハリマンが参入するという話であった。

小村の留守中に、元老伊藤博文、井上馨、首相桂太郎らが、ハリマンから持ちかけてきた共同経営の話に同意してしまったのである。

日本とハリマンの資本比率は一対一であったが、十五億円の戦費を費やしてロシアと戦い、一円の賠償金も取れなかった日本に財源など無く、潤沢な資金を持つハリマンに参画を許せば、いずれ乗っ取られるのは目に見えていた。

幸い覚書を交わしただけで、正式調印には至っていなかった。

小村は、四万を超える将兵の血を吸った南満洲の鉄道経営権を守るため、伊藤、井上、桂のもとを訪れ、ハリマンの参入がいかに愚挙であるかを説いて、ハリマンに覚書の破棄を通告してしまった。

日本人は気づかなかったが、このとき日本は、アメリカを決定的に敵に回したのである（『ポーツマスの旗』吉村昭　新潮社　参照）。

そしてロシアの敗北は、未曾有の惨禍を引き起こす。

二度の世界大戦である。


日露戦争の仕掛け人ヴィルヘルム二世は、目論み通りに日露間の緊張が高まっている間に、イギリスの利権を奪うための布石を着々と打った。

一八九九年に、念願であったバルカン半島での鉄道敷設権をオスマントルコから獲得すると、一九〇三年からバグダッド鉄道の建設に着工して、ついにメソポタミアの油田とインドに触手を伸ばし始めた。

イギリスは、極東でロシアと戦う日本を支援する一方で、インドの利権を守るためにドイツとの喧嘩に加勢してくれる国を模索し始めた。

そして選んだのが、ドイツにアルザス・ロレーヌ地方を奪われたフランスである。

英仏は、過去に北米とインドを巡って争い、アフリカ争奪戦でも、軍事衝突直前にまで関係が悪化していたが、共通の敵ドイツを叩き潰すため、一九〇四年四月八日に「英仏協商」を結んだ。

そのフランスであるが、日露戦争が勃発してイギリスが日本に肩入れしていたころ、財政危機に陥っていたモロッコに多額の資金を融資して金で縛り、乗っ取る計画を推し進めていた。

ところが、日露戦争でロシア軍が連戦連敗し、血の日曜日事件まで起こって、ロシアに帝国崩壊の兆しが見え始めると、フランスにも火の粉がかかるようになった。

露仏から挟撃されても勝てる見込みが出てくると、ヴィルヘルム二世は、フランスがモロッコを独り占めすることに異を唱えるようになったのである。

モロッコは、リン鉱石や天然ガスといった鉱物資源が豊富なだけでなく、地中海と大西洋を繋《つな》ぐジブラルタル海峡の南側に位置する貿易・軍事上の要衝であり、ここを押さえれば、地中海沿岸諸国を意のままに操ることができる。

ヴィルヘルム二世は、ジブラルタル海峡を押さえて地中海の制海権をも握ろうと目論んだ。

ヴィルヘルム二世にとって、瀕死のロシアはもはや敵として数に入っておらず、英仏二か国との喧嘩なら勝てると思ったうえでの行動である。

そして、奉天会戦でもロシア軍が敗れ、日露戦争の勝敗がほぼ決した一九〇五年三月三十一日、ヴィルヘルム二世は、モロッコの港町タンジールを直々に訪れ、スルタン（国王）アブドゥル・アジズに「モロッコの独立支持」を表明して、暗にモロッコから手を引くようフランスに迫った（「第一次モロッコ事件」）。

もはやドイツと英仏との戦争は不可避となりつつあった。

ヴィルヘルム二世の覚悟を見て取ったイギリスは、日露戦争で散々足を引っ張ってきたロシアにも接近を図った。

イギリスとロシアは、極東だけでなく中央アジアでも火種を抱えていた。

イギリスは、カザフスタンからもインド洋に向けても南下を図るロシアを、インドの権益を脅かす存在と見なし、国境線の策定を巡って対立していたのである。

しかし、地中海への南下策も推し進めてきたロシアにとっても、バルカン半島へのドイツの鉄道敷設は看過できない問題であった。

利害が一致した両国は会談を重ね、インド北西部（現パキスタン）をイギリス領、アフガニスタンをロシア領にすることで手打ちとし、一九〇七年に「英露協商」を結んで、ドイツに対抗することにした。

これにより、一八九四年に締結された「露仏同盟」と一九〇四年の「英仏協商」を合わせて「三国協商」が成立した。

イギリスとロシアを味方に付けて強気になったフランスは、一九一一年にモロッコ最大の商業都市カサブランカで、外国人排斥運動が激化して白人九人が殺害されるという事件が起こると「在留フランス人の保護」という口実でカサブランカに派兵して、再びモロッコ支配を目論んだ。

ところが、ヴィルヘルム二世は三国協商に怯むことなく、砲艦パンターをモロッコ大西洋岸の港湾都市アガディールに急派させ、砲口をフランス軍駐留地に向けて、モロッコから手を引くよう凄んだ（「第二次モロッコ事件」）。

ドイツの砲艦外交に屈したフランスは、中央アフリカのフランス領（現ガボン、コンゴ共和国、中央アフリカ共和国、チャド）をドイツに譲ることでモロッコから手を引いてもらった。

その総面積であるが、二百五十一万六千六百平方キロメートルという広さで、モロッコの面積の五・六倍である。

アルザス・ロレーヌ地方に続き、またしてもフランス領をせしめたドイツであったが、フランスから更なる恨みを買った。

この年、英仏は極秘の参謀本部会議を開き、フランスがドイツとの戦争に踏み切った場合、イギリスは、派遣軍を送ってフランス軍の左翼を受け持つことを取り決めた。

列強諸国のドイツに対する恐れと不満は募っていった。

第七章　引き金

バルカン半島はヨーロッパ、アジア、アフリカを結ぶ陸上交通の要衝であり、太古から、セルビア人、ブルガリア人、オーストリア人、クロアチア人、イタリア人、ギリシャ人など多くの民族が流入し、混住してきた。

そのため、言語や宗教、文化の違いから民族間の紛争が絶えず、憎悪が渦巻き、魑魅魍魎が跋扈する混迷の大地であった。

加えて、地中海、エーゲ海、黒海に囲まれ、貿易面、軍事面でも極めて重要な地であるため、絶えず異民族の侵入を受け、紀元三三〇年には東ローマ帝国への隷属を余儀なくされ、十五世紀にはオスマントルコの支配下に入った。

アナトリア半島の片隅から勃興したオスマントルコは、急激に勢力を増して、十六世紀にはバルカン半島、コーカサス、メソポタミア、パレスチナ、アラビア半島沿岸、北アフリカ北岸まで領有する大国となった。

しかし、十八世紀に入ると、ロシアの侵入に悩まされるようになり、延べ十回に及ぶ露土戦争で、黒海北岸とクリミア半島を奪われたのは既に記した通りである。

度重なるロシアとの戦いで、オスマントルコは著しく疲弊し、往年の力を失った。

オスマントルコは、支配下の異民族に対して「宗教の自由」と「自治権」を認める寛容な政策を敷いていたが、この機に乗じて、バルカン半島の諸民族が一斉に蜂起した。

バルカン半島を狙うロシアがこの民族運動を後押しして、セルビア、ギリシャ、ルーマニア、ブルガリアが、次々と独立を勝ち取っていった。

オスマントルコの支配から脱したバルカン諸国は、直ぐに領土拡張に奔《はし》った。

一九一二年、地中海への南下を目論むロシアが裏で糸を引き、セルビア、ブルガリア、ギリシャ、モンテネグロの四か国が「バルカン同盟」を結成してオスマントルコに宣戦布告し、バルカン半島に残されていたトルコ領マケドニアを奪った（「第一次バルカン戦争」）。

翌一九一三年、そのマケドニアの取り分を巡って仲間割れが起こり、ブルガリアが、セルビアとギリシャに宣戦布告した（「第二次バルカン戦争」）。

この戦争でブルガリアを破ったセルビアとギリシャは、ブルガリアの最初の取り分であったマケドニア領まで巻き上げて、二国で分け合った。

更なる領土拡張を目指すセルビアは、オーストリア領のボスニアとヘルツェゴビナの奪還を目論んだ。

この二州には紀元前から多くのセルビア人が住んでおり、セルビアとしては元々自国の領土であるという認識を持っていた。

ところが一九〇八年に、オーストリアがこの二州を「自分たちの領土である」と一方的に宣言して併合してしまったのである。

二州に住むセルビア人は、再び異民族の支配下に置かれたことに強い怒りを抱き、反オーストリア活動を活発化させると、その民族運動をセルビア政府が後押しして、オーストリアを内部から揺さぶった。

激化するセルビア人の民族運動に手を焼いたオーストリア政府は、二州に住むセルビア人を威嚇するため、一九一四年六月二十七日に、ボスニア州サラエボで兵士二千人による軍事演習を行った。この演習に、オーストリア皇太子フランツ・フェルディナンド夫妻が閲兵に訪れた。

翌日午前十時、皇太子夫妻は、サラエボの市役所で開かれる歓迎会に出席するため、オープンカーでサラエボ市内へ入った。

車列はサラエボ市内を東西に流れるミリヤッカ川沿いの道路を東に進み、会場に向かった。沿道は、皇太子夫妻を一目見ようとする多くの群衆で埋め尽くされ、この地に住むセルビア人たちは、新たな支配者に憎悪と好奇の目を向けた。

その群衆の中に、皇太子の命を狙う七人のテロリストが潜んでいた。

十時十分、オープンカーが市庁舎まで残り二キロのチュムリヤ橋に差しかかった所で、商店が立ち並ぶ北側の沿道から車道に出てきたテロリストの一人が、車の中めがけて爆弾を投げ込んだ。が、投げるタイミングが遅れた。

爆弾は、車体後部に折り畳まれていた幌に当たって跳ね返り、沿道に落ちた。そこを後続車が通過するときに爆弾が爆発して、後続車に乗っていた侍従武官ワルディック伯爵と副官のメリッチ中佐の他、沿道にいた群衆二十人ほどが負傷した。

辺りが悲鳴と喧騒に包まれる中、皇太子を乗せた車は猛スピードで市庁舎に向かった。爆弾を投げつけた男は取り押さえられ、残りのテロリスト六人は皇太子の暗殺を諦めて、現場を後にした。

市庁舎に着いた皇太子は市長から歓迎の言葉を受けたが、警備の不備に対する不満を市長にぶつけた。

座はしらけ、気まずい雰囲気が会場に流れた。

歓迎会は早々に打ち切られ、皇太子夫妻は予定を変更して、爆弾で負傷した人々を見舞ったあと帰路に就くことになった。

他にもテロリストがいることを警戒した警備本部は、帰りのコースを変更することにした。ところが、このコース変更が、先導車の運転者に伝わっていなかったのである。

帰路に就いた先導車の運転手は、往路と同じミリヤッカ川沿いの道を西に向かい、十一時十分、最初の予定通りに右手に見えるシラー食品店の前を右折して、フランツ・ヨーゼフ街へ向かおうとした。

皇太子の車に同乗していたボスニア総督が先導車の間違いに気づき、大声で直進するように命じると、先導車の運転手が方向を変えようと車を一旦停止させたため、皇太子夫妻を乗せた後続車も

フェルディナンド皇太子（1863-1914）と皇太子妃ゾフィー（1868-1914）

シラー食品店の前で止まった。

まさにその時、たまたまシラー食品店でサンドイッチを買って店から出てきた客が、暗殺決行を諦めたテロリストの一人だったのである。

店を出たテロリストの目の前にフェルディナンド夫妻を乗せた車が停まっていた。

テロリストが慌てて発砲した銃弾は、手元が狂って手前にいた皇太子妃ゾフィーの腹部を貫き、二発目がフェルディナンドの首に命中した。

ゾフィーはフェルディナンドの膝の上に倒れこみ、フェルディナンドの首から迸《ほとばし》る鮮血は着用していた軍服を赤く染め上げた。

フェルディナンド夫妻を撃った男は拳銃自殺をしようとしたが、その場で取り押さえられた。

フェルディナンド夫妻を乗せたオープンカーは、猛スピードで二人を総督官舎へ運んだが、ゾフィーはすぐに絶命し、ゾフィーを気遣った皇太子も十五分後には息を引き取った（「サラエボ事件」）。

第八章　炎上

襲撃者二人に対する厳しい取り調べが行われ、大がかりな背後組織が浮かび上がった。

二人はセルビア人で、爆弾を投げつけたのはネデリュコ・チャブリノヴィッチという植字工、拳銃で皇太子夫妻を撃ったのはガブリロ・プリンツィプという学生で、ともに十九歳であった。

二人に武器を与えたのは「ツルナ・ツカ（黒い手）」と呼ばれるセルビアの勢力拡大を謀る過激テロ組織であり、その背後で糸を引いていたのがセルビア陸軍少佐ミラン・プリビチュビッチであることが判明した。

オーストリアの首都ウィーンは騒然となった。

激高した市民が、セルビア大使館とセルビアを支援しているロシア大使館に殺到し、大使館を取り囲んで怒声を上げた。

一方、オーストリア政府は「皇太子夫妻死亡」の報に沸き立った。

セルビアに戦争を仕掛ける絶好の口実が出来たのである。

皇帝フランツ・ヨーゼフはセルビアとの戦争を渋ったが、政府高官たちは八十三歳になる老帝を一喝した。

フランツ・ヨーゼフがセルビアとの戦争に乗り気でなかった理由であるが、暗殺されたフランツ・フェルディナンドはフランツ・ヨーゼフの実子ではない。甥である。

フランツ・ヨーゼフには実子の皇太子ルドルフがいた。

ルドルフには妻と六歳の娘があった。

妻は、ゴムの原料ラテックスの採取でコンゴの黒人一千万人以上の命を奪ったあのベルギー国王レオポルド二世の娘である。

夫婦仲は冷え切っていたと言う。

ルドルフは、一八八九年、三十歳の時に、十六歳の男爵令嬢マリー・ヴェッツェラと恋に落ち、ウィーンの森にある狩猟館で心中している。

皇位継承者でありながら「帝政否定」を唱える自由主義者と気脈を通じていたルドルフを、フランツ・ヨーゼフが指示を出して暗殺したという説や、妻との不和に絶望したのが原因という説があるが真偽は不明である。

ともあれ、嫡子ルドルフを失ったフランツ・ヨーゼフは、甥のフェルディナンドを皇太子に据えた。

そのフェルディナンドもフランツ・ヨーゼフに背信行為を行った。

一九〇〇年に貧乏伯爵の娘ゾフィー・ホテクと結婚してフランツ・ヨーゼフを激怒させ、二人の間に生まれる子供の皇位継承権は剥奪されていたのである。

そのため、フランツ・ヨーゼフは、フェルディナンドの死にさほど痛痒を感じなかったのかもしれない。

話を戻そう。

オーストリア外相ベルヒトールトは、帝国議会で対セルビア開戦に踏み切ることに意見を取りまとめると、コンラート参謀長と共にベルリンに赴き、ヴィルヘルム二世にセルビアとの戦争への協力を仰いだ。

ヴィルヘルム二世は「オーストリアとセルビアとの戦いにロシアが介入するようなことがあれば、ドイツはオーストリアを全面支援することを確約する」と快諾し、ドイツ首相ベートマン・ホルヴェークは、セルビアに対し強硬手段に出るようベルヒトールトを焚き付けた。

さらにヴィルヘルム二世は、ウィーン駐在ドイツ大使に電報を送り「即刻、オーストリア政府に開戦に踏み切るよう圧力をかけよ」とまで指示を出した。

ヴィルヘルム二世は、この機に乗じてオーストリアとの同盟を盾に、バルカン半島への進出を一気に進めようとした。

ドイツの支援を取り付けたベルヒトールトは、早速セルビアが拒絶せざるを得ない最後通牒の作成に取り掛かった。

七月二十三日十八時、その最後通牒がオーストリア政府からセルビア政府に手交され、四十八時間以内に全条項を受諾するよう迫った。

内容は次の通りである。

一、皇太子暗殺に加担したセルビア政府関係者二人の身柄のオーストリアへの引き渡し
一、皇太子の暗殺を指示した陸軍幹部の逮捕
一、セルビア民族至上主義結社「ツルナ・ツカ」の解散
一、オーストリア政府がオーストリアへの敵対行動に加わったと見なしたセルビア政府関係者の解任
一、セルビア国内でのオーストリアに対し憎悪を煽る宣伝活動の禁止
一、セルビアからオーストリアへの越境者に対する国境監視の強化
一、セルビアからオーストリアへの武器流入の取り締まりの強化

これにベルヒトールトが練りに練った条項が二つ付け加えられていた。

それが、

一、皇太子暗殺事件の捜査はオーストリア捜査機関に一任すること
一、オーストリア軍によるセルビア人テロ活動鎮圧への同意

である。

この二項目は主権（国家が他国から干渉されずに、独自の意思で国策を決める権利）の侵害に当たり、セルビアの尊厳を踏みにじるものである。

独立国として到底受け入れられるものではなかった。

この内容を一読したセルビア政府高官は、オーストリアが話し合いで事件を解決する意思がないことを悟った。

翌七月二十四日、セルビア本国からの指示を受けた駐露セルビア大使は、ニコライ二世に謁見し、「回答までの期限が短すぎる」「オーストリアは話し合いによって解決する意思をもっていない」と訴えて、開戦に至った場合のロシアの全面支援を要請すると、ニコライ二世は快諾した。

最後通牒の内容は、さっそくヨーロッパ各国に伝えられた。

イギリス外相グレイは「私はこれほど過酷な要求を今まで聞いたことが無い。これでヨーロッパ全土が血に染まる」と述べ、ロシア外相サゾノフは「オーストリアは、皇太子暗殺事件を口実に巧妙に戦争に持ち込んだ」と声明を出して、オーストリアを悪役に仕立てる情報戦に打って出た。

最後通牒の時間切れとなる七月二十五日十八時直前、セルビア首相パシッチからオーストリア代表ギールズに回答が手渡された。

パシッチ首相は件《くだん》の二項目を除き、すべて受諾すると回答したが、ギールズ代表は全面受諾でないことを理由に交渉決裂を告げ、その夜、本国に帰国した。

同日、ギールズから報告を受けたオーストリア政府は、セルビア政府に国交断絶を告げた。

国交断絶から三日後の七月二十八日、オーストリア政府はセルビアに宣戦布告し、同時に五十万じた。


のオーストリア兵がセルビア国境に殺到した。

この戦いに利害のからむ関係国が次々と便乗した。

最初に介入したのがロシアである。

七月二十九日、セルビア救済を口実に、オーストリア国境に兵の集結を始めた。

七月三十一日、ロシアの動員を知ったドイツ政府は、各国駐在ドイツ大使に最後通牒の手交を命じた。

駐露大使プルタレスは、ロシア政府に対し、

「オーストリア国境に集結した兵を十二時間以内に撤収せよ」

という最後通牒を手交した。

駐仏大使シェーンは、本国政府から受け取ったフランスに手交する最後通牒を読んで絶句した。

そこには、

「ドイツとロシアが交戦状態に入った場合、フランスはこの戦争に介入しないことを確約し、直ちに独仏国境にある全要塞のドイツ軍への明け渡しに応じること。要塞は戦争終了後に返還する。この要求への回答の期限は十八時間とする」

と記されていたのである。

――このような傲慢な要求を突きつければ、フランス政府の神経を逆なでする。

と判断したシェーンは、本国政府の要求を独断で握り潰し、「要塞明け渡し」の部分を削除してフランス政府に伝えた。

ヨーロッパ
0
500km
1:4,325,500
グリーンランド
アイスランド
ノルウェー
スウェーデン
フィンランド
ロシア
エストニア
ラトビア
リトアニア
ロシア
ベラルーシ
デンマーク
アイルランド
イギリス
オランダ
ポーランド
ドイツ
ベルギー
ウクライナ
チェコ
スロバキア
ルクセンブルク
モルドバ
オーストリア
リヒテンシュタイン
ハンガリー
ルーマニア
スイス
フランス
スロベニア
クロアチア
ボスニア
ヘルツェゴビナ
セルビア
サンマリノ
モナコ
アンドラ
ブルガリア
コソボ
モンテネグロ
イタリア
北マケドニア
アルバニア
ポルトガル
スペイン
バチカン
ギリシャ
トルコ
モロッコ
アルジェリア
チュニジア
マルタ

しかしフランス政府は、既にドイツ政府の無線を傍受して内容をすべて掴んでいた。

フランスは、アルザス・ロレーヌ地方と中央アフリカの領土を、ドイツに奪い取られた深い恨みがある。

そのうえ「要塞明け渡し」の要求である。

回答期限の八月一日正午、フランス政府は最後通牒に関して回答せず、「フランスは自国の利益にもとづいて行動する」とのみ答えてドイツ国境へ兵の集結を始め、ロシア政府も「ドイツの最後通牒を拒絶する」と回答してきた。

露仏両政府の意思を確認したドイツ政府は、同日ロシアに宣戦布告したものの、全兵力の八割をフランス国境へ移動させた。

国土が広いロシアは、独露国境に兵を集結させるのに四十日はかかる、と予測したのである。

それまでにパリを陥落させ、その後に、全軍挙げてロシアを叩くつもりであった。

この争いに巻き込まれたのが、独仏に挟まれた小国ベルギーである。

八月二日、フランスへの侵攻を決めたドイツ政府は、ベルギー駐在ドイツ公使フォンベローを通じてベルギー外相ダビニョンに最後通牒を手交した。

一読したダビニョンの顔がこわばった。

そこにはこう記されていたのである。

「ドイツ政府はドイツ軍のベルギー領内の通行許可を要請する。我々はベルギーの独立を侵害する意図を持たない。戦争終了後は、ベルギー領内から速やかに撤収し、ドイツ軍によって被った損害はすべて賠償する。ベルギーが我々の要請を拒否するならば、力ずくで領内を通過せざるを得なくなる。この要求に対する回答は、八月三日午前八時を期限とする」

外交文書というようなものではない。完全な恫喝である。

ドイツがベルギー国内の通行を要求した理由《わけ》であるが、独仏が四百五十キロに亘って直接国境を接する一帯には、既にフランス軍がドイツ軍の侵攻に備えて主力軍を配備しており、堅固な要塞も構築していた。

そこを突破するには、膨大な犠牲と時間を強いられることが予想されたからである。

一方、ベルギー北部は、大軍の移動が容易な平地が拡がり、フランスとの国境線は六百二十キロと独仏国境より一・四倍近く長い。

しかも、フランス・ベルギー国境の防備は、独仏国境と比べて脆弱であった。

ドイツ軍は、ベルギー領内を通って、防備が手薄なフランス国境を突破し、南に旋回して一気にパリを衝《つ》くつもりであった。

ベルギーでは臨時閣議が開かれたが、最後通牒の内容を信じる者は一人もいなかった。

ド・ブロクヴィル首相は直ちに軍隊の動員を命じ、アルベール国王は国民に銃をとるよう呼びかけた。

回答期限の翌八月三日午前八時、ベルギー政府はドイツの要求を拒否して、十二万のベルギー兵で国境の守りを固めた。

同日、ドイツ政府は最後通牒に応じなかったフランスに宣戦布告し、その夜、ベルギーからルクセンブルクまでの国境百六十キロにかけて八十万のドイツ兵を集結させると、英仏協商を結んでいたイギリスがドイツ政府に対して「ベルギー・ルクセンブルク国境からの即時撤退」を要求する最後通牒を手交した。

ドイツ政府はイギリス政府の要求を黙殺して、翌八月四日にベルギーに宣戦布告し、同日夜にベルギー・ルクセンブルク国境を突破すると、イギリス政府が「英仏協商」に基づいてドイツに宣戦布告し、ベルギーへの派遣部隊の編制を始めた。

同日、地中海に出動していたドイツの戦艦二隻が、仏領アルジェリアの海軍基地を砲撃して港湾施設を破壊し、イタリア半島とバルカン半島を隔てるオトラント海峡では、オーストリア水雷艇が仏戦艦を魚雷で中破させた。

八月五日には、オーストリアがセルビア支援を表明したロシアに宣戦布告し、八月六日には、セルビアがオーストリア支援に回ったドイツに宣戦布告、八月十日にはフランス、十一日にはイギリスがドイツの同盟国オーストリアに宣戦布告して、戦火は瞬く間にヨーロッパの中央から北東まで燃え広がった。

参戦各国は、海外の支配地からも移住者と先住民を招集してヨーロッパの戦場に駆り出し、拒む者はその場で射殺した。

招集を受けた支配地を現在の国で言えば、イギリス領ではオーストラリア、ニュージーランド、カナダ、南アフリカ、エジプト、ナイジェリア、ガーナ、スーダン、ウガンダ、ケニア、ザンビア、マラウイ、インド、清国、ビルマ、マレーの十六か国。

フランス領ではモロッコ、アルジェリア、セネガル、モーリタニア、マリ、ニジェール、チャド、ベトナム、カンボジア、ラオスの十か国。

ロシア領ではノルウェー、フィンランド、ポーランド、アフガニスタン、清国、エストニア、ラトビア、リトアニア、ベラルーシ、ウクライナ、モルドバ、ジョージア、アルメニア、アゼルバイジャン、カザフスタン、ウズベキスタン、キルギス、トルクメニスタンの十八か国。

ベルギー領ではコンゴ、ウガンダ、ルワンダの三か国。

ドイツ領ではトーゴランド、カメルーン、タンザニア、南西アフリカ（現ナミビア）の四か国である。

一方、ドイツ、オーストリアと同盟を結んでいたイタリアは、中立を宣言した。

「三国同盟は『同盟国が攻撃を受けた場合に協力して敵に当たる』という約定である。このたびの戦争は回避することができたにも拘らずオーストリアが巧妙に戦争に持ち込んだものであり、イタリアに参戦する義務はない」

というのが表向きの理由であった。

かつてイタリアは、北アフリカのチュニジア併合をフランスに出し抜かれ、フランスと対立しているドイツに接近して三国同盟に加わったが、同盟国のオーストリアとも領土問題を抱えていた。

多数の小国家に分かれていたイタリアは、十九世紀に統一を果たしたが、イタリア人が多く住む南チロル、トリエステ、イストラ半島は、オーストリアに領有されたままであった。

これらの地は「未回収のイタリア」と呼ばれ、両国間の領土問題になっていた。

――オーストリアが戦争に突入した今こそ、これらの地を取り戻す絶好の好機である。と、イタリアは捉えた。

イタリアはオーストリアが戦争で疲弊するのを待ちつつ、水面下で英仏への接近を始めた。

† アフリカ

アフリカでも戦闘が始まった。

アフリカに駐留しているイギリス・フランス・ベルギー軍が、ドイツ領トーゴランド、カメルーン、東アフリカ（現タンザニア）、南西アフリカ（現ナミビア）に侵攻したのである。

この戦いでも白人たちは黒人を最前線に駆り出したため、白人たちの身勝手なアフリカ切り取り合戦で分断された同じ民族同士が、敵・味方に分かれて殺し合う悲劇が起こった。

トーゴランドは、東のフランス領ダホメ（現ベナン）と西のイギリス領ゴールドコースト（現ガーナ）から挟撃されて、一か月で陥落した。

南西アフリカは、南東のイギリス領南アフリカから侵攻され、翌一九一五年七月にドイツ軍の降伏で終結した。

カメルーンは、北西のイギリス領ナイジェリアと、北東のフランス領チャド、南東のベルギー領コンゴの三方から攻撃を受けて、一九一六年一月に英仏軍の手に落ちた。

タンザニアでの戦闘が長引いた。

ドイツ軍が戦闘を優勢に進めていったが、一九一六年に、イギリスが南アフリカ、インドからも兵を投入し、北のイギリス領東アフリカ（現ケニア）、南西の北ローデシア（現ザンビア）、西に隣接するベルギー領コンゴの三方から侵攻して、形勢は逆転した。

ドイツ軍が降伏したのは、第一次世界大戦が終結してから十二日後の一九一八年十一月二十三日であった。

アフリカにおける戦いには、英・仏・独・ベルギー合わせて十六万人の黒人が投入され、十二万人が犠牲になった。

実に七十五パーセントの死傷率である。

† 東アジア、黄海、東インド洋、太平洋

アジアからも火の手が上がった。

八月四日、山東半島の膠州湾に拠点を置くドイツ東洋艦隊が、太平洋からインド洋に散り、英仏商船やヨーロッパに兵員・物資を運ぶオーストラリア・ニュージーランドの輸送船を撃沈・拿捕して、通商ルートを破壊したのである。

中でも軽巡洋艦エムデンが暴れ回った。

インド洋でイギリス船舶四十隻以上を撃沈・拿捕したほか、マドラスにあるイギリス海軍基地を砲撃して石油タンクを爆破・炎上させる大損害を与え、三国同盟を反故にしたイタリア貨物船も一

時拿捕した。

イギリス海軍は、アジアに配備していた七十隻の艦艇を繰り出してパトロールに当たったが、警備範囲が広すぎて手が回らなくなった。

そこでイギリス政府は、駐日英大使ウイリアム・グリーンを通じて、八月七日に日本政府に海上警備を依頼してきたのである。

この要請は、日本にとってドイツが租借している膠州湾を手に入れる絶好の機会であった。

膠州湾は黄海に面した海軍基地の建設に打って付けの良港であり、朝鮮半島、ウラジオストック、旅順と同様に、日本侵略の拠点となりうる。

日本は日露戦争で苦い経験がある。

旅順港に潜むロシア太平洋艦隊は大きな脅威であり、陸上からの砲撃で殲滅するまでに戦艦二隻を失い、六万人の死傷者を出すという大損害を被った。

ウラジオストック艦隊には大陸に物資を運ぶ輸送船をことごとく沈められ、戦地の部隊が干上がる危機に陥った。

日本はこの戦いに辛勝して朝鮮半島と遼東半島を押さえたが、ロシアがいつ息を吹き返してくるかわからない。

国土防衛のため、日本としては膠州湾も押さえておく必要があった。

しかもドイツには、三国干渉で遼東半島を返還させられた恨みもある。

時の大隈重信内閣は、イギリスの要請を受け入れて参戦を決めた。

「日英同盟に則り、日本はドイツに宣戦布告する」と伝えると、イギリス政府が慌てた。

イギリスは、日本に輸送船の警護をしてもらいたいだけであった。

日本に分け前を与えたくないイギリス政府は「協力の依頼を取り消す」と言ってきたが、日本政府はそれを無視して、八月十五日にドイツに最後通牒を手交した。

内容は、

一、太平洋、インド洋、東シナ海にいるドイツ艦艇は、武装を解除すること
一、ドイツが清国から租借している膠州湾を日本に譲渡すること

の二項目のみであり、「七日以内に同意の返答がない場合、日本はドイツに宣戦布告する」と締め括った。

日本の参戦表明にアメリカ政府が「日本はこの戦争になんの関わりもないではないか」と横槍を入れてきたが、日本政府はこれも無視した。

最後通牒に対するドイツからの回答はなく、期限の切れた八月二十三日、日本政府はドイツに宣戦布告して、九月二日に山東半島の青島に三万人の派兵を開始した。

海軍は二手に別れて、第一艦隊が海上警備に回り、第二艦隊は陸軍を支援するため膠州湾に向かって、九月二十八日に陸軍と共に陸と海から攻撃を開始し、千二百五十人の死傷者を出して、十一月七日に膠州湾を占領した。

一方、海上警備に回った第一艦隊は、ドイツ領の環礁（現マーシャル諸島共和国）を占領したあと、イギリス艦隊と共同で哨戒網を張り、ホーン岬から大西洋にまで回って、ドイツ艦艇を虱潰しに沈めていき、一九一四年末に一掃した。

† ベルギー

場面を開戦直後のヨーロッパに戻す。

八月三日、ベルギー国境を突破した八十万のドイツ兵が、リエージュ要塞に総攻撃を開始した。ベルギー兵を「お菓子の兵隊」と侮ったドイツ軍は、要塞にこもるベルギー軍から猛射を浴びて、四日間で二千人を超える死傷者を出した。

攻めあぐねたドイツ軍は、巨大攻城砲を持ち込んで堡塁を破壊し、ベルギー軍に死傷三万人、捕虜四千人の損害を与えて、八月七日に陥落させた。

次いでナミュール要塞を陥落させたドイツ軍は、フランス国境を目指してベルギー領内を西進していった。

ベルギー国民は手を拱《こまね》いていなかった。

鉄道を寸断し、道路にバリケードを築いて、ドイツ兵を狙撃するゲリラ戦を展開した。

この抵抗がドイツ兵たちを激怒させた。

ドイツ兵たちは、ゲリラと疑われるベルギー国民を問答無用で射殺し、民家に押し入って各家庭から一人ずつ人質として連行した。

ドイツ兵が狙撃されるたびに、人質は広場に集められ、見せしめとして銃殺された。犠牲者数は、ディナン、タミン、アルデンヌなどで合計五千人を超える。

その後もドイツ軍はブリュッセル、アントワープ、レーベン、リールと主要都市を陥落させて、フランス国境へと進撃していった。

†　独仏国境、ベルギー・フランス国境

八月七日には、独仏が直接国境を接する四百五十キロの南北対峙ラインでも、フランス軍百万とドイツ軍七十五万の戦闘が始まった。

戦線各所でフランス兵は密集して前進したため、ドイツ軍の一発の砲撃や機関銃の一掃射で夥《おびただ》しい数の死傷者を出した。

さらに、赤いズボンに青い上着という派手な軍服が戦場では浮き上がって見え、ドイツ軍狙撃兵の射撃を容易にした。

銃の射程距離が短く、白兵戦が主であったナポレオンの時代ならば、敵味方を判別しやすい目立つ色は理に適っていたが、このころ武器の性能は格段に向上している。

他の国では、敵の眼につきにくい地味な色の軍服を取り入れていたが、フランス軍は伝統に固執し続けたことが被害を拡大させ、八月十一日までの五日間で十二万人の死傷者を出した。

開戦時のフランス軍の常備兵力は四百万人であるから、早くも三パーセントを失ったわけである。

このペースで犠牲者が出続ければ、五か月半後にはフランス軍は消えてなくなるハイペースであった。

開戦前、フランス軍情報部は、ドイツ軍がベルギー方面に主力部隊を配備していることを掴み、軍司令部にベルギー国境の防御を増強するよう忠告していた。

しかし軍司令部は、ドイツ軍が独仏国境に兵力を集中してくると踏んで主力軍を配備していたため、大損害を被りながらも辛うじて戦線を支えることができたが、ベルギー・フランス国境の防備が手薄であった。

その防御の弱いベルギー・フランス国境に、ドイツ軍主力が迫ってきた。

泡を喰ったフランス軍司令官ガリエニは、進撃してくるドイツ軍の戦力を分散するため、ロシア軍に攻撃を要請した。

† ドイツ領ポーランド北東

この頃、ロシアは独露国境近く（現リトアニア西部）に兵を集結させている最中であった。

開戦時のロシアの保有兵力は、五百九十万人と参戦国のなかで群を抜いていた。

しかしベラルーシやウクライナに配備していた兵を移動させるのに時間がかかり、独露国境に集結できた兵力は、リトアニアに第一軍二十二万人とポーランド北東に第二軍二十万人だけであった。

ロシア軍は戦争準備に六週間かかると見たドイツ軍司令部の読みは間違っていなかったのである。

このときに、フランス国境に迫るドイツ軍主力の戦力を分散するため、フランス軍からロシア軍に対して独露国境でのドイツ軍への攻撃を要請してきたのである。

ロシア第一・第二軍は、ベルギー・フランス国境のフランス軍を救うために、兵員、武器、弾薬、食糧、運搬車両、無線の専門員が不充分なまま進軍することとなった。

その中には銃器を一切持っていない丸腰の兵士も多数含まれていた。

そんな準備不足のロシア第一・第二軍が向かった独露国境北部は、ドイツ領がバルト海南岸に沿って親指を突き出すようにロシア領に突出している。

現在の地理で言えば、ポーランド北東部と、ロシア最西端の飛び地であるカリーニングラード州、リトアニア南部に当たる。

八月十七日、そのドイツ領にロシア第一軍が東方（現リトアニア）から、八月二十一日には、その百六十キロ南西に集結していたロシア第二軍が南方（現ポーランド北東）から侵入した。

「ロシア軍越境」の知らせを受けたドイツ軍司令部は騒然となった。

ロシアの動員は遅れると見て、独露国境には十五万の兵を分散して配備していただけであった。越境したロシア軍の戦力を過大評価したドイツ軍司令部は、急遽ベルギー領内を進撃中のドイツ軍から四個軍団（一個軍団の兵員数は三万以上）の兵力を割いて独露国境へ向かわせた。

ところがロシア第二軍が侵入したドイツ領ポーランド北東地域は、二千個以上の湖沼が点在するヨーロッパ屈指の湿原地帯である。

越境早々、泥の中の行軍を強いられた兵士たちは体力を奪われていった。

食糧はすぐに底をつき、兵士たちは飢えに苦しみだした。

食糧の補給を要請しなければならなかったが、無線の専門員すら揃っていなかったため、平文で無電を打って自分たちの窮状を訴えた。

これがロシア軍司令部に伝わらず、ドイツ軍に傍受された。

ロシア第二軍の惨憺たる状況に、最初はドイツ軍を攪乱するための罠と思ったほどである。

ロシア第二軍の状況、位置、兵力、保有砲弾数、作戦計画をすべて掴んだドイツ軍は、分散していた部隊をすべて集結させて、八月二十八日にロシア第二軍がビスワ湖（現在のロシア・ポーランド国境辺り）周辺を彷徨《さまよ》っているところに総攻撃をかけると、飢えたロシア軍兵士たちは算《さん》を乱して逃げ回り、九万人が投降、八万人が脱走して第二軍は壊滅してしまった。

自軍の崩壊に衝撃を受けた司令官のサムソノフ大将は、退却中に拳銃で自殺している。

† ドイツ領ケーニヒスベルク

ロシア第二軍を殲滅したドイツ第八軍は、百三十キロ北東へ進軍して、九月七日にケーニヒスベルク（現ロシア領カリーニングラード州）でロシア第一軍を迎撃した。

ロシア第二軍と比べれば、ロシア第一軍の兵士の質は少しはマシではあったが、いかんせん準備不足が祟《たた》り、一週間ほどの戦闘で砲弾が尽きて、十四日には退却を余儀なくされた。

ドイツ軍はロシア第一軍を追撃し、死傷十二万六千人、捕虜四万六千人の損害を与えてドイツ領内から追い落とした。

ドイツ軍の損害はロシア第一軍のおよそ十分の一という圧勝で、西部戦線からドイツ増援軍が到着したのはその直後であった。

わざわざパリに向けて進軍中の兵力を割く必要はなかったのである。

このドイツ軍司令部の判断ミスが、西部戦線の戦況を変える一因となる。

† ベルギー、フランス、墺露国境

ベルギー領を進撃中のドイツ軍が、兵力の一部を割いて独露国境へ向かわせた直後の八月二十一日、編制を終えたイギリス遠征隊十二万人が、ドーバー海峡を渡って仏領ル・カトーでフランス軍左翼に合流した。

八月二十三日、英仏連合軍は北東へ進軍し、フランス国境まで残り二十キロのベルギー領モンスでドイツ軍と激突した。

東部戦線に兵力を削がれたとはいえ、勢いに乗るドイツ軍は、英仏連合軍に一万人近い損害を与えて圧倒し、翌日にはフランス国境を突破してヴェルダンを軸にパリに向けて旋回を始めた。

「ドイツ軍、国境突破」の知らせを受けたフランス軍司令官ガリエニは、パリ防衛のためにアフリカから招集したばかりのモロッコ、アルジェリア師団のほか、国内に温存していた四十万の兵力を配備した。

さらにアルザス地方に配備していた主力部隊からも兵を引き抜いてパリ防衛に充てることを決めた。

アルザス地方からパリまでは三百キロ以上離れている。

ガリエニは鉄道、軍用車のほか、パリにある六百台のタクシーを借り切って部隊を移動させた。

そのころ、パリまで九十キロに迫ったドイツ軍に、またしても不測の事態が起こった。

八月二十日にロシア領ガリツィア地方（現ポーランド・ウクライナ国境南端）に侵入したオーストリア軍九十万が、二百キロ北上して八月二十六日にウクライナ北西のドニエプル湿地帯に到達したところで、ベラルーシから下ってきたロシア軍に迎撃され、十日間の戦闘で死傷二十五万、捕虜十万の損害を出して敗走したのである。

しかも九月二日には、追撃してきたロシア軍にオーストリア国境（現ポーランド・スロバキア国境）を突破され、百二十キロの進撃を許してハンガリー平原にまで踏み込まれてしまった。

ドイツ軍司令部は、またしてもパリに向け進撃中のドイツ軍右翼から一個軍（一個軍の兵員数は五万から六万人、もしくはそれ以上）を割いてオーストリア軍の掩護《えんご》に向かわねばならなくなった。

八百本の軍用列車で独露国境（現ドイツ・ポーランド国境）に向かったドイツ軍は、ハンガリー平原に乱入したロシア軍を引きつけるため、独露が直接国境を接している南北対峙ラインの中央を突破してワルシャワまで残り五十キロに迫った。

この陽動作戦にロシア軍司令部が引っ掛かった。

過敏に反応したロシア軍司令部は、ウクライナ、ベラルーシ、リトアニアだけでなく、ハンガリー平原に乱入している師団まで掻き集めて、総勢七十万人もの兵力をワルシャワの防衛に向かわせたのである。

そのため、オーストリア軍をハンガリー平原まで追撃していたロシア軍の兵力が削がれると、敗走していたオーストリア軍が反撃に出て、九月末にはロシア軍をオーストリア領内から締め出すことが出来た。

しかし、パリに向け進撃中のドイツ軍は、独露国境と墺露国境に兵力を割いたため、戦力が大幅に落ちた。

そのドイツ軍がパリまで残り三十キロのマルヌ川北岸に迫ったところを、迎撃態勢の整ったフランス軍が迎え撃ち、側面からも衝《つ》いた。

四百キロ以上も進撃して疲れきった上に、大幅に戦力を削がれたドイツ軍は、新手のフランス軍に押し返されたが、四十キロ北のエーヌ川北岸でなんとか踏み止まった。

連日連夜、両軍は猛射を浴びせ合い、およそ七百平方キロメートルの広さを有するアルゴンヌの森が吹き飛ばされて消失するほどの激しい砲戦となったが、十日ほどで砲声が止《や》んだ。

この会戦における独仏両軍の砲弾保有量は双方とも五十万発ほどあったが、両軍とも砲弾をすべて撃ち尽くして戦闘が続行できなくなったのである。

この使用量は、十年前の日露戦争での一年七か月全期間を通じて日本軍が消費した砲弾百五万発にほぼ匹敵する。

砲弾が到着するまでの間に、ドイツ軍は塹壕を掘って機関銃を据え付けた。その手前には幾重もの有刺鉄線を張り巡らせて、無数の地雷を埋め、突撃してくる敵を瞬時に死骸に変える細工を施した。

英仏軍も同様の塹壕陣地を掘って睨み合いが続き、六週間でパリを陥落させるというドイツ軍司令部の計画は頓挫したのである。

この戦いにおける死傷者は、英仏軍が二十六万人、ドイツ軍が二十四万人とほぼ同数である。辛うじてドイツ軍の進撃を阻止したフランス軍であったが、開戦から二か月間で、戦死者の数は三十三万人に達し、早くも常備兵力の八パーセントを失った。

ドイツ軍は英仏軍陣地の側面を抜いてパリを衝こうと塹壕を掘り進んだが、英仏軍もそれを阻止しようと塹壕を掘る延翼競争となり、開戦からの三か月で、ベルギーのドーバー海峡沿岸からフランスのコンピエーニュまで南北に二百二十キロ、コンピエーニュからヴェルダンまで東西に二百キロ、ヴェルダンからスイス国境まで東南東に二百四十キロ、計六百六十キロに及ぶ切れ目のない塹壕陣地が構築された。

†　ベルギー

マルヌの会戦から一か月後の十月十四日、ドイツ軍はイギリス軍の補給基地となるベルギーのカレー港を攻略するため、ベルギー領イーペルの英仏軍陣地の強行突破を試みたが、イギリスの速射ライフル部隊の餌食となり、一か月間での死傷者は十三万五千人に達した。

ドイツ軍の進撃を阻んだ英仏軍の損害も大きく、イギリス軍の死傷者は五万六千人、フランス軍は二万四千人に上った。

塹壕陣地の殺傷力を嫌というほど思い知った英仏・ドイツ両軍は、力尽くの攻撃を手控えて膠着状態に陥った。

十一月三日、イギリス政府は、北海に向かうすべての船舶に対し、ドーバー海峡を通り臨検に応じるよう通告してドイツの海上輸送路を絶った。

イギリスの措置に対抗してドイツはスカゲラク海峡を封鎖し、バルト海からロシアへの海上輸送路を遮断した。

第九章　戦火拡大

大戦勃発から三か月、世界中の眼が注がれていたのがオスマントルコの動向である。大戦勃発時から「勝敗の鍵を握るのはオスマントルコである」と言われていた。

オスマントルコがドイツ側に与《くみ》して、黒海と地中海をつなぐダーダネルス海峡を閉じれば、すでにドイツにバルト海への出口を塞がれているロシアの海上補給路は完全に断たれる。

さらにオーストリアとオスマントルコに挟まれたバルカン半島がドイツ側の手に落ちれば、セルビアは挟撃されて一溜りもないし、英仏からロシアへの陸上輸送も断たれて、ロシアは朽ち果てるしかない。

しかも、英仏軍にとって生命線といえる補給路であるスエズ運河は、オスマントルコ国境と目と鼻の先にある。

ここをオスマントルコ軍に奪われれば英仏軍まで干上がる。

英仏露にとって、オスマントルコは敵に回してはならない相手であった。

英仏露は、オスマントルコに中立を保ってくれるよう説得を続けたが、ピョートル一世の治世から二百二十年にわたってロシアに領土を蚕食されてきたオスマントルコが、積年の恨みを忘れるわけがなかった。

十月二十九日、オスマントルコは黒海艦隊を出動させ、エカチェリーナ二世の時代にロシアに奪われたかつての自国領クリミア半島と黒海北岸の街オデッサに砲撃を加えて返答とすると、同日にイギリスが、二日後の十月三十一日にはフランスとロシアもオスマントルコに宣戦布告して、新たに「エジプト戦線」「メソポタミア戦線」「コーカサス戦線」「ダーダネルス戦線」が生起した。

†　メソポタミア戦線

十一月六日、イギリス・インド連合軍が、ペルシャ湾を上ってシャットアルアラブ川（ティグリス川とユーフラテス川の合流地点からペルシャ湾に注ぐ全長百八十五キロメートルの河川）河口のファーウに上陸し、川沿いを二百三十キロ進軍して、十一月二十三日にバスラを占領し、増援軍の到着を待った。

†　コーカサス戦線

十一月中旬、オスマントルコとロシアの国境となるコーカサス地方の山岳地帯から、ロシア軍十

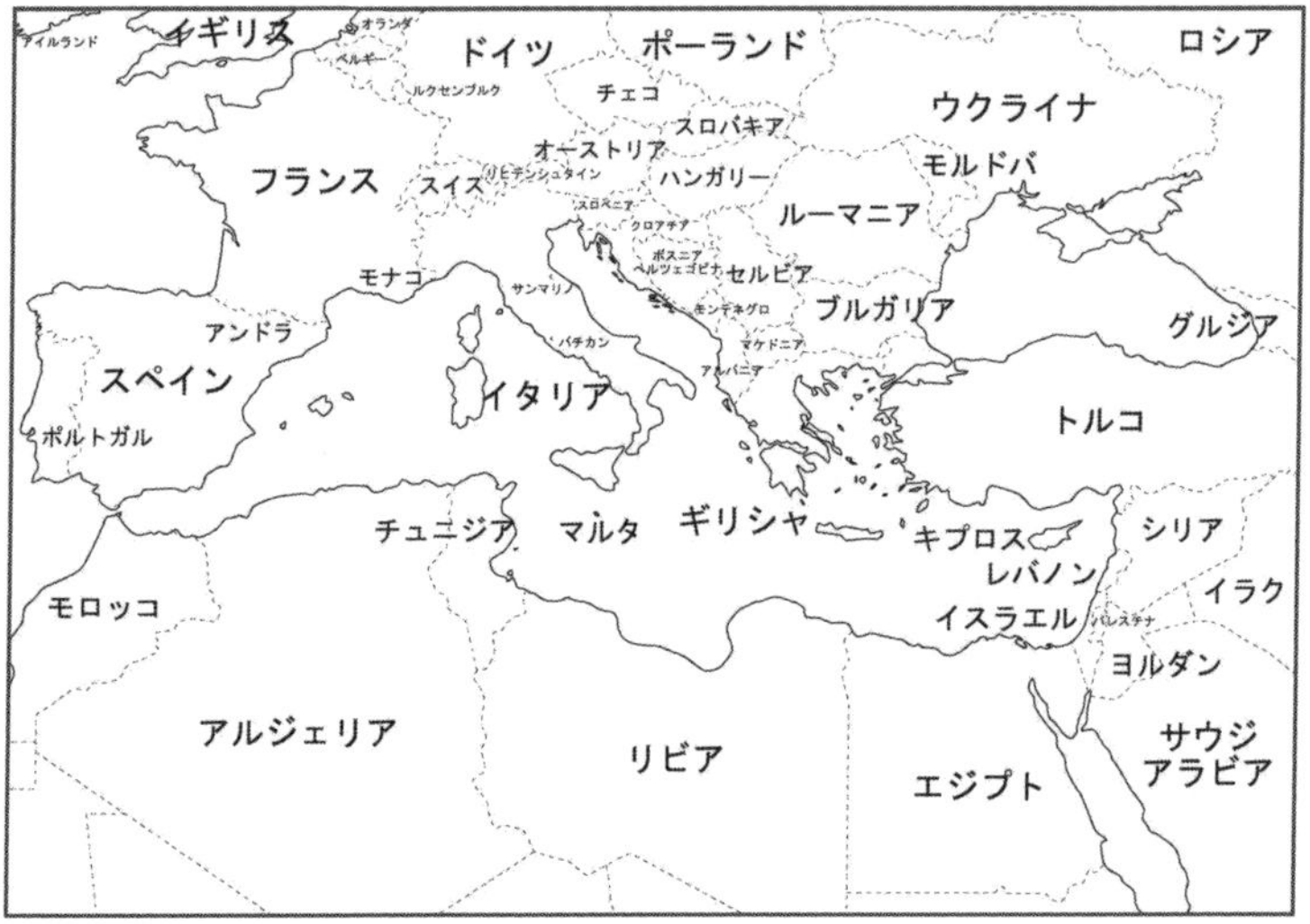

万がオスマントルコ領に侵入し、標高二千メートルのカルスに進駐してオスマントルコ軍を誘《おび》き寄せる作戦を取った。

ロシア軍お得意の冬を味方に付けた戦い方である。

オスマントルコ軍がまんまとこの罠に嵌《はま》った。

十二月九日、カルスから百八十キロ南西のエルズルムから、オスマントルコ軍九万五千がロシア軍の掃討に向かったが、カルスまで残り三十キロの地点で積雪一・五メートルとなる吹雪に遭い、氷点下二十六度まで下がった山中で、一万五千を超える兵士が凍死、もしくは遭難死した。

十二月二十九日、ようやく辿り着いたカルスでロシア軍との戦闘の火ぶたが切られたが、手足に凍傷を負ったオスマントルコ兵は引き金を引くことも敗走することも出来ず、ロシア兵に嬲《なぶ》り殺しにされて戦死三万の大損害を被った。

敗走するオスマントルコ軍を再び呼吸すらでき

ないほどの暴風雪が襲い、凍死者が続出して、エルズルムまで生きて帰れたのは一万八千人だけである。

†　エジプト戦線

一九一五年一月、パレスチナ（地中海東岸、現イスラエル）のオスマントルコ軍二万二千がシナイ半島を渡り、スエズ運河のイギリス軍守備隊を強襲したが、死傷二千の損害を出して退けられた。

以降、オスマントルコ軍がスエズ運河攻略に出ることはなかった。

イギリス軍にとっての生命線だけに相当な防備を施していたと見られる。

†　北海

一九一五年二月十八日、ドイツ政府は「イギリス周辺海域を航行するすべての船舶を、警告なしで撃沈する」という「無制限潜水艦作戦」を宣言して、ノルウェー、スウェーデン、デンマーク、オランダなど中立国の船も襲撃するようになった。

ただ、アメリカ船舶への攻撃だけは手控えた。

アメリカの領土拡張の野心は支那に向いており、ドイツとは利害が絡んでいなかった。

しかもインディアンを殲滅しての「北米乗っ取り」「独立戦争」「米西戦争」「米墨戦争」「フィリ

ピン人虐殺」など喧嘩のやり方が荒っぽい反面、巧妙で上手い。

英仏露という三大国を相手に喧嘩を始めたドイツといえども、アメリカまで敵に回せば勝ち目が無いことは分かっていたのだろう。

そのアメリカが不審な動きを見せた。

ヨーロッパに向けて五月一日にニューヨーク港を出港する予定のイギリス船籍の豪華客船ルシタニア号に軍需物資が積まれているという情報をドイツ軍情報部が掴んだ。

本国政府からの指示を受けた駐米ドイツ大使館は、アメリカ政府に対して、アメリカ人をルシタニア号に乗せないよう要請し、アメリカ国民に向けては、英仏船籍の船に乗らないよう新聞に警告文を掲載した。

ところがアメリカ政府はドイツ政府の警告を聞かずに国民の乗船を認めたため、百三十九人のアメリカ人がルシタニア号に乗船することになった。

出港当日、ドイツ政府はアメリカ人の乗船を阻むため、海軍に命じて北海を航行中のアメリカの貨物船を敢えて撃沈してみせた。

それでもアメリカ政府がアメリカ人乗客を下船させる措置を取らなかったため、同船は予定通りニューヨーク港を出港した。

そのルシタニア号が大西洋を渡り、アイルランド沖を航行中の五月七日、Uボートの攻撃を受けて沈没し、アメリカ人百二十八人を含む千百九十八人の乗客が死亡した。

先のアメリカ貨物船の撃沈と合わせ、即刻「宣戦布告」となってもおかしくなかったが、アメリカ政府はドイツ政府への厳重抗議と「無制限潜水艦攻撃の中止」を確約させただけで矛を収めた。

† 西部戦線、ベルギー

一九一五年三月、ベルギー領イーペルの対峙ラインに動きがあった。

従来の砲弾による攻撃では、地下深く掘られた掩体壕に籠もるフランス兵を殺傷するのは不可能であるため、ドイツ軍は塩素ガスを散布してフランス軍の皆殺しを目論んだ。

三月初旬から、ドイツ軍は塩素ガスを充填したボンベ六千本を運び入れ、七、八十メートル先に対峙するフランス軍の塹壕陣地へ向けて五キロにわたって並べた。

フランス軍はボンベの中身が塩素であることを掴んでいたが、その殺傷力を見くびり、なんら対策を打たなかった。

ボンベを並び終えたドイツ軍は、フランス軍陣地に風が吹くのを七週間待ち、フランス軍陣地に強風が吹きつけるようになった四月二十二日午後五時、頭上に一発の閃光弾が上がったのを合図に一斉にガスボンベを開栓した。

放出された濃い黄土色のガスがフランス軍陣地を包んだ瞬間、兵士たちの眼は潰れ、呼吸が出来ずにのたうち回り、血の混じった泡を吹いて数百人が塹壕の中で絶命した。

犠牲になったのは、アフリカから戦場へ駆り出されてフランス兵の盾にされたアルジェリア師団の黒人兵たちであった。

彼らが携帯していた武器や戦闘服のバッジ、バックルの金属部分は、黒みを帯びた緑色に変色した。

塩素ガスには腐食性があり金属すらも変色させる。

人が晒されれば眼は潰れ、鼻腔と咽喉が焼ける。

吸い込めば、肺の中に張り巡らされた毛細血管が破壊されて、血液に含まれる漿液《しょうえき》が漏れ出し、数億ある肺胞の中を満たして空気を取り込む余地を無くす。

アルジェリア兵たちは、自らの漿液によって陸上で溺れ死んだのである。

アルジェリア師団を包んだ黄土色の煙幕が毒ガスであることに気づいたフランス軍兵士たちは、持ち場から一斉に逃げ出して、前線に六キロほどの大穴を開けた。

午後六時、ドイツ軍の偵察隊が防毒マスクを装着して無人になったフランス軍陣地に進入し、ガスがまだ滞留していないかを調べた。

安全が確認されるとドイツ軍は注意深く前進を開始したが、第二線塹壕陣地の連合国軍からの一斉掃射を浴びて撃退され、イーペル突破作戦は失敗に終わった。

塩素ガスは凄まじい殺傷力を発揮したが、散布したドイツ軍でさえその効果に懐疑的であったため、十分な兵力を用意していなかったのである。

この二日後、ドイツ軍は再び塩素ガスによる攻撃を行った。

フランス軍兵士はゴーグルと水に浸したマスクを装着し、水が手に入らなかった兵はマスクに尿を浸み込ませてガス攻撃を凌いだ。

第二次イーペルの戦いは約一か月続き、死傷者はイギリス軍が七万人、ドイツ軍が三万九千人に及んだ。

以降、英仏軍も毒ガスの開発を始め、戦場は化学兵器で汚染され続けていくことになる。

†イタリア戦線

中立を宣言していたイタリアは英仏と秘密裡に会談を重ね、「戦争に協力するのなら、戦勝後にオーストリアが領有しているチロル地方南部と、イストラ半島、イソンゾ川流域をイタリアに与える」という約束を四月に交わした。

そのうえでイタリアは、ロシアとの戦いで疲弊しているオーストリアに対して「南チロルとイストラ半島をただちに返還し、賠償金として二億リラを支払え」と迫ったのである。

オーストリアがこの法外な要求をはねつけると、イタリアは三国同盟を無造作に破って、五月二十三日にオーストリアに宣戦布告した。

イタリアとオーストリアの国境の長さは四百七十キロに及び、そのうちの四百キロ近くはイタリア半島を塞ぐように東西に伸びるアルプス山脈に策定されており、平地に策定されている国境線は、アルプス山脈南東端からベネツィア湾北岸までの七十キロ程である。

六月三十日、イタリア軍は、ベネツィア湾側の平地に策定されている国境七十キロの範囲に三十万の兵力を投入した。

このときオーストリア軍は、ロシアとの国境に兵力の大部分を割いており、イタリアとの国境には三万人の守備隊が配置されているだけであった。

オーストリア軍は、急遽ロシアとの対峙ラインから兵力を割いてイタリアとの国境に移し、イタリア軍と交戦状態に入った。

オーストリア軍が「対ロシア」「対セルビア」「対イタリア」の三つの戦線を抱えているのに対し、イタリア軍は全兵力を「対オーストリア戦線」に投入できるので有利といえた。

ところがイタリア軍はオーストリア軍に負けず劣らず弱い。

自由気ままでいい加減、時間を守らず女好き、人生は楽しむもの、というイタリア人の国民性は、兵士に向いていない。

十九世紀、欧州列強によるアフリカ分捕り合戦のとき、イタリアはエリトレア（現ジブチ）とソマリアを併合したあと、紅海西岸一帯に領土を拡げようとエチオピアに侵攻したが、槍と弓矢しか持たないエチオピア軍相手に六千人の死傷者を出して撃退されている。

これはアフリカで白人が黒人に敗れた唯一の例となっていた。

六月二十三日から八月初旬にかけて、弱兵同士による二度の大規模な会戦が行われたが、双方とも敵を攻めあぐね、オーストリア軍が七万、イタリア軍が四万四千の死傷者を出しただけで戦線は全く動かなかった。

アルプス地帯の国境線でも、南チロル地方を巡っての戦闘が始まった。

標高四千メートルを超える山が連なるアルプス山脈では、大軍を繰り出しての会戦は行えず、スナイパーによる狙撃や、坑道を掘って敵陣地の真下に爆薬を仕込み、陣地もろとも吹き飛ばす山岳戦が幕を開けた。

この爆破合戦によって、アルプスの峰々は姿を変え、山頂を吹き飛ばされて標高が下がる山がいくつも現出した。

また、雪崩、落雷、遭難、凍死、滑落などの事故が後を絶たず、兵の損耗《そんもう》率はベネツィア湾方面の対峙ラインに劣らぬものとなった。

† ダーダネルス海峡

バルト海と北海を結ぶスカゲラク海峡をドイツに塞がれ、ダーダネルス海峡をオスマントルコに閉じられたロシアは忽《たちま》ち物資不足に陥った。

ロシアの窮状を見た英仏は、早急にロシアへの補給路を開く必要に迫られた。

世界一の海軍力を誇るイギリスといえども、急速に軍備拡張を図ってきたドイツ海軍を相手にすれば手を焼くのは分かりきっていた。

イギリス海軍首脳部が迷わず選んだのは、海軍力の脆弱なオスマントルコ軍が守るダーダネルス海峡であった。

しかも、ダーダネルス海峡を突破してボスポラス海峡に進入できれば、オスマントルコの首都コンスタンチノープル（現イスタンブール）を砲撃することもできる。

とはいえ、ダーダネルス海峡の幅は、最広部で四キロ、最狭部で一・五キロしかなく、長さはエーゲ海からマルマラ海まで六十キロある。

オスマントルコ軍が海峡両岸に相当な備えを施しているのは間違いなく、海峡奪取には相当な代償を払わねばならないことが予想された。

この作戦が決行されたのが一九一五年二月十九日である。

エーゲ海を北上していった英艦十四隻、仏艦四隻の大艦隊が、海峡入り口のオスマントルコ軍砲台を砲撃してダーダネルス海峡争奪戦の幕が上がった。

海軍力で劣るオスマントルコ軍が艦艇を繰り出すことはなく、ダーダネルス海峡北岸側のガリポリ半島側の二基の砲台と南岸側となるアナトリア半島側の三基の砲台からの砲撃で、英仏艦隊と渡り合った。

たった五基の陸上砲台と十八隻の戦艦との砲戦ならオスマントルコ軍に勝ち目はなかったが、悪天候で海が荒れて英仏艦隊は照準を定めることが出来ず、この日の攻撃を中止するしかなかった。

二月二十五日、再度ダーダネルス海峡に襲来した英仏艦隊は、海峡入り口のトルコ軍砲台を破壊したあと、民間から徴用した底引き網漁のトロール漁船を先頭に海峡内に進入した。

というのが、トルコ軍が海峡内に撒いている機雷をトロール船に掃海させた後、航行しようとしたのである。

当時、掃海艇を保有している海軍など世界中どこにもない。

そもそも機雷自体の歴史が浅い。

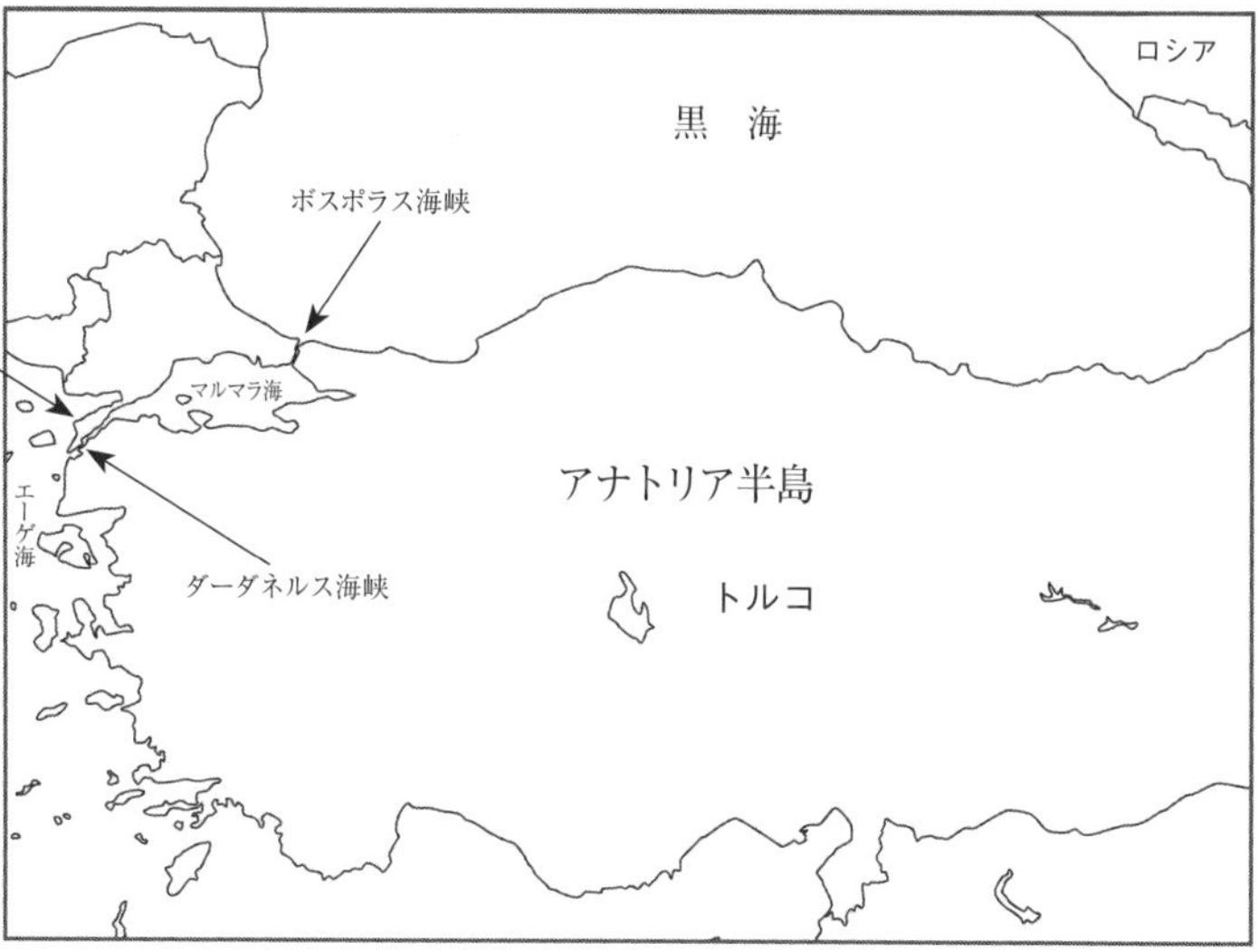

機雷が実戦配備されて最初に効果を上げたのが、一九〇四年に日露戦争での旅順沖で、ロシアの戦艦ペトロパブロフスクと連合艦隊の八島、初瀬が撃沈されたときである。

それ以降、日本や欧米列強は掃海艇の開発に着手したが完成には至っておらず、世界一の海軍力を誇るイギリスでさえトロール船に頼るほかなかったのである。

初期の機雷は、機雷とアンカーをケーブルで繋《つな》いで施設点に投下し、ワイヤーの長さで水中での深さを調整して艦底に触雷させ轟沈する仕組みの係維機雷と、二個の浮遊機雷をワイヤーで繋いで海面に浮遊させ、敵艦の舳先がワイヤーを引っ掛けたときに二個の浮遊機雷が左右側舷に引き寄せられて触雷させる浮遊機雷の二種類である。

その機雷の除去方法であるが、係維機雷であればトロール船の底引き網を装着するワイヤーに取りつけたカッターでケーブルを切断して海面に浮き上がった機雷を機関銃で掃射して爆発させる。

浮遊機雷の場合はケーブルをワイヤーに引っ掛けて、船の航路から移動させたあと爆破する方法が取られていた。

さて、ダーダネルス海峡に突入したトロール船であるが、オスマントルコ軍が指をくわえて見ているわけがなかった。

海峡入り口の砲台は破壊されてしまったが、海峡内のオスマントルコ軍が可動式の野砲を持ち出してトロール船に砲弾の雨を降らせたのである。

野砲の砲弾程度であれば、戦艦なら被弾しても撃沈されることはないが、防備が施されていないトロール船ではそうはいかない。ましてや操舵しているのは民間人である。

オスマントルコ軍の砲弾がトロール船に集中すると、民間人の船長は逃げ出してしまった。

イギリス艦隊の作戦指揮官は、トロール船の船長を説得して再度掃海作業に向かわせたが、結果は同じとなり、二度目の海峡突破作戦も失敗に終わった。

掃海作業を諦めた英仏海軍司令部は、艦隊を海峡内に突入させて、海峡両岸のトルコ軍陣地を破壊しながら海峡奪取を図る強行突破作戦を三月十八日に決行した。

午前六時三十分、英仏艦隊は、位置も定かでない海峡内のトルコ軍陣地に向けて六時間にわたり盲滅法に砲弾を叩き込んだあと、十二時三十分に海峡に突入した。

しかもクイーン・エリザベス、オーシャン、インフレキシブル、イレジスティブル、ブーヴェの五隻が横一列、後続するプリンス・ジョージ、ロード・ネルソン、シュフラン、ゴーロワの四隻も横一列に並ぶ単横陣で北上していった。

これは帆船時代に大海原で行う海戦の陣形である。

その先にはオスマントルコ軍が海峡両岸にかけて機雷線を十線張り巡らせ、小船一艘たりとも通り抜けることを不可能にしていた。

英仏艦隊は一発の砲撃も受けることなく静まり返った海峡内を北上し、十二時四十分にオスマントルコ軍の機雷敷設圏内に入った。

先行する五隻は最初の機雷線を奇跡的にすり抜けたが、後続する四隻のうち、右端を走る仏艦ブーヴェが触雷して船底が破られた。

海峡を揺るがす爆発音が響き、ブーヴェは舳先から煙を出すと一瞬にして沈没した。

直後に海峡両岸に潜んでいたトルコ軍の野砲が一斉に火を噴き、英仏艦隊は滅多打ちに遭って炎と煙に包まれた。

各艦は旗艦クイーン・エリザベスからの信号を待つ間もなく、砲撃から逃れようと勝手に右転、左転を始めたため大混乱となった。

英艦イレジスティブルは、舳先を回したとたんに触雷して舵機が破壊され、航行不能に陥った。

英艦オーシャンがイレジスティブルの側舷に付けて、トルコ軍の銃砲火で海面が沸き立つ中、乗組員の収容を行った。

そのオーシャンも、イレジスティブルの乗組員の収容を終えて回頭を始めた途端に触雷し、喫水線下に大穴が開いて傾斜した。

主力艦隊に後続していた水雷艦隊が決死の覚悟で突入して、二艦の乗組員を再度移乗させ、辛うじて海峡を脱出した。

この戦闘での英仏艦隊の損害は、戦艦三隻が沈没、六隻が大破もしくは中破し、死傷者が七百八十人、オスマントルコ軍の死傷者は百人ほどであった。


海峡突破を阻まれたイギリス軍は、陸軍を投入して海峡西岸のガリポリ半島を奪取する作戦に切り替えた。

ガリポリ半島はバルカン半島の南東からエーゲ海に向けて南西に八十五キロ伸びる細長い半島で、その幅は最狭部で五キロ、最広部でも二十キロほどしかない。

上陸目標は、イギリス・インド連合軍が半島先端のヘレス岬、オーストラリア・ニュージーランド・カナダ軍がヘレス岬からエーゲ海側に三十キロ北東のスブラ湾と二手に分かれた。

しかし、度重なる攻撃でイギリス軍の意図を見抜いていたオスマントルコ軍は、この小さな半島に最大兵力を集結させていた。


四月二十五日、揚陸艦で海岸近くまで接近したイギリス・インド連合軍は、タグボートを繋ぎ合わせた上に板を敷いた急拵《こしら》えの桟橋を渡って上陸を試みたが、殆どの兵士がオスマントルコ軍の一斉掃射を浴びて薙ぎ倒され、海は朱色に染まった。

大量の犠牲者を出してようやく海岸線を占領したイギリス・インド軍は、五キロ前進したところでオスマントルコ軍の塹壕陣地に行く手を阻まれた。

スブラ湾に上陸したオーストラリア・ニュージーランド・カナダ軍も、海岸に向けてせり出す急勾配な坂の上からの銃撃や投げ落とされる手榴弾の餌食となって海岸は死体で埋め尽くされた。

坂の上のトルコ軍防御陣地を突破しても、その防御陣地を十三キロにわたって取り囲むように二重に構築された塹壕陣地に前進を阻まれ、ヨーロッパ戦線同様の睨み合いとなった。

海上からは、英仏艦隊が艦砲射撃で上陸部隊を掩護していたが、Uボートとオスマントルコ軍の水雷艇が魚雷を放ち、機雷を撒いて英仏艦隊を屠《ほふ》りにかかった。

五月十三日には英戦艦ゴライアスがヘレス岬沖でトルコ水雷艇の魚雷を被弾して転覆し、乗組員五百六十人全員が戦死、五月二十五日には英戦艦トライアンフが艦砲射撃中にドイツ潜水艦Uボートの魚雷を受けて沈没し、七十三人が戦死した。

五月二十七日には英戦艦マジェスティックが触雷して左舷喫水線下に大穴が開き、大量の海水が流れ込んだ。

全長百二十八メートル、排水量一万四千九百トンの巨大な船体は横倒しとなったあと、船底を晒して艦橋から没し、五十二人が溺死した。

Uボートによる魚雷攻撃に恐れをなした英仏艦隊はガリポリの戦場から撤退し、それ以降、ダーダネルス海峡奪取作戦は、ガリポリ半島に上陸したイギリス連合軍の手に委ねられた。

地中海の制海権を握ったドイツ・オスマントルコ海軍は、Uボートと水雷艇でガリポリ半島に向かうアルジェリア、モロッコ、チュニジア師団を乗せた兵員輸送船を沈めていったほか、インド洋、大西洋にまで回ってオーストラリア・ニュージーランド・カナダ軍の輸送船をも襲撃したため、輸送中の兵員の死傷者数がガリポリの戦場を上回るようになった。

ガリポリ半島でも、夏に入り気温が上昇すると、赤痢、コレラ、マラリアなどの感染症で命を落とす病死者が、戦死者を超えるようになった。

†　東部戦線　墺露国境

膠着した西部戦線とは対照的に、東部戦線の対峙ラインは激しく動いていく。

オスマントルコの参戦によってイギリス軍兵力の大半がガリポリ半島に割かれ、西部戦線での大規模攻勢ができなくなると、ドイツ軍はその隙を衝いて西部戦線の兵力を東部戦線に回し、オーストリア軍と示し合わせて、墺露国境と独露国境の二方面でロシア軍を攻撃する作戦に打って出た。

五月二日、墺露国境（現ポーランド・スロバキア国境辺り）の東西対峙ラインに移動したドイツ軍がオーストリア軍と共に四十キロの範囲において総攻撃をかけ、七月中旬には戦線を三十キロ押し込んで、ガリツィア地方（現ポーランド、ウクライナ、スロバキアの国境が交わる辺り）を占領した。

†　東部戦線　独露国境

その直後に四百キロ北西の独露対峙ライン（現ポーランド西部）でも、ドイツ軍が南北対峙ライン百二十キロの範囲で攻勢に出た。

開戦から一年近くが経つとロシア軍の動員は流石《さすが》に完了して、この方面の兵力は百二十万に達していたが、未だに兵士全員に武器が行き渡っていなかった。

ドイツ軍の猛攻に対して丸腰のロシア兵たちは逃げるほかなく、それが戦っている兵士に悪影響を与えて総崩れとなり、国境突破を許した。

敗走するロシア軍を追撃していったドイツ軍は、八月初旬にワルシャワを占領、八月下旬にはポーランド全域からロシア軍を掃討して戦線を最大七百キロ押し込み、八月二十五日にはブレスト・リトフスク（現ベラルーシ西端の都市ブレスト）まで占領した。

その後、ドイツ軍は南北二手に分かれて進撃し、九月下旬には、北方ではバルト海東岸（現リトアニアの国土の西側五十パーセント、ラトビアの国土の西側三十パーセント）、南方ではウクライナの西部二十パーセントほどを占領した。

この戦いにおける損害は、ロシア軍が投入兵力百二十万人で、死傷者、捕虜、行方不明者が六十万から百万人、ドイツ軍の投入兵力は百十万人で、死傷者、捕虜、行方不明者二十万人である。

† バルカン戦線

第一次世界大戦の発火点となったバルカン半島では、オーストリアとセルビアが一進一退の戦いを繰り返していた。

開戦当初の常備兵力は、オーストリア軍がおよそ三百万人であったのに対し、セルビア軍は二十万人とオーストリア軍が凌駕していた。

しかし、オーストリア軍は、三度セルビア領内に攻勢をかけて、すべて退けられていた。戦線を三つ抱えているオーストリアは、兵力を分散しなければならないという事情がある。とはいえ、それを割り引いたとしても、オーストリア軍が呆れるほど弱い。

ましてや自らが仕掛けた戦争であるにも拘らずにである。

この国は、十五世紀からチェコ、スロベニア、ハンガリー、ポーランド、セルビア北部、イタリア北東部、ルーマニア西部、チロル地方を併合してきたために、十一の異民族を抱えていた。

これら支配下に置かれた異民族が、オーストリアに対する忠誠心が希薄なのは当然で、むしろ反感を抱いている者も多く、その傾向は軍隊においても同様であった。

おまけに軍隊内部では、ドイツ語、ハンガリー語、ルーマニア語、チェコ語、イタリア語が飛び交い、命令が末端まで行き届かなかった。

これは軍隊として致命的な欠陥である。

しかも軍備の近代化を怠ったために、兵器は他の参戦国より二十年以上も旧式で、新兵教育も満足に行っていなかった。

あまりの不甲斐なさに、同盟国のドイツは、第二次バルカン戦争でセルビアに分け前を奪われて恨みを抱いているブルガリアの懐柔を試みた。

ブルガリアは返事を保留していたが、十月六日に、ドイツ軍がオーストリア軍に加勢してセルビア軍を圧倒すると、五日後の十月十一日にセルビアに宣戦布告して、セルビア軍の側面を東から衝いた。

セルビア軍は五万の死傷者を出して瓦解し、十一月末には民間人数十万人を引き連れてアドリア海方面に逃れていった。

途中、二千メートルを超える冬山の踏破中に、飢えや寒さ、伝染病で、数千人が命を落とし、満身創痍でアドリア海まで辿り着いた生存者たちは、フランスの輸送船でイオニア海のコルフ島に収容された。

セルビアの敗北で、バルカン半島はドイツ側の手に落ち、ロシアへの物資輸送路は、陸路、海路ともに完全に断たれたのである。

† ダーダネルス海峡

場面をガリポリ半島に戻す。

セルビアをバルカン半島から追い落とした独墺軍が、ガリポリ半島に迫ってきた、という情報を得たイギリス軍は、一九一六年一月にガリポリ半島からの撤退を始め、八か月に及ぶ戦闘は終わりを告げた。

この戦いに投入された兵力は、海上輸送中の兵員も加えると、英仏、オーストラリア、ニュージーランド、カナダ、インド軍がおよそ五十万人で、死傷者が十八万から二十万人、オスマントルコ軍は三十万以上の兵力を投入して、死傷十五万人、捕虜一万二千人、赤痢、マラリア、コレラなどの感染症で命を落とした兵士は、英仏軍が十万人以上、オスマントルコ軍が二万人に上った。

† メソポタミア戦線

バスラに駐留していたイギリス軍は、インドからの増援軍が合流して、兵員が一万二千人に達した一九一五年四月に進軍を再開して、ユーフラテス川沿いを二百七十キロ進み、五月二十四日にナーシリーヤを占領した。

その後は北北西に進路を変え、五月二十八日にティグリス川沿いのアマーラを占領後、四百五十キロ上流に進み、十月初めにはクートを占領したが、乾季に入ってティグリス川の水量が四分の一にまで減り、物資輸送船が川を遡上できなくなった。

後方支援部隊は、ラクダを用いて物資を送り続けたが、輸送量は激減した。

十二月三日、イギリス軍は、バグダッドまで残り五十キロまで到達したが、オスマントルコ軍の迎撃を受けて後退を余儀なくされ、十二月七日にクートまで退《ひ》いたところで新手のオスマントルコ軍に退路を断たれた。

双方一歩も退かぬ激闘の中で、オスマントルコ軍は工兵部隊を投入して包囲陣地を構築したため、イギリス軍は退くことも進むことも出来なくなった。

翌一九一六年、インドのイギリス軍司令部は、一月と三月に救出部隊を投入したが、総計二万四千人の損害を出してオスマントルコ軍に撃退された。

一方、退路を断たれたイギリス軍であるが、包囲された辺りはティグリス川流域のため、将兵たちは土を掘れば湧き水をすぐに確保できたが、食糧が一月末には尽きた。将兵たちはトカゲや川蟹、蛇、ネズミを喰って飢えをしのいだが、量が乏しく、三月に入ると飢え死にする者が出始めた。

さらに伝染病で死亡する兵も出るようになり、軍隊としての態をなさなくなった四月三十日に降伏したが、投降した将兵たちもほとんどが栄養失調のために収容所で息を引き取り、全滅した。

メソポタミア攻略作戦は暗礁に乗り上げたのである。

†　西部戦線

一九一四年末から、フランス軍は、アラス、カンブレー、サンカンタンなど各所で反撃に出て、ドイツ軍と失地の奪回、再奪回を繰り返した。

一九一五年の死傷者累計は、フランス軍が最も多く百三十万人、イギリス軍が二十八万人、ドイツ軍が六十万人に上ったが、西部戦線は全く動かなかった。

これだけの犠牲者を出しても、戦局が動かない限り、軍広報部から国民への発表は、英、仏、独軍とも「西部戦線、異状なし」である。

戦場は死体で埋め尽くされたが、遺体収容のための休戦条約を結ばなかったため放置されたままとなった。

戦場となったフランスでは、政府が国民に向け「死体の回収は不可能。戦争終結まで放置するほかなし」と公式の発表を出した。

放置された死体は腐敗が進み、口や鼻、腐った皮膚から漏れ出した体液が発するアンモニアや硫化水素が戦場を覆った。

死臭である。

その死臭に引き寄せられた蝿が死体を処理していった。

蝿は死ぬまでに四百個から五百個産卵する。

蝿が死体に産卵すると、一日で孵《かえ》った蛆《うじ》が死体を食べて育ち、二週間で成虫となって再び死体に産卵するというサイクルを繰り返して、死体の処理を進めていった。

もう一種、死体の処理を援《たす》けたのが鼠である。

砲撃が止《や》むと戦場に這い出して死体を齧《かじ》り、見る間に白骨に変えていった。

戦場を覆う死臭と異常発生した蝿、死肉をたらふく喰って塹壕内を走り回る太った鼠が、兵士の心を蝕んでいった。

† イギリス

一九一五年五月三十一日、ドイツ軍は、飛行船を用いてロンドンを空爆したのを皮切りに、イギリス本土を二十回以上空爆して、死傷七百四十人の損害を与えた。

イギリス軍が高射砲や機関銃を搭載した航空機で迎撃するようになると、速度が遅い巨大な船体は簡単に撃墜されるようになり、同年末には戦場から姿を消した。

こののち、参戦各国は、偵察が主要な任務であった飛行機の価値を見直し、戦闘機と爆撃機の開発を急いだ。

航空機が目覚ましい進歩を遂げるのは第一次世界大戦からである。

第十章　屠殺場

† 西部戦線　ヴェルダン

開戦以来、西部戦線各所での戦闘で、独仏軍の死傷者数は、ほぼ同数となっていた。

ただ、開戦時の動員可能兵力は、フランスの八百四十万人に対し、ドイツは一・四倍の千二百万人と大きく上回っていた。

ドイツ陸軍参謀総長ファルケンハインはこの兵力差に目を付けた。

――力ずくの強襲を続行すれば、フランスの兵力が先に底をつく。そこを抜いてパリを衝《つ》く。

これがドイツ軍作戦参謀のトップが立案した作戦である。

消耗戦に挑む地は、選りにも選ってシャンパーニュ平原の入り口となるヴェルダン要塞を選んだ。

フランス軍陣地で最も堅固な要塞である。

タダで済むわけがなかった。

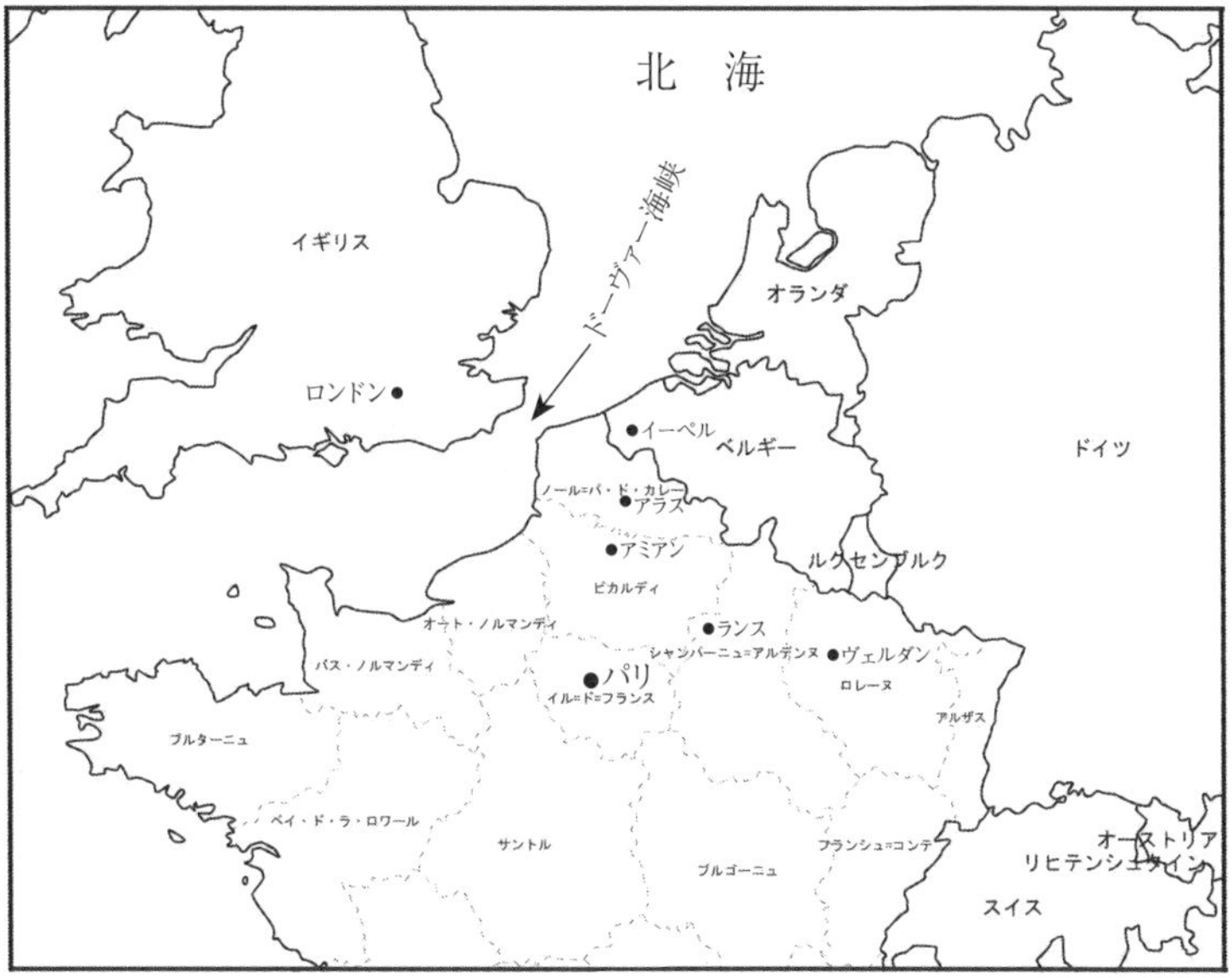

一九一六年二月二十一日午前七時、ドイツ軍は砲撃目標をフランス軍前哨陣地五キロの範囲に絞り、砲千百門を用いて百万発を超える砲弾を二十一時間ぶっ通しで叩き込んだ。

翌二十二日午前四時、ドイツ軍歩兵師団が突撃を敢行してフランス軍第一陣地を突破し、二十四日には二キロ先の第二陣地も抜いたが、四キロ先の第三陣地までには三十個近い堡塁がドイツ軍を待ち構えていた。

堡塁に籠もるフランス兵が銃砲弾を浴びせかけると、たちまち形勢は逆転してドイツ軍は劣勢に陥った。

突撃するドイツ兵の体は血煙を上げ、無数の肉片となって飛び散り、炸裂した砲弾片に腹を裂かれた兵が半狂乱になって、はみ出した内臓《はらわた》を腹に押し戻すなど、ヴェルダンの戦場はドイツ兵の屠殺場と化した。

ドイツ軍は三か月に亘って強襲を繰り返し

たが、ヴェルダン要塞を落とす目処は全く立たず、徒《いたずら》に兵を死に追いやるのみであった。

あまりの犠牲者の多さに、作戦を立案したファルケンハイン自身が怖気づいて作戦を中止しようとしたが、司令官であるヴィルヘルム皇太子が聞き入れず、東部戦線から引き抜いた兵を惜しげもなく注ぎ込んでの強襲が続行された。

ドイツ軍は、塩素ガス充填砲弾を撃ち込んで堡塁に籠もるフランス兵の殺傷を試みたが、この頃には、フランス兵全員に防毒マスクが行き渡っていたため効果はなく、フランス軍要塞からの銃砲火が止むことはなかった。

攻めあぐねたドイツ軍は、塩素ガスより十八倍毒性が高いホスゲンガス（『神経ガス戦争の世界史』ジョナサン・B・タッカー　みすず書房　参照）に催涙ガスを混入した砲弾に切り替えた。

催涙ガスに人を死に至らしめるほどの殺傷力はないが、防毒マスクのフィルターを通る。

催涙ガスを吸ったフランス兵は、激しく咳込んで苦し紛れに防毒マスクを外し、ホスゲンガスに晒されて死に追いやられていった。

塩素ガスやホスゲンガス攻撃の犠牲になったのはフランス兵だけではない。

突如、風向きが変わってドイツ軍陣地を襲うこともあれば、近隣の村にも流れて民間人をも容赦なく殺傷した。

催涙ガス混入砲弾による攻撃と、東部戦線から続々と兵力を投入してくるドイツ軍に押され、防御ラインがいつ突破されてもおかしくない状況になると、ヴェルダンのフランス軍司令部は「ドイツ軍の戦力を分散してくれ」と、三百二十キロ西のソンム川流域のイギリス軍と東部戦線のロシア軍に総攻撃を求めた。

†　西部戦線西部　ソンム川流域

ヴェルダンのフランス軍を救うため、ソンム川流域のイギリス軍は、六月二十四日から一週間に亘って千五百四十門の砲で百七十万発の砲弾をドイツ軍陣地の幅二十キロの範囲に叩きこんだ。

――ドイツ軍は全滅した。

と高を括ったソンムのイギリス軍司令官は、七月一日に、十万の歩兵に十分な食料と弾薬を持たせて前進させた。

ところが、地下深く掘られた退避壕に避難していたドイツ兵たちは傷一つ負っていなかった。

退避壕から這い出してきたドイツ兵たちは機銃座に重機関銃を取り付けると、五十キロ以上の荷物を担ぎ、砲弾でクレーター状になった戦場に足を取られながら前進するイギリス軍兵士に一斉掃射した。

この銃撃で真っ先に犠牲になったのも、アフリカから駆り出された黒人兵であった。

イギリス軍の盾にされた南アフリカ師団が、三十分ほどでこの世から消えた。

それでもイギリス軍の強襲は続行された。

戦場は瞬く間に引きちぎられた首や手足、身体の部位すら判別できない砕け散った骨や肉片、臓物《はらわた》にびっしりと覆い尽くされ、見る間にその層は厚みを増していった。

ソンムのイギリス軍司令部は前線から十五キロ後方にあった。

前線からは「被害甚大」という報告が司令部にひっきりなしに入っていたが、実状を全く把握していないイギリス軍司令部は「戦争に犠牲は付き物」と取り合わず、強襲続行を厳命した。

ヴェルダンのドイツ軍兵力を分散する、それだけのために、イギリス軍は戦闘初日だけで死者、行方不明者二万千人、負傷五万七千五百人という大損害を被ったのである。

すでに記したが、ソンム会戦の十二年前に勃発した日露戦争で、日本軍が最大の犠牲者を出したのが乃木第三軍の旅順総攻撃である。

「屍山血河《しざんけつが》」と言われた地獄の戦場で、第三軍が被った損害は、四か月半で戦死一万五千四百人、負傷四万四千人に上った。

その数をたった一日で上回ったわけである。

この犠牲者数は、世界中で行われたすべての戦闘の中で一日の死亡者数としては世界新記録である。

この戦いで負傷して本国へ送還され、のち軍事評論家となったイギリス陸軍少尉リデル・ハートは、ドイツ軍の堅固な塹壕陣地を「挽き肉機」と称した。

それでもイギリス軍の強襲は続いたが、最大三キロ前進しただけであった。

なお、この最悪の記録は翌年に塗り替えられることになる。

† 東部戦線　墺露国境、バルカン半島

前年五月に独墺軍が占領したガリツィア地方からドイツ軍がヴェルダンの戦場に引き抜かれ、オーストリアだけになった六月四日、ロシア軍が対峙ライン三百キロの範囲において総攻撃をかけた。

ドイツ軍の後ろ盾を失ったオーストリア軍は、またしても脆弱さを曝《さら》け出した。

ロシア軍の猛攻に圧倒されたオーストリア軍兵士の大半が投降して軍は崩壊してしまい、占領していたガリツィア地方を奪還された挙句に、ロシア軍に追撃されたのである。

オーストリア軍司令部は、イタリア戦線の兵を引き抜いてロシア軍の進撃を阻もうとしたが、食い止めることが出来ず、再び国境突破を許して、八月中旬には領内北部（現スロバキア）を占領されてしまった。

すると、それまで中立を保っていた隣国ルーマニアが、八月二十七日に突如オーストリアに宣戦布告して、オーストリア領ハンガリーに侵攻した。

大戦勃発以来、英仏はルーマニアに対し、戦勝後にオーストリア領を割譲するという条件で戦争への協力を要請していた。

ルーマニアは返事を保留していたが、ロシアがオーストリア軍に大勝するのを見て、勝ち馬に乗ったわけである。

オーストリア軍は絶体絶命の危機に陥った。

「オーストリア軍崩壊寸前」という報を受けたドイツ軍司令部は、ヴェルダンに呼び戻した兵力を再びオーストリア救援に割かざるを得なくなり、急遽、軍用列車で兵員の輸送を始めた。

その頃、オーストリア領内に乱入したロシア軍は、砲弾を使い果たしてスロバキア東部で進軍を停止していた。

そこへヴェルダンからドイツ軍が戻ってきたため、ロシア軍は逃げるほかなくなった。

独墺軍はロシア軍を追撃してガリツィア地方を再奪還し、ロシア軍の攻勢前の対峙ラインに押し戻した。

九月一日、ロシア軍の退却で孤立無援となったルーマニアに、北西から独墺軍が、南からはブルガリア・オスマントルコ軍が国境を突破して侵攻し、十二月初旬には首都ブカレストを陥落させた。梯子《はしご》を外された格好となったルーマニア軍は袋叩きに遭い、全兵力の四分の三を失って北へ敗走を始めた。

この戦闘における損害は、ロシア軍が死傷およそ五十万人、行方不明六万人弱、オーストリア軍が死傷、捕虜、行方不明者百万から百十万人、ドイツ軍が死傷三十五万人、ルーマニア軍が死傷三十万から四十万人である。

この戦いがヴェルダンの戦況を大きく変えた。

†　西部戦線　ヴェルダン

ヴェルダンのドイツ軍は、オーストリア軍救援に兵力を割いたため、戦力が大幅に落ちた。

そこへフランス軍が大攻勢をかけて十月中旬には堡塁をすべて奪還し、さらにドイツ軍を押し返して、十二月中旬には戦闘前の位置にまで戦線を戻した。

ドイツ陸軍参謀総長ファルケンハインが仕掛けたヴェルダンでの消耗戦は、ドイツ軍が百五十万の兵力を投入して、戦死十四万、負傷二十九万、フランス軍が百四十万の兵を投じて、戦死十六万、負傷三十八万三千、イギリス軍が百五十万人を注ぎ込んで、死傷六十二万人の損害を出しただけである。

第一次世界大戦の勃発から百年経った現在でも、ヴェルダンとソンムの戦場跡では当時の不発弾が暴発して市民を殺傷し続けている。

戦場周辺の森は、毒ガスで汚染され続けて植物が一切育たない場所があるため、十三キロ四方は今でも立ち入りが禁じられたままである。

†　西部戦線　ソンム川流域

ソンム川流域の対峙ラインでは、九月に入ると、イギリス軍が新兵器の戦車四十両を戦線に投入した。

正面に重機関銃、左右側面に六ポンド砲を備え、機関銃の銃弾を跳ね返しながら負傷者や死骸を挽き肉に変えて前進してくる戦車を見たドイツ兵はパニックになり、持ち場から逃げ出した。

この新兵器がドイツ兵に与えた精神的ショックは大きかったが、すぐに欠点を露呈させた。

まだ開発途中であったため、動いたのは十一両だけで、その半数が直ぐに故障や擱座《かくざ》して動かなくなった。

可動できた戦車も速力が時速五キロと遅く、冷静さを取り戻したドイツ兵に簡単に仕留められて銃弾を防ぐ巨大な遮蔽物としてしか用をなさなくなった。

ヴェルダンでの激闘が収束すると、ソンム川流域のイギリス軍も強襲を続ける意味がなくなって、大規模攻勢を次第に控えるようになり、十一月には散発的な戦闘が行われるだけとなった。

ソンムの戦いでの死傷者数は、旅順戦とほぼ同じ四、五か月の期間で、英仏軍が六十二万人、ドイツ軍が五十万から六十万人と、双方共に旅順戦で乃木第三軍が被った損害の十倍を上回った。

ソンム川流域の戦場は、開戦前までは麦畑が拡がる平野であった。

しかもドイツ軍、英仏軍ともに、急ごしらえで構築された塹壕陣地である。

それでも双方とも敵陣地を突破出来ずじまいである。

標高百二、三十メートルから二百メートルの山上にコンクリートで築かれたロシアの永久堡塁を四か月で陥落させた乃木希典司令官と伊地知幸介参謀長がいかに優れた将軍であったか理解できるだろう。

† メソポタミア戦線　地中海、大西洋、紅海、アラビア海、ペルシャ湾

西部戦線での激闘が収まると、イギリス軍は、ヴェルダンとソンムに惜しげもなく投入してきた

兵力をメソポタミア方面に回して、オスマントルコ攻略に取り掛かった。

アマーラに進駐していたメソポタミア方面のイギリス軍は、西部戦線からの増援軍が合流した十二月に進軍を再開し、十二月八日にクートを突破したあと、ティグリス川を二百七十キロ北上して翌一九一七年三月十一日にはバグダッドを陥落させた。

ところが進軍を停止せざるを得なくなる予期せぬ事態が起きた。

一九一七年に入ってから、中立の立場を取っていたアメリカが、公然と英仏への物資輸送を行ってドイツを挑発し始めたのである。

ドイツ政府は、駐米大使を通じて英仏への支援を取りやめるよう繰り返しアメリカ政府に要請したが、アメリカ政府は、聞き入れなかった。

やむなくドイツは二月一日に「中立国の船舶であろうと、ヨーロッパ周辺の海域を航行するすべての船舶を攻撃する」と宣言すると、アメリカ政府は二日後の二月三日にドイツとの国交を断絶した。

以降、Uボートが北海、地中海、大西洋を航行する船舶を手当たり次第に沈めるようになり、ペルシャ湾にまで出没してイギリス軍の物資輸送路も遮断してしまったため、メソポタミア方面のイギリス軍は進撃を断念せざるを得なくなったのである。

そして四月五日にUボートがアメリカ商船三隻を撃沈すると、翌日にアメリカはドイツに宣戦布告した。

しかしアメリカは、メキシコやスペインとの戦争で間髪入れずに兵を動かしたのと打って変わって、今回は兵の徴集と訓練、武器や航空機の量産など戦争の準備を入念に始め、一兵たりとも兵を動員しなかった。

一方、海上警備を一手に担っていたイギリス海軍は、北海と大西洋で暴れ回るUボートの掃討に追われて地中海の警備に手が回らなくなった。

そこでイギリス政府は、日本が占領しているドイツ領膠州湾と南洋諸島の日本併合を承認することを条件に、日本政府に地中海の警備を依頼してきた。

膠州湾が喉から手が出るほど欲しい日本政府は、イギリスの要請を快諾して、四月に東シナ海とインド洋に巡洋艦四隻と駆逐艦四隻、地中海に巡洋艦一隻と駆逐艦九隻、南アフリカのケープタウン沖に巡洋艦二隻を派遣した。

地中海に向かった十隻が到着早々の五月四日、イタリア沖でイギリスの大型輸送船トランシルバニア号がUボートの魚雷を被弾した時には、駆逐艦「松」と「榊」が救助にあたり、乗員三千三百人中三千人を救助して、イギリス国王から乗組員に勲章が授与された。

犠牲者も出た。

トランシルバニア号の救出劇から三十八日後の六月十一日、「榊」が病院船を護衛しての帰路、Uボートの放った魚雷を左艦首に受けて艦体の前部を吹き飛ばされ、艦長を含む五十九人が死亡し、十六人が重軽傷を負っている。

その後も日本艦隊は海上警備を続け、一九一八年十一月の終戦までに三百五十回出動して延べ八百隻の護衛に当たり、撃沈された船から七千人を救助した。

†　西部戦線　ベルギー

日本海軍の協力を得て海上警備を強化したイギリス軍であったが、Uボートに撃沈される船は後を絶たなかった。

開戦から二年半近くの間に沈められた船は五千隻を超え、ドイツ政府の「無差別攻撃」の宣言以降の二か月間だけで五百隻以上が撃沈された。

事態を憂慮したイギリス軍司令部は、ベルギーのドイツ軍陣地を突破して、港町オーステンデにあるドイツ軍潜水艦基地を破壊する計画を立てた。

突破目標はイーペルから十五キロ南東に位置する「メシヌ」という農村部であった。

この戦いは多くの文献で「メシヌの尾根の戦い」とか「メシヌ高地の戦い」と記されているため山岳地帯の戦いと勘違いしやすいが、麦畑が広がり、小さな林が点在するだけの平地である。

身を隠す遮蔽物はほとんどなく、攻撃側に不利な地形であった。

イギリス軍はドイツ軍陣地を抜くのに鉱山技師と鉱夫を雇い、地下道を七キロ掘り進んだ。

その地下道がドイツ軍陣地の真下に達したのが六月初旬である。

イギリス軍はそこに六百トンの爆薬を仕掛け、六月七日に起爆させた。

その爆発音は二百三十キロ離れたロンドンまで聞こえ、一万人近いドイツ兵が一瞬にして死亡した。

この爆破工作で、イギリス軍はドイツ軍の最前線陣地を占領できたが、その後方の第二線ドイツ軍陣地からの猛反撃に遭って、戦線突破はならなかった。

一週間の戦闘で、イギリス軍は一万八千人、ドイツ軍は二万五千人の死傷者を出しただけである。

メシヌを抜けなかったイギリス軍は、突破目標をイーペル近郊のパッシェンデール村のドイツ軍陣地に切り替えて、カナダ・オーストラリア・ニュージーランド連合軍を投入した。

七月二十七日、連合軍が三千百門の砲で砲撃を開始するとドイツ軍も反撃して、対峙ライン十二キロ、幅五キロの範囲に、二週間で八百万発という途方もない量の砲弾が降り注いだあと、連合軍が突撃した。

この戦闘では死因が一つ増えることになる。

溺死である。

連合軍が突撃する数日前から、パッシェンデール村周辺は豪雨が続いた。

ベルギー北部は平地の占める割合が高いが、パッシェンデール村周辺はさらに低地にある。

雨水に浸かった麦畑に、砲撃で破壊された運河から大量の水が流れ込んだ。

そこへ八百万発の砲弾が撃ち込まれたため、パッシェンデール村は麦畑も森も消え失せ、引っ掻き回されて巨大な泥沼と化していた。

そこを五十キロ近い重火器を担いで前進する連合軍の兵士たちは、泥に足を取られて迅速に動けず、ドイツ軍の格好の標的となって薙ぎ倒された。

泥が溜まった砲弾坑の深みに引きずり込まれる兵も続出し、助けを求めて喚きながら沈んでいった。

ドイツ軍の砲弾が泥の中で炸裂するたび、沈んでいた連合軍兵士の死骸が宙を舞い、踊った。

泥に悩まされた前線指揮官は、踏板を敷いて進撃路を作って兵を突撃させた。

この命令が死傷者を激増させた。

ドイツ軍は、連合軍の進撃路に機関銃の銃口を向けて固定させた。連合軍兵士が突撃してきたとき、ドイツ兵は目を閉じて引き金を引いても死体の山を築けた。

さらにドイツ軍は、マスタードガスを充填した砲弾を使用した。

塩素ガスとホスゲンガスは呼吸器官と目を壊すだけであるため、混入している催涙ガスを通さないフィルターを付けた防毒マスクとゴーグルを装着していれば防ぐことができたが、マスタードガスは皮膚を破壊して火傷と同じ症状を引き起こす。吸い込めば気管と肺が破壊され窒息死する。

マスタードガスに晒された連合軍兵士の肌には水ぶくれができ、その液体の重さで直ぐに皮膚は破れ、激痛に耐えられずに戦闘から離脱する。

この日一日だけで、連合軍は戦死者だけで、ソンムの会戦を上回る二万二千人の損害を出した。

それでも連合軍の強襲は続いた。

九月には一・二キロ前進するのと引き換えに二万千人の死傷者を出し、十月には二キロ進むのに三万人の兵を失い、兵力が底をついた十一月六日に大規模攻撃を断念した。

四か月に及ぶ戦いでの死傷者は、連合軍が四十万人、ドイツ軍が二十六万人である。

†　エジプト戦線　シナイ半島、パレスチナ

Uボートと共に、イギリス軍の物資輸送路を脅かしていたのが、シナイ半島のアカバにあるオスマントルコ海軍の水雷艇基地であった。

シナイ半島はアフリカ大陸とアラビア半島をつなぐ逆三角形の半島で、アラビア半島との接合点にアカバがあり、アフリカとの接合点に英仏軍の物資輸送路であるスエズ運河が通っている。

オスマントルコ軍は参戦直後にスエズ運河の奪取に失敗して以降、この基地から水雷艇を紅海とスエズ湾に放ち、ドイツのUボートと共同してイギリス軍輸送船の航行を脅かしていた。

イギリス海軍は早急にオスマントルコ軍の水雷艇基地を破壊する必要に迫られたが、海上から攻略する場合、オスマントルコ軍の水雷艇が遊弋《ゆうよく》し、無数の機雷が撒かれているアカバ湾内を二百キロ北上せねばならず、辿り着ける可能性は万に一つもない。

イギリス海軍はダーダネルス海峡の強行突破作戦で懲りている。

海からの攻略案はすぐに消えた。

採択されたのは陸路からの攻略案であった。

ただし、この作戦には、アカバ周辺に拡がる砂漠地帯の地理に精通したアラブ民族の協力が不可欠であった。

イギリスが協力を求めたのが、アラブ独立運動の指導者フセイン・イブン・アリーであった。

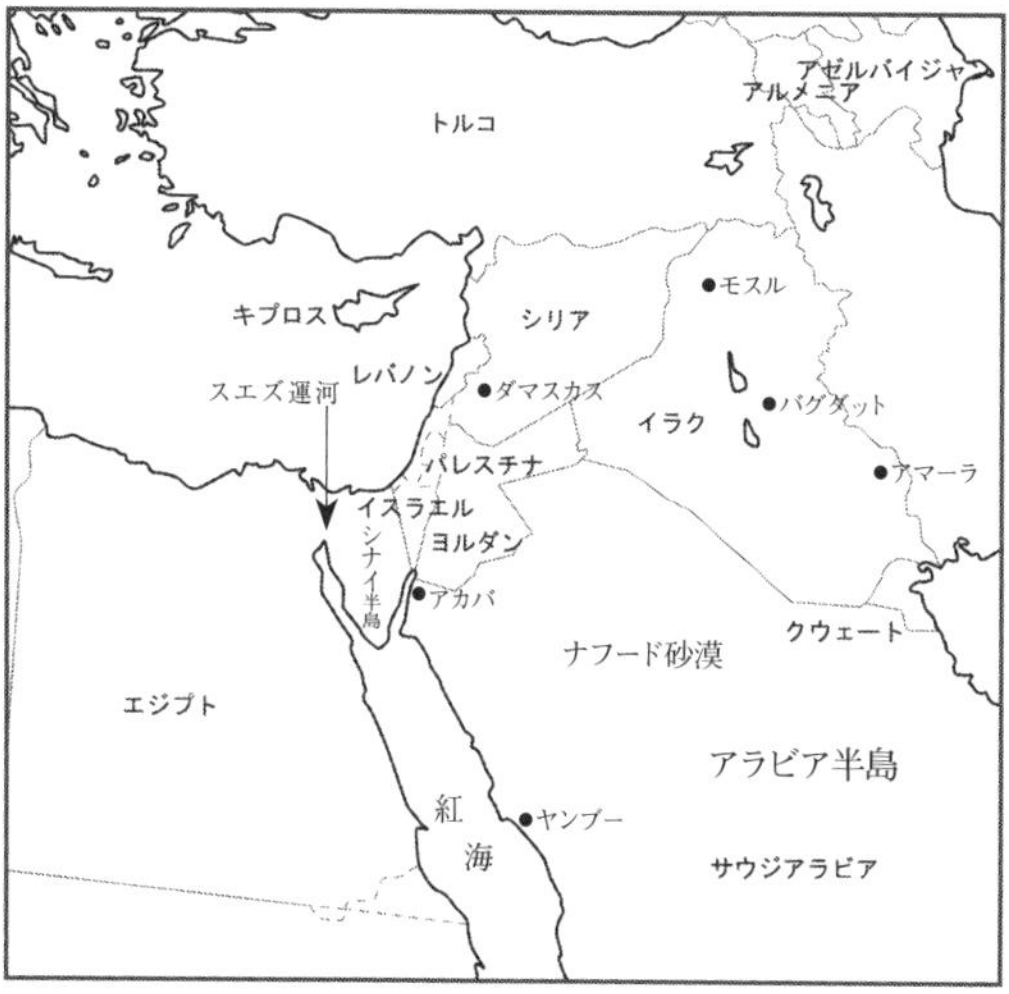

イギリス政府は参戦の翌年からフセインに接触を試み、戦勝後にオスマントルコ領にアラブ人国家の建国を承認する見返りに、イギリスに協力するよう説得を続けていた。

一九一六年十月、何とかフセインを口説き落としたイギリス政府は、旧式の武器しか持たないアラブ軍に最新兵器を供与し、イギリス人将校を軍事顧問として送った。

それが映画『アラビアのロレンス』で知られる陸軍大尉トーマス・エドワード・ロレンスである。

ロレンスはアラブ軍兵士に近代戦の戦い方を習熟させたあと、一九一七年一月三日にアラブ軍の拠点ヤンブーを出発して、紅海沿岸を四百五十キロ北上し、一月二十五日にオスマントルコ軍の軍事拠点の一つ、ワジュフ（サウジアラビア北西の紅海沿岸の街）を占領した。

ロレンスはこの街でアラブ軍閥の参加を募り、ラクダ隊を編成して、五月九日にアカバ攻略に向かった。

アカバは、ワジュフから紅海東岸沿いに直線距離で三百五十キロ北北東に位置するが、ロレンスはオスマントルコ軍の監視を掻い潜るため、紅海沿岸より二百キロほど内陸のナフード砂漠地帯を北上し、およそ二か月をかけて八百キロ踏破し、七月六日にアカバに辿り着いた。

アカバ水雷艇基地の重要性は、ダーダネルス海峡に匹敵する。

日露戦争におけるロシア旅順要塞のような、陸上からの攻撃に対する堅固な守りが施されて然るべきであったし、アラブ軍もアカバを陥落させるには相当数の犠牲が出ることを覚悟していただろう。

ところが、オスマントルコ軍は、陸上からの攻撃に対する備えを一切していなかった。

水雷艇基地の砲台はすべて南のアカバ湾に向いており、左右、背後の陸上からの攻撃に対しては全く防備が施されていない文字通りの裸城であった。

アラブ軍が水雷艇基地を背後から衝くと、大混乱に陥ったオスマントルコ軍はほとんど抵抗することもなく投降して、呆気なく水雷艇基地を明け渡した。

オスマントルコ軍首脳部がアカバの防備を怠ったツケは、翌年に同盟国のドイツ、オーストリア、ブルガリアに恐ろしい形で回ってくる。

†　エジプト戦線　パレスチナ

西部戦線から送られてきた増援軍が合流した一九一六年十二月、エジプト方面のイギリス軍は進撃を開始して、一九一七年一月にシナイ半島を突破したが、地中海東岸の北上を開始早々にガザでオスマントルコ軍の迎撃を受け、およそ四分の一の将兵を失って進軍を阻まれた。

そのイギリス軍を救ったのもロレンスである。

ロレンスはアカバを陥落させたあと、アラブ軍を数人一組のチームに編制し直して、ダマスカスからイスラム教徒の聖地メディナを結ぶ一本の鉄道線「巡礼鉄道」の線路の寸断、列車の爆破、鉄橋の爆破などのゲリラ活動を指揮して、メディナに駐留するオスマントルコ軍の前線への移動手段を奪った。

しかもロレンスの鉄道破壊工作は、ガザで対峙するオスマントルコ軍とイギリス軍との力の均衡をも崩した。

オスマントルコ軍は、長さ千三百キロに及ぶ巡礼鉄道の警備に三万人近い予備兵力を割いたため、各戦線への兵の補充ができなくなり、ガザでイギリス軍と戦闘中の部隊が日々の戦闘で徐々に痩せていったのである。

そしてオスマントルコ軍の兵力がイギリス軍を下回った十一月六日、イギリス軍はガザを突破して、十二月二日にエルサレムを占領したあと、ダマスカスを目指した。

しかし、この進撃も、翌一九一八年二月に西部戦線で始まったドイツ軍の大規模攻勢に対処するために兵力を割かれて停止することになる。

† イタリア戦線

イタリア戦線の生起以来、ベネツィア湾北岸のオーストリア軍とイタリア軍の対峙ラインでは、一九一七年の夏までの二年間で、延べ十一回におよぶ大規模な会戦が行われ、オーストリア軍はイタリア軍に二十キロほど前進を許していた。

アルプス戦線でもイタリア軍が優勢で、オーストリア軍はイタリア軍に最大四十キロ対峙ラインを押し込まれ、イタリア軍の死傷者が六十七万人なのに対して、捕虜を含めると百五十万の将兵を失い、予備兵力も底を尽きかけていた。

しかも異民族部隊の集団脱走、上官の命令無視、サボタージュ、反乱が相次ぐようなったほか、イタリア系兵士の中にイタリア軍に内通する者が出るなど、軍が内部崩壊寸前の状態となっていた。

ドイツ軍は崩壊寸前のオーストリア軍を支えるため、アルプス戦線に七個師団の増援軍を送り、オーストリア軍の山岳戦専門部隊「アルピーニ」を核に編成された三十個師団に合流してアルプス戦線の南東端（現在のイタリア、オーストリア、スロベニア三か国の国境が一点に集まる辺り）、その六十キロ西のカルニケアルプス西端、その七十キロ南西のドロミティアルプスの三か所に布陣した。

十月二十四日、アルプス戦線南東端のドイツ軍が総攻撃をかけると、山岳地帯での大軍による攻撃を一切想定していなかったイタリア軍守備隊は、配備していた兵員数も少なく、簡単に突破された。

四日かけてアルプスの峰々を踏破したドイツ軍は、山麓へ駆け降りると、ベネツィア湾北岸に展開するイタリア軍の背後に回り込もうとした。

その動きに合わせて、イタリア軍とベネツィア湾側で対峙していたオーストリア軍が総攻撃をかけると、挟撃を恐れたイタリア兵のほとんどが武器を捨てて投降をするか、南西へ向けて逃げ出した。

十一月七日にはカルニケアルプス、十一月十日にはドロミティアルプスからも独墺連合軍が強襲をかけると、ここでもイタリア軍守備隊は逃げ出して、独墺軍は二週間でイタリアの国土のおよそ二十五パーセントを占めるパダーナ平原の半分近くを占領した。

この戦いでの両軍の損害であるが、ドイツ・オーストリア軍が死傷三万人弱、敗れたイタリア軍は投入兵力は六十五万人のうち、戦死がおよそ一万人、負傷二万人と随分少ないが、二十八万人の兵士が投降し、残り三十四万人が戦場から脱走したためであった。

実にイタリア兵の九十五パーセントが戦闘を放棄したのである。

† ギリシャ

さて、ここで登場するのが中立を保っていたギリシャである。

一九一四年に世界大戦が始まり、オスマントルコがドイツ側に付くと、英仏はオスマントルコを西から衝くためにギリシャを味方に付ける必要が生じた。

当時、フランスは財政破綻寸前に追い込まれていたギリシャに多額の資金を貸し付けており、融資の打ち切りを仄《ほの》めかして協力を依頼すると、ギリシャ首相ヴェニゼロスはフランスの求めに応じようとした。

しかし、ヴィルヘルム二世の妹を娶《めと》っていた国王コンスタンティノス一世がドイツ支持派であったため、政府が国王派と首相派の真っ二つに割れてしまった。

そんな中、一九一五年十一月にセルビアがバルカン半島から追い落とされ、翌一九一六年一月に英仏軍がガリポリ半島から撤退して戦局がドイツ側優勢に傾くと、コンスタンティノス一世はヴェニゼロス首相を解任して、ドイツ支持に舵を切った。

解任されたヴェニゼロスは、首都アテネから二百七十キロ北の英仏軍が占領しているテッサロニキで分離政権を樹立し、ヴェニゼロス派の軍隊を集結させて国家防衛軍を編成したため、国王派と首相派の内戦必至となった。

コンスタンティノス国王は、英仏軍を後ろ盾にしたヴェニゼロス派に対抗するため、ドイツに支援を乞うた。

ところが、東部戦線と西部戦線のほかに、オーストリア、ブルガリア、オスマントルコにも援軍を送っているドイツに、ギリシャを支援する余裕はなく、断られてしまった。

同年十二月、英仏軍は首都アテネに近いピレウスに上陸してコンスタンティノス国王に圧力をかけ、さらに翌年にはギリシャへの禁輸措置を発動して恫喝すると、震え上がったコンスタンティノス国王は翌一九一七年六月にスイスへ亡命してしまった。

首相に返り咲いたヴェニゼロスは、六月二十七日にドイツ、オーストリア、ブルガリア、オスマントルコに宣戦布告して、新たに「ギリシャ・オスマントルコ戦線」と「ギリシャ・ブルガリア戦線」が生起した。

第十一章　ニコライ処刑

†　ロシア

一九一七年に入ると、ロシアではあらゆる物資が欠乏するようになっていた。

開戦冒頭にスカゲラク海峡をドイツに塞がれ、ダーダネルス海峡はオスマントルコに閉じられた。一九一五年には陸上輸送路のバルカン半島をオーストリアとブルガリアに占領され、物資輸送路はすべて断たれた。

イギリス海軍は困窮するロシアを救うため、ドイツ艦隊を殲滅してロシアへの物資輸送路を開く必要に迫られた。

片やイギリス艦艇による海上封鎖に喘《あえ》ぐドイツも補給路を開くため、イギリス本土に艦砲射撃を加えてイギリス艦隊を誘《おび》き寄せ、一挙に殲滅する作戦を立てた。

陣容は、戦艦二十二隻、巡洋艦十六隻、魚雷艇六十隻で、ドイツ海軍全艦艇のおよそ九十パーセントに当たる。

出撃は、ヴェルダンで激闘が繰り広げられていた一九一六年五月三十一日に決まった。

ドイツの出撃計画を傍受したイギリス海軍は、機先を制するため、ドイツ艦隊が出撃する前日の五月三十日に、戦艦三十七隻、巡洋艦三十四隻、魚雷艇八十隻を繰り出して迎撃に向かった。

両艦隊がユトランド半島西方沖で相まみえたのが五月三十一日である。

イギリス海軍が繰り出した艦艇は、戦艦数がドイツ艦隊の一・六倍、巡洋艦数が二・一倍と圧倒的に有利であったが、ドイツ海軍の開発した徹甲弾の餌食となって、戦艦三隻、駆逐艦八隻を撃沈され、戦死者は六千九百六人とドイツ艦隊の二・四倍の大損害を被った。

挙句に逃走するドイツ艦艇を取り逃してしまい、ロシアへの補給路を確保できずに終わった。

物資補給路をすべて閉ざされたロシア国内では、長引く兵糧攻めで国民の生活は困窮の極みに達していた。

首都ペトログラード（一七〇三年に建設された時はサンクトペテルブルクと命名され、第一次世界大戦が始まった一九一四年にペトログラードと改名）でも食糧事情は深刻で、食糧配給所には連日長蛇の列ができていた。

しかも三月初めから連日続いた大雪で配給食を積んだ貨物列車が不通となり、市民全員に食糧が行き渡らなくなった。

三月八日、極寒の中で配給の列に長時間並んでいながら食料を受け取ることが出来なかった数人の女性が「パンをよこせ」と声を上げたのが「ロシア三月革命」の発端となった。

女性たちの訴えに呼応する者が続出し、当日のうちに数万人にまで膨れ上がったデモ隊は、戦争終結を訴えながら市街を練り歩いた。

このとき、ニコライ二世は、前線の兵士の士気を高めるためにペトログラードを離れ、モギリョフ（ペトログラードから七百キロ南、現在のベラルーシ東部の街モヒリョウ）の前線司令部にいた。

報告を受けたニコライは武力鎮圧を命じたが、この時点では食糧不足に対する抗議デモに過ぎない。

皇帝からの命令とはいえ、警官隊と陸軍部隊は老人や女・子供までもが加わったデモ隊に発砲するのを躊躇《ためら》い、ただ傍観するだけであった。

その後もデモに加わる者は増え続け、三月十日には四十万人を超えた。

そのデモ隊を扇動したのが共産主義者たちである。

十九世紀半ば、プロイセンの哲学者カール・マルクスによって説かれた「企業経営者や富裕層の財産を没収して国民に平等に配分し、身分制度のない平等な共同社会を目指す」という思想はヨーロッパ各地に拡がりを見せていた。

耳にすれば人類の理想郷のように響くが、共産主義に異を唱える者を容認しない危険を孕《はら》み、のちにスターリン、毛沢東、ポルポトといった独裁者を生み出して、二十世紀の八十年間で一億七千万人を超える人々を粛清する惨劇を引き起こした。

当時プロイセンの宰相だったビスマルクは、共産主義の危険性を見抜き、殲滅に血眼になった。

ところがこいつらがなかなかしぶとい。

叩いても、叩いても、地下に潜って増殖してゆき、とうとうビスマルクは息の根を止めることが出来なかった。

統一ドイツがアフリカ争奪戦にも出遅れた原因は、カトリックとプロテスタントとの宗教対立のほかに、共産主義者の跳梁跋扈も大きな要因だったのである。

ロシアでも同様であった。

先々帝、すなわちニコライ二世の祖父のアレクサンドル二世が、マルクスの思想に感化されたナロードニキによって爆殺されたあと、嫡子のアレクサンドル三世が徹底的に弾圧を加え、その嫡子のニコライ二世も一八九八年に共産党の前身であるロシア社会民主労働党が結成されたとき、党員を一斉検挙して災いの根を断とうとした。

しかし、弾圧を逃れ、息を潜めていた共産主義者たちが、敗色濃厚な戦時下のペトログラードで蠢《うごめ》き始め、食糧不足への不満を訴える群衆を巧みに帝政打倒へと誘導すると、煽られた群衆と制止しようとする警官との小競り合いが始まった。

三月十一日、一部の群衆が暴徒と化して警官隊を襲撃するようになると、警官隊の発砲が始まった。

鎮圧部隊にも射撃命令が出たが、それでも大半の兵士たちはデモ隊への射撃を拒み続けた。

その中の一分隊で、発砲命令を拒否して殴られた兵士が上官を射殺してデモ隊に加わると、その分隊の他の兵士たちもデモ隊側に付いた。

一分隊での兵士の反乱はたちまち鎮圧部隊全体に広まり、デモに加わろうとする兵士とそれを阻止しようとする兵士の二つに割れての銃撃戦が始まった。

数に勝る反乱兵たちが鎮圧派を制すると、首都に招集されていた新兵たちもデモに加わった。勢いづいた群衆は、政府高官邸や警察署に火を放ち、軍の武器庫から奪った銃を街中で乱射し始めた。

知らせを受けたニコライ二世は新たな鎮圧部隊の投入を命じたが、すでに手が付けられない状態になっていた。

首都の騒乱は直ぐに東部戦線の諸部隊の知るところとなり、政変に乗じて戦場から脱走する兵士が相次いで、軍が崩壊しかねない状況になってきた。

帝政崩壊は必至と見たロシア帝国議会では、臨時委員会を立ち上げて新国家建設の話し合いに入り、東部戦線各所の将軍に臨時委員会への支持を取り付けた。

そのうえで国会議長が首都の情勢をニコライ二世に電報で伝え、「国民が納得する政府を組閣しない限り、首都の騒乱を治めることは出来ない」と、暗に退位を促した。

ニコライ二世はこの提言を聞き入れず、自ら軍を指揮して革命を潰そうと翌日に列車でモギリョフを発ったが、翌日、ペトログラードまで残り二百九十キロのプスコフ駅に着いたところで革命政府に寝返った北部方面軍に拘束された。

北部方面軍司令官は、国会議長や参謀総長、東部戦線各所の将軍から届いた「暴徒と化した民衆を鎮めるためには皇帝が身を引くほかなし」という電報を見せてニコライに退位を迫った。

ここに至って漸《ようや》くニコライ二世は皇帝の座から降りる決意した。

しかしニコライ二世は帝政を存続させるつもりであった。

ニコライが後継者に指名したのは病弱で年若い嫡子アレクセイではなく、弟のミハイル・アレクサンドルヴィッチ大公（皇帝、王に次ぐ最高位の貴族）である。

そのミハイルも、臨時政府の幹部から「もはや国民は帝政を受け入れることはない。あなたが皇位を継承するのなら、命を保証することは出来ない」と言われると、あっさりと皇位継承権を放棄して、三百四年続いたロマノフ王朝は終わりを告げた。

三月革命における死者は千四百人を超える。

数人の女性が抗議の声を上げてから僅か七日目の政変であった。

これでロシアでは国民主導による政治形態に移行するかに思われたが、さらなる混乱が引き起こされた。

ニコライが退位したロシア議会では閣議が開かれ、国会議員たちが臨時政府を立ち上げて国の舵取りを行うことを決めた。

とはいえ、ニコライを退位に追い込んで革命を成就させたのは、デモ隊を操った共産主義者たちである。

その共産主義者たちが、武装した群衆を率いて国会の議場を取り囲み、国政への参画を求めてきたのである。

臨時政府は、革命の立役者となった共産主義者の要求を拒むことが出来ずに参画を許し、発足早々から主導権を奪われてしまった。

当時、ロシア国内の共産主義者は二派に分かれていた。

一派は資本家の財力と経営手腕なしに国家運営は不可能と考え、資本家と共同でロシアを発展させてから共産主義国家の建設を目指す現実路線を取った穏健派の「メンシェビキ」、もう一派は即刻資産家の財産を没収して国民に等しく配分し、平等な共同社会の設立を目指す過激派の「ボリシェビキ」である。

三月革命の時、ボリシェビキの幹部はニコライ二世による弾圧で逮捕されるか、国外へ逃亡しており主導的な役割を果たせなかった。

新政権の実権を握ったのはメンシェビキである。

出端から躓《つまず》いた臨時政府は、人気取りのために「言論と思想の自由」と「身分差別の撤廃」を国民に確約したが、戦争に関しては継続することを発表した。

自らドイツに講和を申し入れれば、戦争継続能力が無くなったと見なされて、法外な領土の割譲と賠償金の支払いを要求されるため、戦争を完遂してドイツから賠償金と領土を分捕る道を選んだのである。

そのため、臨時政府は、戦争終結を望む多くの国民の支持を失うことになった。

さらに臨時政府を追い込んだのがヴィルヘルム二世の策謀である。

目論み通りにロシア帝政を崩壊させたにも拘らず、臨時政府は戦争継続を発表し、その直後にはアメリカまでドイツの敵に回った。

奸智《かんち》に長けたヴィルヘルム二世といえども、ここまで事態が悪化するとは想定していなかっただろう。

一刻も早くロシアを戦線離脱させる必要に迫られたヴィルヘルム二世が目を付けたのが、過激派ボリシェビキの中でも札付きの危険分子として知られるウラジーミル・イリイチ・レーニンである。レーニンは嘗《かつ》てロシア帝政の転覆を謀って治安当局から追われ、スイスのチューリヒに亡命している厄介者である。

ヴィルヘルム二世はこの危険人物を帰国させてロシア国内を引っ掻き回すことを目論んだ。四月二十九日、ドイツ政府の手引きでペトログラードに戻ったレーニンが「戦争からの即時離脱」と「資産家の土地や財産の労働者への分配」を公約にボリシェビキ政権樹立への協力を民衆に呼びかけると、ヴィルヘルム二世の読みは当たり、大半の民衆がボリシェビキ支持に回った。

臨時政府はオーストリア軍に占領されているガリツィア地方を奪還して威信を示そうと、軍に命じて総攻撃をかけさせた。

レーニン
(1870-1924)

ところが前線のロシア軍内部では、三月革命のどさくさに紛れて二百万を超える兵士が戦場から脱走して軍そのものが瓦解寸前となり、まともに戦える状態ではなかった。

それでもロシア軍以上にタガの緩んでいたオーストリア軍兵士たちは一斉に逃げ出して対峙ラインに大穴を開けた。

ロシア軍はガリツィア地方を奪還し、臨時政府は面目を一新したかに思えた。

が、ドイツ軍がオーストリア軍の救援に舞い戻ってくると、ロシア軍は手もなく捻られてガリツィア地方を奪い返されたうえに、二百キロ近く対峙ラインを押し込まれてしまった。

敗報が届いたペトログラードでは、激怒した数十万人の市民が臨時政府に対して「ボリシェビキに政権を譲れ」と大規模デモを行った。

面子《めんつ》丸つぶれの臨時政府は、大衆を煽ったボリシェビキ幹部を手あたり次第逮捕してデモを潰しにかかったが、首謀者のレーニンを取り逃がしてフィンランドに逃亡されてしまった。

しかもそのあと、臨時政府は致命傷となる下手を打った。

東部戦線で大敗したロシア軍の刷新を図り、総司令官のブルシーロフ将軍を解任したまではよかったが、新たな司令官にその人物像を徹底的に洗い出すこともせず、コルニーロフ将軍を据えたのである。

そして臨時政府の期待は見事に裏切られる。

そのコルニーロフ将軍が、総司令官に就任早々の九月初旬にニコライ二世の復位を目論んでクーデターを起こしたのである。

臨時政府が首都で掌握している僅《わず》かな兵力ではコルニーロフのクーデターを制圧することは不可能であった。

やむなく臨時政府は赤軍（ボリシェビキを支持する兵士や武装した労働者）の協力を得てクーデター部隊を制圧し、コルニーロフを逮捕したが、この騒動でペトログラード市民は臨時政府とメンシェビキを完全に見限り、一挙にボリシェビキ支持に傾いた。

報告を受けたレーニンは十一月六日にペトログラードに戻ると、赤軍を動員して臨時政府を潰しにかかった。

それを阻止しようとした臨時政府軍と赤軍が衝突し、数に勝る赤軍が臨時政府軍を圧倒して十一月七日に臨時政府幹部を冬宮に追い込んだ。

十一月九日、赤軍は冬宮に突入して臨時政府の閣僚を逮捕し、ボリシェビキが権力を掌握して「ソビエト・ロシア社会主義共和国」の建国を世界に向けて宣言した。

十二月三日、ソビエト政府は、全戦線のロシア軍に対し、すべての戦闘行為を停止するよう命令を出し、ドイツとの講和のテーブルについた。

講和会議の席上、ドイツ代表団は講和の条件として、すでに占領してある「ポーランド全土」と「エストニア全土」「ラトビア西部」「リトアニア西部」「ベラルーシ西部」「ウクライナ西部」の割譲を要求した。

ソビエト代表団がこの法外な要求を拒絶すると、ドイツ代表団は交渉決裂を本国政府に打電した。本国政府から「戦闘再開」の命令を受けた前線のドイツ軍は、その日のうちに進撃を開始し、リトアニア、ラトビア、エストニア、ウクライナ全土を占領して、首都ペトログラードまで百二十キロに迫った。

そのうえで再び講和会議に臨み、これら新たな占領地域を上積みして明け渡しを要求した。

その総面積は百二十九万八千七十七平方キロメートル、当時のドイツの国土の二・三六倍という無茶苦茶なものであった。

しかし連絡を受けたレーニンはこの法外な要求を呑んで、代表団に講和の締結を命じた。

ドイツは間もなく力尽きると読み、そのあと奪い返すつもりであった。

そしてレーニンの目論み通りになるのである。

レーニンはドイツ政府より役者が一枚も二枚も上手であった。

十二月二十八日、ソビエト代表団はレーニンの指示通りにドイツ側の要求を呑んで休戦条約を結び、翌一九一八年三月十六日に「ブレスト・リトフスク条約」を締結して完全に大戦から手を引いた。

これにより東部戦線は完全に消滅し、ロシアと対峙していたドイツ軍は「西部戦線」、オーストリア軍は「イタリア戦線」、コーカサス戦線のオスマントルコ軍は「エジプト戦線」と「メソポタミア戦線」に兵力を移して戦局は大きく動いていく。

ロシア帝国の崩壊は参戦国にも大きな影響を及ぼした。

ニコライ二世が退位に追い込まれた一九一七年三月には、西部戦線中央のシャンパーニュ地方で消耗品のように使い捨てられてゆくフランス軍兵士たちが政府や軍司令部を公然と批判するようになり、およそ七十万人の兵士が出撃命令を拒否する抗命事件を起こした。

軍司令部は反乱の旗振り役となった四百三十余人を銃殺したが、その酷烈過ぎる処分が逆に多くの兵士の怒りを増幅させる結果となり、司令部と前線の兵士との信頼関係は完全に損なわれた。

軍司令部は、兵士の不満に真摯に向き合うことで辛うじて軍の秩序を取り戻した。

ドイツ陸海軍でも厭戦気分が広がって、前線で反戦ビラが撒かれるようになり、キール軍港では水兵が出撃命令を拒んでストライキを行った。

軍当局はストライキを主導した水兵二人を見せしめに銃殺して力尽くで反乱を抑え込んだ。

イタリア軍でも戦線から離脱するために自らの手足を撃ちぬく自損事件が相次ぎ、脱走兵が六万人を超えた。

軍司令部は軍紀粛正のために七百五十人を処刑したが効果はなく、最前線ではオーストリア兵に遭遇すると武器を捨てて投降する兵が続出した。

ソビエト国内では支配下にあった諸民族の独立が相次いだ。

コルニーロフ将軍の反乱が起こった九月にはポーランド、グルジア、アルメニア、アゼルバイジャン、十一月にはウクライナ、エストニア、十二月にはフィンランド、モルドバ、翌一九一八年一月にはラトビア、二月にはリトアニアがソビエトからの独立を宣言した。

ソビエトの戦線離脱で最も割を食ったのがロシア頼みで参戦したルーマニアである。

後ろ盾であるロシアが消滅して、ソビエトが戦争から手を引くと、同盟国のイギリスとフランスから遠く切り離されて孤立無援となったルーマニアは、北の独墺軍と南のブルガリア・オスマントルコ軍から挟撃されて袋叩きに遭った。

翌年五月七日に降伏したルーマニアは、ドイツ側に石油、石炭、天然ガスの産出地帯を割譲するという要求を呑んで「ブカレスト講和条約」を締結し、戦線から離脱した。

† 西部戦線西方

ソビエト政府が樹立されてから間もない十一月二十日、イギリス軍は、東部戦線のドイツ軍が西部戦線に押し寄せてくる前に決着をつけようと、西部戦線西方のカンブレーで突如攻撃を敢行した。

南北対峙ライン九キロの範囲に、準備砲撃なしで三百九十両の戦車が前進してドイツ軍塹壕陣地を潰し、あとに続く十個師団が退却するドイツ兵を追撃して一週間で八キロ前進した。

しかし、早くも東部戦線のドイツ軍部隊が西部戦線に到着して巻き返しが始まった。

イギリス軍は東部戦線からの増援部隊を得たドイツ軍の猛攻を支えきれずに後退を始め、三日間で攻撃開始前のラインまで押し戻された。

この戦闘でイギリス軍は投入兵力のおよそ半数となる四万八千人が死傷し、一万人が捕虜となった。

ドイツ軍の損害は、投入兵力二十四万人中、死傷四万六千人、捕虜一万二千人である。

† ソビエト国内

戦線からの離脱が完了すると、レーニンはドイツの相手を英仏に任せて、国内の平定に取り掛かった。

「Cheka《チェーカー》」「ＧＰＵ《ゲー・ペー・ウー》」という二つの秘密警察組織を創設し、共産主義思想に賛同しない者を根こそぎ逮捕して、シベリアでの強制労働や拷問、処刑などの粛清を始めた。

対象となったのは、白軍（旧ロシア帝国軍）将兵、メンシェビキ党員の他、大地主や企業経営者などの富裕層，学者や言論人などの知識階級、神父、スト・暴動の参加者などで、命を落とした者は数年間で七百万人に上る（『年表で読む日本近現代史』渡部昇一　海竜社　参照）。

しかもレーニンの野望はソビエト国内に止《とど》まらず、世界中に共産主義思想を広めるために共産党支局（コミンテルン）の設立に取り掛かった。

一方、米英仏伊は、退位したニコライ二世を復位させ、旧ロシア帝国を東部戦線に引き戻そうと、七月末にソビエトを叩き潰すための派兵を決めた。

派兵された兵力は、米英仏伊共に二千人から一万人弱程度と見られる。

これにソビエト国内から白軍将兵数十万人が加わった。

八月になると、英仏からの要請で日本もシベリア派兵に加わったが、派兵の目的が全く違った。

ソビエトの実態を知った日本政府は、共産主義の拡散に警戒を強め、ウラジオストックと朝鮮半島の二か所に分散して派兵した。

ウラジオストックに上陸した部隊は、沿海州（間宮海峡西岸）を千四百キロ北上してニコライエフスクまで北上したあと、ソビエト軍やパルチザン（労働者や農民からなるゲリラ）と戦いながらシベリア鉄道沿いを西進し、朝鮮半島に上陸した部隊も満洲鉄道沿いに西へ進んだ。

米英仏が復位させようとしたニコライ二世であるが、前年の三月革命で退位したあと家族と共にペトログラード近郊のアレクサンドル宮殿に幽閉されていたが、待医、料理人、子供たちの家庭教師などの同行を許され、家族と農作業をして暮らしていた。

ところが八月にコルニーロフ将軍のクーデターを鎮圧したボリシェビキ派が発言力を増してくると、臨時政府はニコライ一家の身の安全を守るため、西シベリアのトボリスクに皇帝一家の身柄を移した。

しかし十一月革命が起こってボリシェビキ派が政権を握ると、警備兵はメンシェビキ派からボリシェビキ派に替わり、ニコライ一家の処遇が一変した。

かつての皇帝は貧農出身者が多いボリシェビキ派の兵士から足蹴にされ、年頃の娘たちはトイレに入るときに、その前に屯《たむろ》する兵士たちから卑猥な言葉を投げかけられる屈辱的な日々を送った。

一九一八年五月十三日、ニコライ一家はトボリスクから五百キロ西のウラル地方エカテリンブルクに移送され、豪商イパチョフの館に監禁された。

七月に入り、ニコライ二世奪還のために白軍がエカテリンブルクに迫ってくると、ウラル地方ソビエト兵労委員会は「ニコライ一家の処刑」を急遽決定した。

知らせを受けたレーニンはこの決定に異議を唱えなかった。

レーニンにとってニコライ二世は、ボリシェビキの前身である「ロシア社会民主労働党」を一斉検挙して潰した仇敵である。

しかもレーニンにはニコライ二世に対して私怨もある。

レーニンは、兄アレクサンドル・ウリヤノフから共産主義思想の薫陶を受け、革命家としての人生を歩んできた。

その兄は、ニコライ二世の父である前皇帝アレクサンドル三世の暗殺を企て、その計画が発覚して死刑になった。

レーニンはその恨みを忘れていなかった。

十八代続いたロマノフ王朝の中には、非業の死を遂げた皇帝と皇子が六人いる。

父ピョートル一世から死刑を宣告され、牢獄で殺害された皇子アレクセイ、エリザヴェータのクーデターで生後二か月から生涯を牢獄で暮らし、エカチェリーナ二世の殺害命令によって二十四歳で刺殺されたイヴァン六世、同じくエカチェリーナ二世のクーデターにより廃位させられ、牢獄で殺害された夫のピョートル三世、実子アレクサンドル一世に命を絶たれた父パーヴェル一世、ナロードニキに爆殺されたアレクサンドル二世、そしてニコライ二世である。

その中で最も凄惨な最期を迎えるのがニコライ二世である。

七月三十日午前零時過ぎ、警備隊長が十人ほどの部下を伴ってニコライ一家の部屋に入り「白軍が迫ってきたので幽閉先を移動する。旅の準備をせよ」と命じて一家を地下室に移した。

ニコライ二世は、血友病の末子アレクセイと足の悪い皇后アレクサンドラを気遣って、椅子の提供を願い出た。

二人が椅子に座り、ニコライ二世と四人の皇女がその後ろに立った。

そこで警備隊長が「ウラル管区ソビエト執行委員会は、あなた達を銃殺することを決定した」と告げた。

皇女たちは嘆き、警備隊長の言葉を聞き漏らしたニコライ二世は「今、なんと言いましたか」と聞き返した。

これがロマノフ王朝最後の皇帝ニコライ二世の最後の言葉となった。

次の瞬間、兵士たちの発砲が一斉に始まり、地下室は視界が利かなくなるほどの硝煙で煙った。

五十歳のニコライ二世、四十六歳の皇后アレクサンドラ、二十二歳の長女オリガ、二十一歳の次女タチアナ、十九歳の三女マリア、十七歳の四女アナスタシア、十三歳の長男アレクセイ、七人皆殺しである。

ニコライ二世と皇后アレクサンドラは全身をハチの巣にされて即死し、長女オリガ、次女タチアナ、四女アナスタシア、末子アレクセイは虫の息となった。

唯一傷が浅かった三女マリアは扉に向かって逃亡を図ったが、足を撃たれて転倒したところを頭部に銃弾を撃ち込まれて死亡した。

銃弾を撃ち尽くした兵士たちは、残る四人を銃剣で刺し殺しに掛かったが、コルセットが刃を通さず、皇女たちは床をのたうち回っていた。

警備隊長は腰のモーゼル銃を抜いて皇女たちに止めを刺していったが、それでもアレクセイには息があった。

警備隊長はアレクセイの口に銃口を突っ込み、弾倉に残っていた全弾を撃ち込むとアレクセイはようやく事切れて椅子からずり落ち、処刑は終了した。

その途端、兵士たちは一斉に死体に群がり、皇女たちの指をナイフで切り落として指輪を奪い、衣服を剥ぎ取って縫い付けていた宝石を奪い合った。

皇女たちは亡命出来るものと信じ、亡命先で生活の糧にするために身に付けていたのである。

兵士たちは宝石を奪い終わると、死体をトラックの荷台に無造作に放り上げてコプチャクの森へ運び、廃坑に死体を放り込んだあと、身元が判明しないよう顔に硫酸をかけて潰し、土をかぶせて痕跡を消した。

ニコライ一家の殺害から八日後の八月七日、エカテリンブルクを占領した白軍は、ニコライ二世の捜索を開始したが発見することは出来ず、森の中に皇帝一家の焼かれた衣服を発見しただけであった。

ニコライ二世の遺骨と思《おぼ》しき右側頭部に三発の銃弾跡がある頭蓋骨が、地元ウラル地方の郷土史研究家によって発見されたのは一九七九年である。

当時のソ連当局に没収されることを恐れ、発表したのはソビエトが崩壊した一九九一年である。

一九九四年にＤＮＡ鑑定で存命中だったニコライ二世の血縁者のＤＮＡと一致して、ニコライ二世の遺骨と断定された。

二〇〇七年には、ニコライ二世の遺骨発見場所から八十メートル離れた所で、三女マリアと長男アレクセイの遺骨も発見されている（『最後のロシア皇帝』植田樹　ちくま新書　参照）。

なお、シベリア出兵は、一九一八年十一月に大戦が終結すると意味がなくなり、パルチザンとの戦いに手を焼いた米英仏伊は一九二〇年に兵を撤収した。

ソビエトと直接国境を接しない彼らにとって、自国から遠く離れた極東での騒動など対岸の火事にすぎなかったからである。

しかし日本は撤収するわけにはいかなかった。

ロシアよりも物騒な国と間宮海峡を隔てただけのお隣さんになるのは、どうしても避けねばならなかった。

日本政府が抱いていた恐れは直ぐに現実のものとなった。

一九二〇年三月、沿海州（支那大陸の間宮海峡沿岸部）を流れるアムール川河口の街、ニコライエフスクで、日本人商社マンや漁業関係者、駐留日本軍、通信員、その家族七百三十人が五千人から成るパルチザン（非正規のソビエト武装集団）に惨殺される事件が起きた（「尼港《にこう》事件」）。

しかも日本国内にも、暴力革命で皇族を皆殺しにして日本の共産化を目論む「日本共産党（コミンテルン）」が結成された。

日本政府は共産主義者を取り締まるための「治安維持法」の制定を急ぎ、シベリア出兵でも撤収どころか追加派遣を決定して延べ七万人から八万人の兵を投入した。

日本軍は零下四十度まで下がる極寒のシベリアをおよそ三千キロ西進し、バイカル湖西岸のイルクーツクまで到達したが、進軍しすぎて砲弾や食糧の調達が滞り、全滅の恐れが出てきたため、一九二二年六月に五千人の戦病死者を出して漸く撤収した。

第十二章　同盟国崩壊

一九一八年に入ると、ドイツ軍は、開戦時の動員可能兵力千百万人の五十パーセント近い五百万人以上の死傷者を出して、戦争継続が困難になりつつあった。

国内でも食糧不足が深刻となり、国民は犬や馬の死肉を奪い合って喰らい、雑草や木の根まで口にするほど切迫して、飢え死にした者は六十万人を超えた。

第一次世界大戦では、世界中で六百万人の民間人が命を落としたが、その死亡原因で大きな割合を占めたのが「毒ガス」と「餓死」である。

さらにこの年、スペイン風邪が世界中で猛威をふるい、六億人が感染して四千万人以上が死亡した。

栄養失調に陥ったドイツ国民の多くが、スペイン風邪に感染して、死者の増加に拍車をかけた。

街は手足を失った傷痍軍人で溢れ、国民の間には厭戦気分が蔓延した。

ロシアで帝政が倒されたことはドイツ国内にも伝わり、国民がいつ政府に対して暴動を起こすかわからない不穏な空気が漂うようになってきた。

しかもアメリカが戦争準備を完了して、ヨーロッパへ兵員の輸送を開始した。

ドイツ軍司令部は、アメリカ軍の到着までに決着をつけるため、イタリア戦線とバルカン戦線に回していた兵力をすべて呼び戻して総攻撃を決行した。

†　西部戦線北西

三月二十一日午前四時四十分、ドイツ軍は、アラスから南のラ・フェールまで八十キロの南北対峙ラインに、六千門の砲を用いて五十万発のマスタードガス充填砲弾を五時間で叩き込み、英仏軍を大混乱に陥れた。

午前九時四十分、自軍の放ったマスタードガスに晒されないよう、全身ゴム製の防護服を装着した歩兵部隊が英仏軍陣地を突破した。

ソンム川を渡河した歩兵部隊は、敗走する英仏軍を追撃し、砲兵部隊は砲身三十メートルの長距離砲を据え付け、パリに向けて三百発以上の砲弾を放った。

巨大砲から放たれた砲弾は、地上一万メートルの成層圏まで達してから百二十キロ先のパリに着弾していった。

この砲撃で九百人以上が死傷し、ほとんどのパリ市民がパリから脱出する騒ぎになった。

ドイツ軍歩兵部隊は最大七十キロ前進したが、砲弾を打ち尽くした四月五日に進撃を停止した。

十六日間の戦闘での英仏軍の死傷・行方不明者数は十七万人、捕虜七万人、ドイツ軍の死傷者数もほぼ同数である。

† ベルギー戦線

正面突破が失敗したドイツ軍は、四日後の四月九日、攻撃目標をベルギー戦線南北五十キロの対峙ラインに切り替えたが、投入された兵力は十三万人と、イギリス軍陣地を力尽くで突破するには不充分であった。

ドイツ軍は南側三十キロの範囲で最大二十キロ前進したが、新手の師団を投入してきたイギリス軍と祖国防衛に燃えるベルギー軍の頑強な抵抗に遭って戦線突破を阻まれた。

北側二十キロの範囲でも、前年にオーストラリア・ニュージーランド軍に多数の溺死者を出したパッシェンデール村の巨大な沼に前進を阻まれ、二十日足らずで攻撃を断念した。

この頃、ついにアメリカ軍がフランスに到着し始めた。

† 西部戦線中央、南東、ベルギー戦線

五月二十七日未明、ドイツ軍は戦線中央ラ・フェールからランスまで東西対峙ライン七十キロの範囲に十七個師団を投入して第三次攻勢に踏み切った。

八十万発のマスタードガス砲弾を半日で叩き込み、十二個師団が守る英仏軍陣地を突破したが、その進撃速度に補給物資が追い付かなかった。

腹を減らしたドイツ兵たちは食糧を略奪しながら前進し、五月三十日にはパリまで九十キロに迫ったが、兵士たちの疲れが限界に達して進撃速度が鈍った。

それを見透かしたかのように、戦線各所へのアメリカ軍の投入が開始された。

以降、戦況は一変する。

六月三日、マルヌ川北岸ベローの森二十キロの範囲で、アメリカ軍の先鞭部隊二個師団がドイツ軍を要撃《ようげき》し、死傷九千、捕虜千五百の損害を与えて行く手を阻んだ。

六月九日、ベローの森の西方八十キロの範囲でも、アメリカ軍七個師団の援軍を得て息を吹き返したフランス軍の巻き返しが始まった。

ドイツ軍は十四個師団を追加投入してマルヌ川を渡河したが、続々と追加投入されるアメリカ軍の加勢を得た英仏軍との五十日に及ぶ激闘の末、攻撃開始時のラインまで押し戻された。

損害は、連合軍が十二万人、ドイツ軍が十八万人である。

七月四日、戦線北西アメルのドイツ軍陣地六キロの範囲を、イギリス軍の爆撃機が叩き、戦車六十両が地雷原と鉄条網を踏み潰した後を米英仏連合軍が三キロ前進した。

その後も、大西洋とスエズ運河経由で際限なく送られてくるアメリカ、インド、カナダ、オーストラリア、ニュージーランド軍の物量に物を言わせた攻撃にドイツ軍は押され続け、四年近く膠着していた対峙ラインが崩れ始めた。

八月八日午前五時三十分、アメルから南へ十キロの範囲で、オーストラリア・ニュージーランド・カナダ軍の二千門の砲による一斉射撃と百六十機の航空部隊の空爆でドイツ軍陣地を叩いたあと、戦闘機八百機の支援の下、戦車四百三十両と歩兵師団が続き、ドイツ軍に死傷七万、捕虜三万の損害を与えて十七キロ前進した（「アミアンの戦い」）。

連合軍も無傷であったわけではない。五万を超える将兵と四百両の戦車を失い、砲弾を撃ち尽くした八月十一日に攻勢を打ち切った。この敗退でヴィルヘルム二世は敗北を覚悟し、講和の道を模索し始めた。

九月十二日、ヴェルダンから四十キロ南南東、ドイツ軍が占領していたサン・ミエルを英仏軍の爆撃機と戦闘機六百機が空襲したあと、南東からアメリカ軍、北西からフランス軍が挟撃して、ドイツ軍に死傷七千人、捕虜一万五千人の損害を与えて奪還した。

九月二十六日、ヴェルダンから西のアルゴンヌの森まで八十キロの範囲でも、歩兵百万を擁する米軍とフランス軍が総攻撃を開始し、ヴェルダンを軸に右旋回でドイツ軍をベルギー国境へと押し返していった。

ヴェルダンの戦いでドイツ陸軍参謀総長ファルケンハインが仕掛けた消耗戦は、ドイツ軍の兵力が尽きることによって均衡が破られるという皮肉な形で実現したのである。

九月二十八日には、ベルギー戦線イーペルでもイギリス・ベルギー連合軍が総攻撃を敢行し、パッシェンデールの沼地を突破してドイツ軍をベルギー領から掃討していった。

このとき、イギリス軍の放ったマスタードガス充填砲弾で目を負傷した小柄な伝令兵がいた。

名前をアドルフ・ヒトラーという。

ドイツ軍が戦線各所で敗走を続ける中、ヴィルヘルム二世は大公マックス・フォン・バーデンを首相に任命して米英仏との休戦交渉を命じた。

バーデンは就任すると、直ぐにアメリカ大統領トーマス・ウッドロウ・ウイルソンに講和会議の開催を提案したが、ウイルソン大統領は「ヴィルヘルム二世の退位なしに、講和のテーブルに着く気はない」と回答して、バーデンの呼びかけに応じなかった。

講和に向けての交渉が難航する間も戦場では血が流れ続けた。

†　バルカン戦線

この間、ドイツ軍がバルカン半島から撤収して孤立無援となったブルガリアに、ギリシャから北上してきた英仏軍とコルフ島に逃れていたセルビア軍が侵攻すると、九月二十九日にブルガリア軍は降伏し、イギリスと休戦条約を結んで戦線から離脱した。

そのブルガリア領から英・仏・ブルガリア軍がオスマントルコ国境を突破し、首都コンスタンチノープル目指して東進していった。

†イタリア戦線、オーストリア国内

ドイツ軍が去ったイタリア戦線のピアヴェ川を挟んだ対峙ラインでは、オーストリア軍が五十七個師団を集結させて総攻撃の準備を進めていたが、イタリア軍に投降したオーストリア兵が自軍の作戦計画を洩《も》らした。

オーストリア軍とほぼ同数の兵力を擁するイタリア軍は、対岸のオーストリア軍の作戦決行直前の六月十五日に砲撃を加えて機先を制した。

翌十六日、オーストリア軍は巻き返しを図って全軍を突撃させたが、川幅が百メートル以上あるピアヴェ川は数日来の雨で増水していた。

胸まで水に浸かり、身動きが取れなくなったオーストリア軍兵士たちはイタリア軍の一斉掃射を浴び、二万人の死傷者を出して渡河を断念した。

大敗を続ける自国軍の不甲斐なさと、長引く戦争による食糧不足で、オーストリア国民の怒りは頂点に達し、戦争に反対する抗議デモが相次いで、帝政から共和制への移行を公然と口にする者が出るようになっていた。

しかも帝国の威信が失墜するのに乗じて、支配下にあった異民族の独立運動が活発化してきた。

この時のオーストリア皇帝はカール一世、サラエボ事件で暗殺されたフランツ・フェルディナンドの弟で、開戦時の老帝フランツ・ヨーゼフ一世が死去した一九一六年十一月二十一日に即位していた。

カール一世は「帝国の連邦化」と「各民族の完全自治」を唱えて異民族の独立運動を抑えようとした。

ところがその矢先の十月二十三日にイタリア軍が総攻撃をかけ、五千人の死傷者を出しながらもピアヴェ川を渡河してオーストリア軍陣地に迫ってくると、チェコ兵、スロバキア兵、ハンガリー兵、ポーランド兵、スロベニア兵ら三十万人もの兵士が投降してオーストリア軍は崩壊してしまい、イソンゾ川まで七十キロ押し返されて前線司令官は降伏してしまった。

この大惨敗でオーストリア帝国の威信が完全に失墜すると、十月二十八日に支配下のチェコ、スロバキア、スロベニア、セルビア、クロアチアが一方的に独立を宣言し、十一月一日にはハンガリー人がオーストリアからの離脱を求めてブダペストで暴動を起こした。

国内からも火の手が上がったことで、オーストリア政府は戦争の継続を諦め、十一月三日にイタリア政府に休戦を申し入れて、翌十一月四日に無条件降伏した。

オーストリアの降伏から一週間後の十一月十一日、カール一世は国政に一切関与しないことを宣言して、翌年三月二十三日にオーストリアを出国し、スイスを経由してポルトガルに亡命した。

† エジプト戦線、メソポタミア戦線、ギリシャ戦線

ドイツとの戦いにほぼ決着がついた九月、イギリス軍は西部戦線の兵力をパレスチナに移して、

オスマントルコ攻略に取りかかった。

九月十九日、航空部隊と増援軍が合流して兵力が七万に膨れ上がったエジプト方面のイギリス軍はエルサレムを発ち、北西に五十キロ進軍してオスマントルコ軍の重要拠点の一つである地中海沿岸の港町ヤフォ（現在はテルアビブ市と合併）に攻勢をかけた。

爆撃機が通信施設を破壊して指揮系統を麻痺させ、戦闘機が逃げ回るトルコ兵を薙ぎ倒したあと、歩兵部隊が前進した。

そのおよそ百五十キロ東のヨルダン川東岸では、砂漠地帯を北上してきたアラブ軍が、オスマントルコ軍の鉄道網を寸断して物資輸送路を断ち、地中海東岸を北上するイギリス軍を掩護した。

圧倒的な物量差を目の当たりにして勝ち目が無いことを悟ったオスマントルコ兵は、武器を捨てて投降を始めた。

十日足らずでヤフォを陥落させたイギリス軍が七十キロ北のナザレを占領し、アラブ軍がダマスカスとベイルートを占領した十月初旬には、投降したトルコ兵の数は七万五千人に達した。

バグダッドで足止めを食っていたメソポタミア戦線のイギリス軍も、五百キロ先のモスルを目指してティグリス川沿岸を北上していった。

十月二十四日、続々と敗報が届くオスマントルコ政府に「国境を突破したイギリス・フランス・ギリシャ連合軍が首都コンスタンチノープルに迫る」との報が入った。

エジプト、メソポタミア、バルカン半島の三方から侵攻を許したオスマントルコ軍に、もはや首都コンスタンチノープルを防衛する力は無かった。

観念したスルタン（国家元首）メフメト六世は、エーゲ海のリムノス島でイギリスと講和についての話し合いに入り、十月三十日に休戦協定を結んで武装解除に応じたが、イギリス軍は講和交渉を見据えて北上を続け、十一月四日にモスルの油田地帯を押さえてから戦闘を停止した。（『歴史群像アーカイブ「第一次世界大戦」』学研）（『歴史群像アーカイブ「ヴェルダン要塞」』藤井尚夫　学研）（『歴史群像アーカイブ「ヴェルダン攻防戦」』藤井尚夫　学研）（『世界全戦争史』松村劭　H&I）（『世界戦争事典』ジョージ・C・コーン　河出書房新社）（『戦争の世界史大図鑑』R・G・グラント　河出書房新社）（フリー百科事典ウィキペディア）参照。

第十三章　日本包囲網

一九一八年十月二十八日、同盟国が次々と降伏していく中、ドイツ海軍司令部はヴィルヘルム・スファーフェン軍港に停泊している全艦艇に出撃命令を出した。

すでにドイツ政府は講和の道を探り始めていたが、英仏に弱みを見せれば講和交渉で不利になると考え、まだ戦う力があることを誇示しようとしたのである。

全滅必至の殴り込み、捨て駒であった。

この無謀な命令に、軍艦チューリンゲンとヘルゴラントの水兵が出動を拒否して、艦のボイラーを停止させた。

水兵たちは、ドイツ政府と米英仏との間で休戦交渉が進められており、間もなく戦争が終わることを知っていたのである。

海軍司令部は出撃命令を拒否した水兵六百人を直ちに逮捕し、軍法会議にかけるためにキール軍港に移送した。

この処分が火に油を注ぐ結果となった。

キール軍港の水兵たちが逮捕された仲間の釈放を求めて抗議集会を開くと、陸軍兵士や市民も加わって皇帝の退位を求める大規模なデモへと発展した。

出動した警官隊がデモ隊に発砲したことで銃撃戦となり、警官一人と水兵一人が死亡して、流れ弾に当たった市民二十数人が負傷した。

この事件が港に停泊中の各艦艇に伝わると、水兵たちは上官の制止命令を振り切ってデモ隊に加わるようになり、軍艦ケーニヒでは、水兵の下船を阻止しようとした艦長が射殺される事態となった。

数に勝る水兵たちが警官隊を制圧して軍の刑務所を襲い、拘留されている仲間を解き放つと、新たに投入された鎮圧部隊の兵士たちは、もはやデモ隊を力で制圧しようとはしなかった。

彼らは静観するかデモ隊に加わったのである。

このニュースはたちまちドイツ国中に広まり、反戦デモはハンブルク、ブレーメン、デュッセルドルフ、ミュンヘンにも拡散し、十一月九日には首都ベルリンにも延焼して、数十万人のデモ隊が宮殿と国会議事堂を包囲して「ヴィルヘルム二世の退位」と「帝政の廃止」を叫んだ。

このとき国会議事堂内では、首相マックス・フォン・バーデンと「帝政の廃止」を党是とする最大会派の社会民主党党首フリードリヒ・エーベルトとの間で、首都の騒乱を収束させるための話し合いが行われていた。

その会談で、エーベルトがバーデン首相に「皇帝が退位しない限り、アメリカ大統領ウイルソンが講和のテーブルに着くことはない。また、皇帝から宰相に任命された貴方《あなた》がその地位に留まる限り、国民を納得させることは出来ない」と述べ「皇帝の二十四時間以内の退位」と「社会民主党への政権の譲渡」を求めると、バーデンはあっさりとエーベルトの要求に応じて身を引いた。

この時、かつて社会民主党に属していたが、政策方針の違いから党を割って独立社会民主党を結成していた極左グループ、スパルタクス団（のちのドイツ共産党）の指導者ループクネヒトが、ソビエトと同様の「共産主義国家の樹立」をベルリンの王宮から宣言するという情報がエーベルト党首の盟友フィリップ・シャイデマンのもとにもたらされた。

ロシア十一月革命同様、長引く戦争に疲れ切った国民は、ループクネヒトの甘言に転ぶ恐れがあった。

スパルタクス団に政権を奪われることを恐れたシャイデマンは議事堂の大窓を開くと、議事堂を取り囲む群衆に向かって独断で「皇帝の退位」と「戦争の終結」を宣言して、「ドイツ共和国、樹立万歳」と叫んだ。

この宣言に群衆が拍手と歓声で応えたことで、シャイデマンの独断で行った声明が公式の発表となった。

ベルリンでクーデターが起こったことを知ったヴィルヘルム二世は退位を認めず「自らが先頭に立って革命運動を鎮圧する」と息巻いたが、すでに皇帝退位が発表されてしまったことを知り、列車でオランダに亡命せざるを得なかった。

十一月十一日、コンピエーニュの森に到着した列車の食堂車で、ドイツ共和国政府代表エルツベルガーは米英仏代表団と休戦に向けての交渉に入った。

米英仏代表は休戦の条件として、

一、六時間以内にドイツ全軍の戦闘停止

一、十五日以内にロシア、ベルギー、フランス領内、およびアルザス、ロレーヌ地方からのドイツ軍の撤退

一、戦線のすべての軍事施設、戦車、航空機、軍艦、武器、機関車、車両、要塞、防御陣地の連合軍への引き渡し

一、ルーマニアがドイツに降伏時に結んだブカレスト条約の破棄

一、ソビエトがドイツとの停戦時に結んだブレスト・リトフスク条約の破棄

一、ドイツがベルギーとソビエトから接収した金の返還

以上の要求をドイツ政府代表に突きつけ、「三十六日以内に一条項でもドイツが履行できなければ戦闘を再開する」と迫った。

ドイツ共和国政府代表は条件をすべて受諾して休戦条約に調印し、ドイツ全軍に「全軍戦闘ヲ停止セヨ」と命令を出した。

これですべての戦闘が停止して、講和に向けての外交交渉に舞台は移った。

翌一九一九年一月十八日、戦勝国によるパリ講和会議が開かれ、ドイツの国力を徹底的に削ぎ、

二度と歯向かえなくさせるための話し合いが行われた。

一方、ドイツ国内では、社会民主党、中央党、民主党の三党で連立政権が結成され、二月六日にエーベルトが大統領に就任して、独断で共和国樹立宣言をしたシャイデマンが首相の座に就いた。

五月七日、米英仏からドイツ共和国政府代表団に講和条件が提示された。

その内容は「大幅な武器、兵員の削減」や「要塞や防御陣地の構築の禁止」など四百四十項目におよび「その中の一つでも履行できなければ戦闘を再開する」と記されていた。

中でもドイツ代表団を暗澹とさせたのが「領土の割譲」に記されていた条項であった。

それが以下の通りである。

一、ドイツがアフリカと南太平洋に保有するすべての領土の没収
一、アルザス、ロレーヌ地方をフランスへ返還
一、ドイツ・ベルギー国境ウーペンからマルメディ以西をベルギーに譲渡
一、独ソ国境に位置するバルト海南岸はロシアから独立したポーランドに譲渡
一、オブルジェ川流域はオーストリアから独立後に合併したチェコスロバキアに割譲
一、ユトランド半島のシュレースヴィヒ地方以北はデンマークに譲渡

これら割譲される領土は七万四千平方キロになり、ドイツの領土のおよそ十三パーセントにあたる。

それ以上に無茶な要求が、

一、賠償金千三百二十億金マルクの支払い

であった。

この金額は金塊にすれば四万七千二百六十トン、二〇二〇年十二月の金相場で換算すれば一グラムが六千九百円なので、三百二十六兆九百四十億円という途方もない賠償額である。

それを三十年間にわたって支払えというのである。

ドイツ代表団は賠償額を三百億金マルクと見積もっていたため、その四倍を超える要求に愕然とした。

報告を受けたシャイデマン首相は「これは、ドイツに滅べと言っているに等しい」と嘆き、就任直後にも拘らず首相の座を投げ出してしまった。

後任に就任したグスタフ・バウアー首相は講和条件をすべて呑む決意をして、六月二十八日にヴェルサイユ宮殿「鏡の間」で講和条約に調印した。

これで四年四か月におよぶ第一次世界大戦は終結を迎えたが、新たな火種を二つ撒いた。

支払い不可能といえる莫大な賠償金を課されたことで、ドイツ人の心に深い怨みが芽生え、その怨みがナチス（国家社会主義労働者党）の指導者アドルフ・ヒトラーを生み出すのである。

フランス軍のフォッシュ元帥が側近に漏らした「ヴェルサイユ条約の締結は戦争の終結を意味し

ない。新たな災禍を招くであろう」という予言は的中する。

ドイツがヴェルサイユ条約で定められた軍備制限を破棄して、第二次世界大戦の発端となる「ポーランド侵攻」を決行するのは、ヴェルサイユ条約の締結からちょうど二十年後の一九三九年である。

もう一つの火種となったのが日本の台頭である。

十五世紀に大西洋に乗り出したヨーロッパの白人たちは、南北アメリカ大陸とアフリカ大陸を席捲したあと、ホーン岬と喜望峰から太平洋とインド洋へと回り、五百年の歳月をかけて中東、西アジア、インド、東南アジア、清国、オセアニアに押し入り、地球の陸地の九九・二五パーセントを掠領してきた。

あと残り〇・七五パーセントとなった「日本」「朝鮮」「タイ」を征服すれば、世界征服が完了するはずであった。

ところが最後の最後で、世界一の陸軍大国ロシアが、財力も工業力もロクな産業も持たない農業国の日本に叩きのめされた。

しかも日本の勝利は、欧米列強の支配下に置かれた有色人種に独立自尊の精神を植え付け、白人支配に対する抵抗運動《レジスタンス》が世界中で始まった。

さらに、第一次世界大戦でも戦勝国となり、世界の五大国にのし上がった日本は、一九二〇年のパリ講和会議で「人種差別撤廃」を訴えた。

統治下に置いた朝鮮、台湾、南洋諸島では、虐殺や収奪どころか近代化の手助けを始めた。

なかでも日本防衛の要衝となる朝鮮への支援は手厚いものがあった。

国家予算の二十パーセントを費やして川の護岸工事を行い、千五百を超えるダムを建設して洪水を防ぎ、山林や荒地を開墾して田畑に変え、水を引いて米の収穫量を十年後に二倍、三十年後には三・三倍に引き上げ、その米を日本が輸入して農家を潤した。

橋を架け、五千キロに亘る鉄道を敷き、水力発電所を建設して産業を起こし、有能な起業家には惜しみない資金援助を行った。

そのうちの一人、イ・ビョンチョルが後に築き上げたのが、韓国最大の財閥となるサムスングループである。

医療の分野でも徹底的な改革を行う必要があった。

日本政府は下水道を通して街を覆っていた糞尿を処理し、赤痢、チフスを媒介する虱《しらみ》、蠅、溝鼠《どぶねずみ》の駆除を徹底的に行って疫病の拡大を防ぎ、病院を建てて予防接種を受けさせた。

その結果、日本が朝鮮を併合した一九一〇年から三十年間で、朝鮮人の平均寿命は二十五歳から五十七歳にまで伸び、人口は千三百万人から二千五百万人まで一・九倍に増加した。

教育の分野でも、日本の朝鮮併合時に三十数校しかなかった初等学校を五千校以上に増やして、三パーセントに満たなかった識字率を五十パーセント以上に引き上げ、一九二四年には「大阪帝国大学」「名古屋帝国大学」に先んじて、日本にとって六番目の帝国大学となる「京城帝国大学」を設立した。

李氏朝鮮時代から続く身分制度も廃して、人口の三割を占める奴婢、白丁といった名前しか持たない賤民に苗字を与え（創氏改名）、日本への出稼ぎを渇望する貧困層の朝鮮人を大東亜戦争の終結までに二百万人受け入れて、その生活を支えた。

そのうえで、日本・漢・満洲・モンゴル・朝鮮民族による「五族協和の王道楽土」の建設を唱え、欧米列強のアジア支配からの脱却を援《たす》ける動きを見せた。

——目障りな民族《やつら》だ。

白人たちはそう思ったことだろう。

有色人種から土地と財産を奪い、奴隷化することで富を築いてきた白人たちにとって、欧米列強の侵食を尽《ことごと》く退け、「人種平等」を提唱する日本は「存在してもらっては困る国」となった。

中でもアメリカは日本を激しく憎悪した。

ハワイを乗っ取ったときに日本に大恥をかかされ、日露戦争のときにはルーズベルト大統領の斡旋抜きで南樺太を勝ち取り、ロシアから譲渡された南満洲鉄道の経営にアメリカを参画させなかった。

太平洋に艦隊を持っていないアメリカの対応は早かった。

日本が日清戦争に圧勝すると、その軍事力を警戒したアメリカは、スペイン領パナマの独立運動を援け、一九〇三年にパナマが独立すると、その見返りにパナマ政府から大西洋と太平洋をつなぐ運河の「建設許可」と「永久租借権」を獲得してパナマ運河の開削を急いだ。

日本海海戦で日本海軍の強さを見せつけられると、パナマ運河の完成を待たずして大西洋艦隊をホーン岬から太平洋岸のカリフォルニア州サンディエゴに移した。

パリ講和会議では、日本が提案した「人種差別撤廃案」をオーストラリアと組んで廃案に追い込み、一九二二年のワシントン海軍軍縮条約では、米・英・日の戦艦保有比率を五・五・三にして日本の軍事力を削いだ。

さらに、第一次世界大戦の勝利で日本がドイツから獲得した山東半島も返還させた。

その山東半島を返してもらう当事国である清国は既に消滅していた。

清国国内では「阿片戦争」「アロー戦争」「清仏戦争」「日清戦争」「北清事変」と外国勢力から蹂躙され続ける清王朝の体たらくに漢民族が怒りを爆発させ、支那全土で決起して、一九一二年に清王朝を滅ぼし（辛亥革命）、「中華民国」という名の国を打ち立てていた。

山東半島を労せずして手に入れたのは漢民族だったのである。

その漢民族の国では、発足直後から政府内で壮絶な権力闘争が起こり、そこへ皇帝の座を狙う支那各地の軍閥までもが入り乱れて、国家とは名ばかりの戦国時代に入った。

この支那の内乱が、白人たちに日本潰しの絶好の機会を与えるのである。

軍閥同士の覇権を巡る争いは支那全土に及び、排外主義運動も相まって、支那各地にある外国人居留地までもが襲撃されるようになった。

一九二七年三月二十四日には、蒋介石軍が南京にある日米英仏の領事館や居留地を襲撃して老女から少女まで三十人の婦女子を強姦するというおぞましい事件を引き起こした（「南京事件」）。

翌日、米英仏軍の艦艇が艦砲射撃で蒋介石軍を南京から掃討するのだが、日本政府のみが支那で最大勢力を誇る蒋介石との軋轢を恐れて、現地の日本軍に報復措置を禁じた。

そのため、蒋介石軍のみならず、支那各地の軍閥や民間の支那人にまで日本は舐められるようになり、以降、日本人に的を絞った襲撃事件を招く結果となった。

日本政府は漸く支那に派兵を開始したが、飽くまでも居留民を守るためであった。

しかし、派遣部隊が相手にするのは、そんな理屈が通用するような正常《まとも》な連中ではない。「痴漢」「悪漢」「暴漢」「無頼漢」「冷血漢」、ロクでもない人物を言い表すこれらの言葉は漢民族に由来する。

現地に着くや忽《たちま》ち支那兵の容赦ない攻撃に晒されて、否応なしに戦わざるを得なくなった。とばっちりを喰ったのが民間人である。

支那軍は撃退されて兵を退くとき、退却路にある街や村落に火を放ち、村人が飲料水として利用している井戸にまで毒を投げ込んで日本軍が利用できないようにしていった。

蔣介石軍などは黄河の堤防を破壊して流域の村を水没させ、日本軍の追撃を阻むのである。

お人好しの日本軍は、流された農民を救出し、決壊した堤防を修復する間に逃げられてしまった。

しかも、蔣介石軍は南満洲に乱入して日本の権益を脅かすようになり、一九三一年九月十八日には、日本が経営する南満洲鉄道の線路が爆破される事件が起こる（「柳条湖事件」）。

この事件が発端となって、南満洲を警備している関東軍と蔣介石軍との大規模な軍事衝突が起こり（「満洲事変」）、関東軍は蔣介石軍を満洲から掃討して、翌年に「満洲国」を建国するのだが、この関東軍の一連の行動について、戦後「政府の許可も取らずに軍部が暴走した」だの「作戦主任参謀だった石原莞爾の謀略だ」だのと酷評されて、関東軍はすっかり悪役に仕立てられてしまい、どの百科事典にも「満洲事変は日本の侵略戦争である」と記され、史実として定着してしまった。

だが、ここまで関東軍を断罪するのは酷というものだろう。

航空幕僚長だった田母神俊雄氏の著書『田母神戦争大学』（産経新聞出版）からの引用だが、世界中の何処《どこ》の国の軍隊も「民間人への攻撃」や「捕虜の虐待」などの禁止事項以外、何をやってもいいという「ネガティブリスト（原則許可、一部禁止）」で動く。

戦場で不測の事態が起こるのは当たり前で、そんな時にいちいち本国政府にお伺いなど立てている暇などない。

敵に急襲されたとき、瞬時の判断で行動しなければ部隊は全滅するし、戦争に敗れれば国は滅び、延《ひ》いては民族の滅亡に繋がるからだ。

確かに柳条湖事件から満洲国建国に至る関東軍の一連の行動は、教科書や百科事典に記してあるように関東軍の作戦主任参謀だった石原莞爾が仕組んだものである。

戦後、石原自身が戦勝国の取り調べで「満洲事変を起こしたのも、満洲国を作ったのもこの俺だ。なぜ俺を裁かんのか」と言って詰め寄ったのだから間違いない。

それでも戦勝国は復讐裁判で石原を戦犯として裁くことが出来なかった。

当然である。

南満洲は清王朝を築いた女真族の故郷の一部で、ロシアが清国から租借権を脅し取ったあと、日露戦争の勝利によって日本に譲渡されたものである。

日本にとって、南満洲はソビエトの脅威から本土を守るための重要拠点であるだけではなく、石炭、鉄鉱石などの鉱物資源が取れる豊饒の地であり、幕末から二倍以上に激増した人口の受け皿でもあった。

何より戦死八万八千四百二十九人、負傷十五万三千五百八十四人（フリー百科事典ウィキペディア「日露戦争」参照）という大量の血を流して手に入れたかけがえのない権益である。

自国の権益を異民族が脅かしてきたら掃討するのは当たり前のことで、何処からも文句を言われる筋合いなどない。

ましてや、世界中の有色人種をぶち殺して、土地と資源を奪ってきた欧米列強の白人たちに日本を批判する資格などないのである。

アメリカもフランスも、他国を侵略するときには先に対象国に自国民を殺害させて、それを口実に宣戦布告して一気に奪い去った。

「メイン号爆破」「アラモの戦い」「ベトナム強奪」「真珠湾攻撃」がそれだ。

イギリスなどはもっと露骨にビルマやオーストラリアを乗っ取った。

その所業はさながら強盗殺人犯である。

それと比べれば、石原莞爾が仕組んだ「柳条湖事件」なんて可愛いものだ。

たかが自国が経営する南満洲鉄道の線路を爆破しただけである。

自国領を守るために止む無く取った措置に過ぎない。

戦勝国はそれが分かっていたから、石原を戦犯として裁くことが出来なかった。

それに、世界が注視している法廷に石原を被告として引きずり出してベラベラ謳《うた》われては、自分たちの悪事がバレてしまうからだ。

しかも日本は、辛亥革命が起こって支那から締め出され、故郷の満洲に戻ってきた女真族と共存共栄の道を歩もうとした。

そのために建国されたのが満洲国である。

日本が唱えた「五族協和の王道楽土」は巧言などではなかったのだ。

その非の打ち所がない満洲を蔣介石は執拗に狙い続け「満洲を返せ」と世界中に喧伝するようになった。

満洲は歴史上ただの一度も漢民族の領土になったことはない。

そもそも漢民族は千年以上も前から万里の長城以北を「化外《けがい》の地」と呼んで来た。

自らが「万里の長城の外は自国領ではない」と公言してきたに等しい。

ところが、南満洲が日本の莫大な投資によって目覚ましい発展を遂げると、恥ずかしげもなく前言を翻した。

尖閣諸島の周辺海域に豊富な海底資源が発見された途端、領有権を主張してきたのと同じである。

漢民族の民族性は昔も今も全く変わっていない。

この馬鹿々々しい主張を日本政府が無視すると、蔣介石は「満洲国の無効」と「日本軍の満洲からの撤退」を求めて国際連盟に提訴した。

蔣介石の訴えが嘘っぱちであるのを分かった上で、日本を叩き潰したい白人国家が乗った。

自分たちの過去の所業を棚に上げて、一九三三年の国際連盟総会で満洲国を認めず「満洲からの日本の撤退」を賛成四十二、反対は日本のみの四十二対一で可決させて、日本を国連脱退に追い込み孤立させた。

国際世論を味方につけた蔣介石は、支那各地で日本軍への襲撃を遠慮なく続けた。

そして一九三七年七月七日、日本軍と蔣介石軍が睨み合う北京市の盧溝橋近くで、双方が銃撃を受けたことに端を発する両軍の銃撃戦が始まった（「盧溝橋事件」）。

四日後には両軍の間で停戦協定が結ばれるのだが、蔣介石軍は協定を平気で破って日本軍への攻撃を続け、七月二十九日には北京市通州区の日本人租界に支那人部隊三千人が乱入して居留民二百二十三人を惨殺し、殺害現場に内臓を散乱させる事件を引き起こす（「通州事件」）。

この猟奇事件が引き金となって、日本軍は敵対するすべての支那軍との全面戦争に突入した。

「支那事変」の勃発である。

その中に共産党軍《コミンテルン》が含まれていた。

「軍」と言えば聞こえはいいが、夜盗、匪賊、乞食の集団である。

日本軍と正面切って戦う力など持ち合わせていない。

戦い方は専《もっぱ》らゲリラ戦である。

民間人を装って突如日本兵を背後から狙撃し、日本人租界に乱入して居留民を惨殺し、戦場で戦う日本兵を居留民保護に削がせて攪乱していった。

その指導者が毛沢東であり、毛沢東を操ったのがレーニン亡き後ソビエトの最高指導者となったスターリンである。

しかもスターリンと毛沢東は、支那の覇権を争ってきた蔣介石軍や各地の軍閥にまで金と武器をバラ撒いて日本軍との争いを煽り、両者を疲弊させて漁夫の利を得ようとした。

「ソ連ルート」だ。

白人風に言えば毎度お馴染みの「分断統治」、支那人風に言えば「夷《い》を以《もっ》て夷を制す」というやつだ。

盧溝橋事件も十中八九こいつらの仕業だ。

日本は日露戦争でロシアを叩きのめし、ソビエト建国に一役買った功労者だ。

しかもスターリンはロシア人ではない。グルジア人である。

ロシアに征服された被支配民族で、ロシア帝国の崩壊で祖国のグルジアは独立できた。

なおさら日本には恩義があるはずだが、共産主義者の性《さが》なのか、それとも有色人種を蔑視するアングロサクソン（五世紀ごろ、ヨーロッパ大陸からイギリスとアイルランドに渡った英語を話すアングル人とサクソン人の子孫のことで、現在のイギリス人、アメリカ人、カナダ人、オーストラリア人、ニュージーランド人を指す）と同じ白人の血が騒いだのか、ロシア帝国時代の「不凍港」と「シベリア開拓に必要な奴隷」を手に入れるための南下策を継続し、日本軍が支那で血みどろの戦いをしている隙を衝いて再び満洲に迫ってきた。

そのため、満洲とソビエトの傀儡国家モンゴル国境では、三百回を超える日本軍とソビエト軍の国境紛争が起こるようになった。

中でも、支那事変の勃発から二年後の一九三九年五月、モンゴル高原のハルハ川流域で起きた戦闘では、日本軍は死傷一万八千人という痛手を被った（「ノモンハン事件」）。

スターリンは自国民を二千万人、毛沢東は六千万人粛清した殺人鬼である。

こんなバケモノ二人を敵に回したため、日本軍は支那と満洲・モンゴル国境の二方面で終わりが見えない戦いを強いられた。

しかも支那事変の勃発から三十七日後の八月十三日、上海で日本軍二十五万と蒋介石軍六十万が激突した（「第二次上海事変」）ときには、蒋介石軍は二百機の戦闘機を繰り出してきた。

当時、航空機を操れる支那人などいない。

投入されたのはアメリカ軍の航空部隊「フライング・タイガース」であった。

日本がアメリカと最初に戦火を交えたのは真珠湾攻撃の四年半も前であったのだ。

しかも、ルーズベルトも英仏を誘い、蒋介石軍に軍事物資を送って支援するようになった。

「仏印《ベトナム》ルート」「香港ルート」「ビルマルート」だ。

交戦中の一方に対する中立国の軍事支援は立派な戦時国際法（「中立法規」）違反であることを百も承知でだ。

念のために記しておくが、このルーズベルトは、ノーベル平和賞ほしさに日露戦争の仲裁にしゃしゃり出てきたセオドア・ルーズベルトではない。

その遠縁に当たるフランクリン・ルーズベルトである。

いずれにしても嫌な名前だ。

ヴィクトリア女王と孫のヴィルヘルム二世、アーサー・マッカーサーと息子のダグラス・マッカーサー、そしてセオドア・ルーズベルトとフランクリン・ルーズベルト、血筋は争えないということか。

この日本人にとって忌まわしい名前の大統領の狙いは、日本が握る満洲の権益を奪うことだけではなかったはずである。

ご多分に漏れず、日露戦争以降、アメリカ国内でも黒人の暴動が頻発するようになっていた。

白人に盾突けばどうなるか、見せしめのため日本を叩き潰す必要があったはずだ。

世界最大の支配地を持つイギリスにとっては尚更《なおさら》だ。

この国は「シパーヒーの反乱」に端を発する「インド大反乱」で散々な目に遭っている。

支配地であるアフリカ、インド、ビルマ、中東、支那で抵抗運動《レジスタンス》が起きれば、イギリス軍の全兵力を投入しても抑えきれない。

すでにインドでは、日露戦争のあと反英運動が再燃して、マハトマ・ガンジーやジャワハルラール・ネルーが独立運動に身を投じていた。

日本は相当目障りな存在となったに違いない。

そのため、日英同盟をあっさり破棄して、アメリカの日本潰しに加担した。

インドネシアの島民に独立の意識が芽生えると都合が悪いオランダにとっても、人種平等を謳う日本は厄介な国であった。

しかし日本と一対一《サシ》で喧嘩する度胸も器量もないオランダは、米英の尻馬に乗って日本を叩き潰す機会を待った。

日本と利害が一切絡んでいない白豪主義のオーストラリアも乗った。

すでにアボリジニーを殲滅し終えて、復讐される心配がないにも拘らずだ。

黄色い猿の分際で、白人様と対等に渡り合おうとする日本が癇に障ったのだろう。

役者が揃うと、ルーズベルトは屑鉄の輸出を打ち切り、日本資産を凍結し、石油の八割をアメリカからの輸入に頼っている日本への供給を断って干上がらせ、日本がオランダ領スマトラ島の巨大油田に手を出さざるを得ない状況に追い込んだ。

そのスマトラ島にオランダが機甲師団を配備して防備を固めると、米英豪は日本の石油輸送ルートとなる南シナ海の遮断に取り掛かった。

イギリスはシンガポールに最新鋭戦艦「プリンス・オブ・ウェールズ」と「レパルス」を派遣し、マレー半島とボルネオ島に八万を超える兵を投じた。

オーストラリアはマレー半島とスマトラ島に派兵して英蘭軍に合流させ、アメリカはフィリピンのルソン島に十五万の兵を配備した。

迎撃体制が整うと、ルーズベルトは太平洋艦隊の拠点をサンディエゴから水深十二メートルしかない真珠湾に移し、虎の子の空母を退避させて老朽艦を並べ、無理を承知で「満洲からの撤退」を迫って日本の攻撃を誘うのである。

そしてルーズベルトの描いた絵図通りに事が運んでいく。

大東亜戦争とは、有色人種を人間と認めない白人と、人間として生き延びようとする日本人との紛れもない人種戦争であった。

ヴィルヘルム二世のその後であるが、米英仏からオランダに今回の大戦を引き起こした戦犯として「引き渡し」の要求がなされたが、オランダ政府はそれを拒否した。

ヴィルヘルム二世はドールン城で木を伐採し、薪を割る平穏な生活を送った。

一九二一年に皇后が死ぬと、翌年六十三歳の時に二十八歳年下の女性と再婚し、復位を望みながら一九四一年六月四日に世を去った。

自身が元凶となった「第二次世界大戦」の勃発から一年九か月が経過し、三千万を超える人命を奪う「独ソ戦」の幕が切って落とされる十八日前のことである。

享年八十二歳であった。

三谷郁也　みたに・いくや

昭和３３年、兵庫県生まれ。関西外国語大学外国語学部スペイン語学科卒業。本書が初著作。従来の難解な近現代史では、大東亜戦争に関して日本人が抱いている罪悪感を払拭するのは不可能と考え、執筆を決意。高校生が理解できる本を目指し、９年かけて書き上げ、ようやく出版に漕ぎつけた。物流会社勤務。

白人侵略　最後の獲物は日本

令和３年11月12日　第１刷発行
令和４年12月28日　第３刷発行

ISBN978-4-8024-0129-6　C0021

著　者　三谷郁也
発行者　日高裕明
発行所　ハート出版
〒171-0014 東京都豊島区池袋3－9－23
TEL. 03－3590－6077　FAX. 03－3590－6078

印刷・製本／中央精版印刷